CW00341387

GOBSECK
UNE DOUBLE FAMILLE

HONORÉ DE BALZAC

GOBSECK
UNE DOUBLE
FAMILLE

Introduction, notes, anthologie critique,
bibliographie par
Philippe BERTHIER

GF Flammarion

ISBN 2-08-070429-X

INTRODUCTION

A la mémoire d'Ernest Pascal.

Quoique fort différentes de facture, de sens et de portée, il n'est pas arbitraire de regrouper *Gobseck* et *Une double famille* : ces deux nouvelles, même si par la suite Balzac les a remaniées et enrichies (et parfois de manière considérable), sont des textes pratiquement contemporains l'un de l'autre (début de 1830), publiés ensemble dans les *Scènes de la vie privée* et placés dès l'origine sous l'influence d'une préoccupation commune. Peut-être n'apparaît-elle pas d'emblée, mais une logique existe, qui suggère et même impose de les mettre en résonance. Des échos se font entendre, plus ou moins déformés, qui permettent de préciser la technique et la pensée de Balzac à un moment climatérique de son évolution.

Les *Scènes de la vie privée* ne prennent leur signification que si on les replonge dans la lumière de la *Physiologie du mariage,* à quoi elles succèdent immédiatement. Le lien n'est pas de pure continuité chronologique, mais de nécessité interne. Balzac déclarera plus tard à la marquise de Castries qu'il avait entrepris avec les *Scènes* de « développer » ses idées de la *Physiologie* et de « les jeter dans les âmes jeunes, par de frappants tableaux [1] ». Il s'agissait donc d'illustrer d'exemples concrets, de dramatiser les axiomes énoncés dans un ouvrage que son ton léger, voire persifleur, et les quelques anecdotes qu'il propose, n'empêchaient pas de rester surtout théorique ; et peut-être de conquérir un public plus large, essentiellement féminin. Balzac n'a cessé de souligner qu'au XIXᵉ siècle les lois et les mœurs rendent la femme infiniment plus vulnérable et lui font payer beaucoup plus cher

les égarements du cœur et du corps. Malheur à celle qui
transgresse les règles explicites ou tacites d'un système
implacable à des erreurs considérées avec des trésors
d'indulgence si elles sont commises par des hommes !
C'est cet avertissement que Balzac, après le cours « fondamental » de la *Physiologie* (qui s'adressait surtout aux
maris soucieux de n'être pas « minotaurisés »), veut faire
retentir en six leçons de nuptiologie appliquée, dont toutes ont pour point commun d'aboutir à des catastrophes
qu'une méditation sur les moyens et les fins du mariage
tel qu'il se pratique dans la société contemporaine aurait
permis d'éviter. Le but pédagogique est on ne peut plus
clair, et Balzac, dans la Préface de la première édition des
Scènes (ultérieurement supprimée), prenait bien soin
d'aller au-devant des objections possibles, en affirmant :
« Serait-ce parce qu'il a essayé de peindre avec fidélité les
événements dont un mariage est suivi ou précédé, que son
livre serait refusé à de jeunes personnes, destinées à
paraître un jour sur la scène sociale ? Serait-ce donc un
crime que de leur avoir relevé par avance le rideau du
théâtre qu'elles doivent un jour embellir [2] ? » C'est plaider
pour une propédeutique du sentiment, susceptible d'épargner bien des malheurs à de fragiles créatures que le
monde lance dans la vie sans se soucier de les prévenir de
tous les dangers qui les guettent. A la fois conviée (par sa
« nature », réputée tout instinct passionné) à déployer les
romanesques folies de la spontanéité affective, et strictement prise dans un réseau juridique et moral qui ne lui
passera aucune défaillance, la femme évolue parmi les
chausse-trapes, avance sur des sables mouvants. Charitable, avisé et expérimenté tel un marinier de la Loire,
Balzac va donc marquer d'une « branche de saule » — arbre poétique et dolent — l'un des gués les plus périlleux
de la vie. Ce faisant, il se pose en spécialiste incontesté
de la problématique conjugale, et complète un dispositif
qui le consacre comme l'auteur de référence pour les
ménages souhaitant ne pas risquer leur bonheur à l'aveu-
glette. Ce vieux loup d'amour — comme on parle de loup
de mer — met au service des débutants (surtout des
débutantes, supposées plus naïves et exposées) toutes les

...ons dont elles se réveilleraient cruellement un jour.
. s'agit, en somme, de les débarrasser de leur virginité
morale, de les mettre en présence de la saleté, de la dureté
de la vie, qui n'a rien d'une idylle. Entreprise de dessil-
lement, non par cynisme, mais par pragmatisme et intelligence des enjeux du plus grand acte social de l'existence, les *Scènes* veulent décaper le mariage de l'écœu-
rant vernis idéaliste qui le plus souvent l'empoisse. Une
pseudo-pédagogie, qui ne s'est jamais pensée, livre en
masse des troupeaux d'oies blanches à toutes les hasar-
deuses tribulations auxquelles on s'expose lorsqu'on
s'aperçoit que la vie n'est pas ce que l'on croyait. Balzac
fait donc confiance aux mères éclairées pour placer ces
cas déplorables sous les yeux des principales intéressées.
L'auteur « s'est flatté que les bons esprits ne lui repro-
cheraient point d'avoir parfois présenté le tableau vrai de
mœurs que les familles ensevelissent aujourd'hui dans
l'ombre et que l'observateur a quelquefois de la peine à
deviner [4] ».

Tout se passe ici comme si Balzac, d'un seul coup, se
trouvait lui-même, accédait à un énorme gisement qu'il
fera sien : celui de l'envers, du dessous de cartes, la
plongée dans les secrets, les cadavres dans les placards,
toutes « les choses dont on ne parle pas [5] ». L'image qu'il
donne n'est pas, ne peut ni ne veut être rassurante. Au
fond des couples, *cela*... Derrière la respectabilité de
façade, les enfers domestiques, les drames cachés du
désir et de l'argent. Tout ce qu'on ne doit jamais laisser
supposer aux jeunes filles, Balzac le dénude brutalement.
Première défloration, en attendant l'autre. Nécessaire,
précisément, pour que l'autre n'inaugure pas le malheur.
De sorte que l'ambition (aussi sincère qu'on voudra)
d'éloigner des passions mortifères et de prôner la sagesse
ou la vertu ne se distingue plus du projet de sonder les
cloaques, et même l'implique : il faut savoir, et jusqu'à la
nausée, que le monde n'est pas beau et que les êtres, bien
qu'ils aspirent à la lumière et, pis encore, *parce que*
justement ils y aspirent, se débattent dans la boue, pour
rétablir les droits et les exigences de l'authenticité et des
valeurs. La traversée des souterrains, l'analyse des dé-

viances sont requises et portent témoignage de ce qui les nie. De sorte que Balzac joue et gagne sur tous les tableaux : le moraliste râblé penche des élèves qui n'ont pas froid aux yeux sur les puits perdus de la culpabilité pour leur apprendre que la vie n'est pas un songe, tandis que le romancier, dédouané de tout scrupule par l'irré- prochable désintéressement de sa visée et la dignité chi- rurgicale de qui visite les plaies du corps social pour mieux les guérir, peut s'abandonner en parfaite légitimité aux charmes de la transgression, puisque l'histoire de ces tristes désordres n'est écrite que pour la glorification d'un Ordre qu'on souhaite précisément ne voir jamais mis à mal. Ambivalence consubstantielle à Balzac, dont on a répété à satiété qu'en prétendant (ou croyant) travailler pour la Règle, il en était le fossoyeur, parce qu'il mettait à jour tout le jeu, par essence subversif, des passions et des intérêts férocement lâchés dans la jungle moderne. Peu importe sans doute. On sait bien qu'il n'est nullement nécessaire de supposer de la mauvaise foi et que par définition, l'écriture pactise avec l'obscur, l'orageux, l'interdit, le condamné, peut-être parce que la pureté et le bonheur, bien entendu synonymes, non seulement n'ont pas d'histoire(s), mais ne sauraient même être dits. L'écrivain par essence est complice de la faute. Balzac a beau agiter l'épouvantail de tragédies, destinées à convaincre les ingénues qu'il faut rester dans les limites du devoir, ne pas sacrifier l'amour à l'ambition ou au plaisir, ne pas se laisser passivement marier parce que le mariage requiert intelligence et harmonie, ce n'est pas ce rôle de conseiller matrimonial qui peut mobiliser son énergie créatrice : mais bien l'exploration audacieuse de la face cachée des êtres et des choses, cette apocalypse du quotidien où se dévoile dans son amoralité l'anarchie du désir. Avec les *Scènes*, Balzac se proposait sans doute de faire œuvre utile de pathologie préventive, individuelle et collective, il mettait surtout la main sur le territoire es- thétique qui n'allait plus cesser d'être sien.

Gobseck porte trace de ses intentions premières. Tout le récit est donné comme s'adressant par ricochet aux

dix-sept ans de Camille de Grandlieu, en mal d'amour
pour Ernest de Restaud. Il s'agit pour Derville à la fois de
convaincre sa mère qu'Ernest est un parti tout à fait
envisageable, malgré les ombres fâcheuses qui pèsent sur
sa famille, et d'impressionner la jeune fille en lui pei-
gnant les drames auxquels mène forcément l'infidélité ou
le mariage mal assorti. Le titre de la nouvelle dans l'édition originale est édifiant sur ce point : *Les Dangers de
l'inconduite*. Pour souligner la portée didactique du propos, Derville ne craint pas d'appuyer sur la chanterelle, et
l'on ne saurait dire qu'il fasse dans la nuance : « Voilà,
Camille, comment de jeunes femmes s'embarquent sur
des abîmes. Il suffit quelquefois d'une contredanse, d'un
air chanté au piano, d'une partie de campagne pour décider d'effroyables malheurs. On y court à la voix présomptueuse de la vanité, de l'orgueil, sur la foi d'un
sourire, ou par folie, par étourderie ? La Honte, le Remords et la Misère sont trois Furies entre les mains
desquelles doivent infailliblement tomber les femmes
aussitôt qu'elles franchissent les bornes... » Ainsi, la frivolité fait tomber dans les précipices, sous les coups
vengeurs d'une trinité allégorique. A bonne entendeuse,
salut ! Comme si l'essentiel avait été dit, et le but atteint,
le récit élimine d'ailleurs à ce moment-là Camille, que les
grands envoient se coucher sans réplique. Ne reste plus
alors — si l'on oublie le comte de Born, qui joue les
utilités — que la narratrice capitale, la vicomtesse, sur
qui Derville fait porter tout son effort puisque c'est d'elle
que dépend le mariage auquel il s'intéresse. Camille
sortie, on est entre soi, on peut donner les noms ; l'enfant,
qui n'est point sotte, avait sans doute compris. Elle ne
connaîtra qu'une partie de l'histoire, de ce conte qu'elle
avait accueilli en battant des mains comme la petite fille
qu'elle est encore (« — Une histoire !... Commencez
donc vite, monsieur »), mais qui n'a que peu à voir avec
les contes de fées et même leur tourne carrément le dos.
Même si on ne lui en donne pas les clefs, et si on
s'attache à en gommer les aspects les plus choquants,
pour insister au contraire sur les leçons morales qui s'en
dégagent — il faut admirer comment la vicomtesse, au

nom de la solidarité féminine, prend la défense de cette
Mme de Restaud qu'elle méprise et, l'œil en coin sur
Camille, y va de son petit couplet sur les vertus des
femmes exaltées par la félonie des hommes —, la jeune
auditrice en sait assez. Elle a l'essentiel : Ernest a de
l'argent, elle pourra l'épouser. Le prince charmant sera
au rendez-vous, même si pour venir jusqu'à elle il lui
aura fallu traverser des forêts terribles ou des marécages
nauséabonds. Gageons que cela seul retient son attention,
qui glisse sur les éléments où Balzac nous invite à voir ce
qui compte. Il s'agit de bien autre chose au fond que des
épousailles de deux tourtereaux.

Ce dont il s'agit, Balzac n'en a pas pris conscience
d'emblée lui-même. En mûrissant, son projet s'est considérablement étoffé et a fini par prendre des proportions
sans commune mesure avec la modestie du dessin, ou
dessein, initial. L'étude classique de B. Lalande, dont on
ne peut faire l'économie, a très clairement marqué les
étapes de cet enrichissement (qui est aussi transforma-
tion) du sens. Dans la publication pré-originale de *La
Mode*, Balzac isole une « physiologie de l'usurier ». Gobseck est une figure typique, une vignette parisienne, et
entre dans un certain genre, celui des études de mœurs
comme les journaux et revues en publiaient alors volontiers, sur le modèle de la monographie scientifique prati-
quée par le naturaliste. *Les Dangers de l'inconduite* dépassent déjà beaucoup le pittoresque. Le titre met l'accent
sur les malheurs de Mme de Restaud, qui apparaît bien
comme la protagoniste. C'est une histoire romantique
d'adultère, tout agitée de pathétique sentimental.
L'épouse, la mère, l'amante se déchirent et souffrent
d'insurmontables contradictions, nouées dans et par sa
faute. Certes, Gobseck est là, qui tire les ficelles, mais ce
n'est pas lui qui accapare la lumière. Le calvaire d'une
femme l'emporte en intérêt dramatique et en moralité
exemplaire. *Le Papa Gobseck*, troisième et dernier état
du texte, va plus loin et ailleurs. Cette fois, c'est le
« capitaliste » qui devient le centre de la nouvelle. La
coupable est bien sûr toujours en proie à ses beaux et
funestes tourments, mais Gobseck ne sert plus simple-

ment à les déterminer dans la coulisse, c'est elle qui par réfraction met en valeur la personnalité de l'usurier. Trois ajouts fondamentaux viennent le lester d'un poids extraordinaire : l'évocation de son passé tumultueux, l'exposé de son « Ce que je crois », enfin la description de sa mort, vers quoi toute la nouvelle semble désormais converger, et qui le couronne d'un sacre, fût-il dérisoire : c'est bien lui le héros, même si en définitive il n'embrasse que le néant. Immensément agrandi, il se hausse jusqu'au mythe. En titrant lapidairement *Gobseck* en 1842, Balzac manifeste qu'il assume totalement l'obscure volonté de l'écriture, qui, au fil du temps, a amené un acteur de la modernité, à livrée réaliste, à devenir ce qu'il était, à échapper à la singularité sociologique pour se muer en porte-parole philosophique : il a enfin rejoint et actualisé, dans leur plus vaste dimension, les potentialités de signification qui étaient en lui dès sa modeste origine.

Bien entendu, une logique relie entre eux ces avatars. Si peu à peu Gobseck croît comme un cancer, comme ces personnages proliférants (Don Juan, Tartuffe) dont l'auteur finit par ne plus pouvoir se débarrasser tant ils débordent d'infernal vouloir-vivre et d'impérialisme natif, c'est que depuis toujours il y avait en lui de quoi questionner le monde. Des mécanismes purement économiques dans lesquels il intervient concrètement aux dépens de ceux qui se voient contraints de recourir à lui — ce qui fait de lui un des ressorts-clefs du drame parisien et, à ce titre, lui assure une place de choix au cœur de tout tableau ethnographique de la vie au jour le jour dans la capitale — à la méditation sur le pourquoi des agitations humaines, le passage est sinon obligé, du moins puissamment virtuel. L'usurier n'est pas un commerçant comme les autres. Il ne s'agit pas pour lui de s'enrichir banalement. Son appétit totalitaire s'aiguise de la conscience de ses fins et repose sur une analyse profonde du sens de la vie. Sa position a ceci d'unique, qu'elle le place au centre même, névralgique et moteur, d'où il peut observer, dans toute leur avidité, dans leur égoïsme sacré, les jeux compliqués, et au fond pitoyables, les passions de l'espèce. A la fois complètement investi dans ces jeux, qu'il favorise et dont il profite, il reste absolument en dehors, parce qu'à chaque instant il les juge. Partie prenante du grand branle de la terre, et habile à tirer pour son propre compte les marrons du feu, il siège en même temps au plafond et regarde avec un parfait détachement une lutte dans laquelle en réalité il n'entre pas. Parce que les chemins du désir et ceux de l'argent s'emmêlent inextricablement et qu'on arrive fatalement un jour ou l'autre à ce carrefour où Gobseck, depuis toujours, attend — quel est le personnage de *La Comédie humaine* qui n'est pas venu au moins une fois implorer l'ermite de la rue des Grès [6]? — il est en même temps celui qui entasse la matière et diffuse l'interrogation sur l'esprit. Centripète parce que tout aboutit dans ses coffres, il est aussi centrifuge parce que c'est à partir de lui que se posent les seules, les vraies questions sur la nécessité de ce qui fait mouvoir les hommes: le chimérique, l'imaginaire, le fantasmé. Gobseck est grand parce que ce professionnel d'un avoir en permanente expansion, en croissance inépuisable, est au cœur de l'impossédable de l'être, et le sait.

Qui est Gobseck? Au-delà du pittoresque judéo-flamand, ou hoffmannesque, quasi obligatoire chez l'usurier, au-delà des modèles possibles — littéraires (il n'en manque pas), ou réels (il n'en manque pas non plus), voire puisés dans le souvenir personnel (et Balzac, comme pour le confirmer, se met lui-même en abyme dans un recoin de son texte, lorsqu'il évoque le jeune-écrivain-de-génie, riche seulement de ses futuritions, accouru chez lui pour subir la loi d'airain du prêt) — l'homme échappe et un savant clair-obscur l'enveloppe d'un halo énigmatique dont la pénombre ne sera pas dissipée. En amont, en aval, on ne sait rien de lui, ou si peu. Socio-genèse, psycho-genèse rendent les armes, faute de repères sûrs. Gobseck naît à dix ans, sur le navire, où, pour se débarrasser d'une bouche à nourrir, sa mère l'a embarqué; destination: les grandes Indes, autant dire nulle part. Pendant vingt années, il écume cet inimaginable ailleurs, Asie, Amérique, avec les corsaires, parmi les sauvages, à la quête de l'or et sans épargner le sang : mais rien, ou presque, ne transpire de ces aventures violentes qui restent comme un arrière-fond fabuleux. Balzac n'est plus Lord R'hoone ni Horace de Saint-Aubin. L'arsenal byronien, océanique et féroce, n'est là que pour donner une giclée de couleur, de fureur, vite éteinte dans ce qui semble la nier absolument : la grisaille, la régularité claustrale de la vie actuelle de Gobseck. Comment imaginer que ce vieux moine a jadis chassé le tigre ou joué le tout pour le tout dans les abordages ? Il le faut pourtant : car Gobseck recueille en lui la somme de l'expérience du monde. Il ne s'agit pas de colorier vaguement quelque fond exotique, mais d'indiquer que Gobseck a vécu toutes les vies, partout, connu tous les hommes, traversé de part en part et épuisé le champ des possibles humains. Il a agi, il a vu agir, il sait, d'un savoir qui n'est pas puisé dans les livres (il ne lit pas), mais dans la jungle du désir démuselé. A Paris, paradoxalement, c'est la même chose et rien, en un sens, n'a changé : sous la joliesse des manières et le raffinement des convenances, c'est la même implacable mêlée, la forêt vierge et le chacun pour soi. Bas-de-cuir sème la terreur chez les comtesses : il ne s'est pas *rangé*. Au fond, Gobseck, par des moyens opposés (ni sabre ni pistolet, qu'il sait pourtant sortir encore à l'occasion, et de manière qu'on n'en plaisante pas, mais des protêts, des assignations, tout un attirail bureaucratique au moins aussi meurtrier, mais contemporain et « civilisé »), poursuit un combat identique. Sur la mer parisienne, il est resté le forban, le fauve de sa jeunesse, mais pour s'assouvir plus n'est besoin d'aller aux antipodes ni de risquer sa vie : ici et maintenant, silencieusement, paisiblement, impitoyablement, Gobseck tue, viole et pille comme à ses plus beaux jours, mais le sang ne coule plus.

Son passé l'auréole donc d'une vocation à laquelle il est demeuré fidèle. Homme pluriel, il a embrassé une richesse exceptionnelle d'humanité, excessive, exaltée, cruelle, qui a multiplié en lui non seulement les moyens d'action mais les sources de connaissance. Ainsi a-t-il échappé aux limites de l'individualité. Il s'est exhaussé au-dessus des déterminations personnelles. On ignore son âge, malgré l'état civil : il est au-delà de tout âge, comme s'il avait toujours été vieux, c'est-à-dire comme s'il avait toujours *su*. Est-ce un homme, est-ce une femme ? Derville le croit du genre neutre : échappant, par quelque privilège, à la fatalité de la sexuation, c'est-à-dire à la mutilation, et possédant les attributs supérieurs (de croyance ou de sagesse) reconnus par les mythes à ceux qui dépassent les frontières du catégoriel. Sa religion plonge dans le flou. Bref, Gobseck est un faisceau d'entrevisions qui ne le laissent pas saisir dans une lumière stable et univoque. Ombre mouvante, spontanément inquiétante ou fantastique, dont on dirait que nul ne pourra jamais la fixer ou la réduire, mais qu'elle est toujours destinée à se jouer de ceux qui tentent de l'enfermer dans le réseau des définitions. On n'encage pas le feu. Et Gobseck, qui semble pris par la banquise, ne cesse de brûler sourdement.

Parfois, de brusques retours de flamme viennent embraser une vie qu'on dirait engourdie dans l'hibernation. Cet ascète est un voluptueux : à Pondichéry il a aimé, il s'est fait duper (comme Vautrin, on ne l'y reprendra plus) ; mais c'est une machine désirante et aussi de désir charnel : admis dans la chambre de Mme de Restaud, il flaire avec une sensualité intense tous les signes, chauds encore, par lesquels un corps féminin manifeste son intimité ; les vêtements épars, qui lui rappellent sans doute des images (le châle de cachemire, le madras créole), le troublant désordre et les émanations de la nuit, les stigmates du plaisir le fascinent visiblement et le conduisent à une investigation d'une indiscrétion rare où se donne à lire l'élan d'une libido que l'âge n'a pas compromise. Son cœur bat, il est ému : « Je donnerais mille francs d'une sensation qui me ferait souvenir de ma jeunesse. » Il y a en Gobseck un énorme potentiel érotique, dominé mais toujours présent. De même, la brutale bouffée de chaleur qui le saisit lorsqu'on lui donne à manier les diamants de famille venus de la lointaine Asie, c'est-à-dire du fond de son passé : soudainement lyrique, galvanisé, éréthisé, puéril, il s'abandonne à la vague d'un plaisir qui le transfigure, à toucher ces bijoux métonymiquement désirables comme le corps qui les a portés; il palpite, il joue, il jouit. Ou encore la frénétique danse du scalp qui le disloque au moment où il s'est donné la possession des «quelques cailloux blancs»: cet être si «secondaire», si calculateur, si machiavéliquement *compos sui*, si stratégiquement retors, garde en lui des ressources d'enthousiasme qui n'apparaissent pas comme des contradictions, tout au contraire comme le noyau vital, le foyer central dont l'ardeur anime un organisme fonctionnant en apparence avec une indifférence mécanique. Mais l'homme qui éprouve de la satisfaction à souiller volontairement le tapis du riche, qui savoure l'hallali auquel il accule ses aristocratiques victimes, qui explose (quoique intérieurement) en décharges sadiques («Paie ton luxe, paie ton nom, paie ton bonheur...») est par nature un passionné qui, au-dessous ou au-delà de l'énorme travail qu'il s'est infligé pour se refroidir, l'est resté.

Toute la complexité du personnage s'organise autour de cette dialectique entre appétence et distance, consommation et abstention. Les échappées sur la fournaise maintenant enterrée, où bouillonne le magma toujours juvénile de l'anarchie instinctuelle que n'a pas reniée l'ancien de la flibuste et du baroud, frappent d'autant plus qu'elles sont rarissimes, aussitôt censurées comme pouvant donner barre sur un homme dont tout l'effort vise précisément à se placer hors d'atteinte. Balzac épuise pour Gobseck le lexique du glacé, du décoloré, de l'immobile, du silencieux, du solitaire. C'est du vermeil, du bronze, du marbre, de la cendre. Un masque blanc, pâle, verdâtre, blafard, blême. Un être sédentaire, qui dresse en secret ses pièges comme une araignée et étend peu à peu autour de lui comme une contagion désertique: il finira dans une maison vide, qui lui ressemble (la loi balzacienne de l'interaction de l'organisme vivant et de son biotope joue déjà à plein); c'est un dépeupleur beckettien. En lui semble habiter on ne sait quel principe ontologique de négativité. Son contact éteint immédiatement ce qui s'approche de lui, comme s'il rayonnait la mort, ou la castration. On se demande s'il ne serait pas un

vampire, voué à un déficit sanguin irrémédiable. Il retient
tout : ses élans, ses mots (il n'est pas jusqu'au langage
dont il n'use avec une parcimonie souvent monosyllabique dont on ne sait si elle manifeste l'épuisement d'un
vouloir-vivre tari ou la concentration extrême, la densité
maximale d'une pensée bourrée jusqu'à la gueule). Mais
il lui arrive aussi de se livrer à des potlatchs insensés : on
a pu s'étonner[7] que ce laconique, ce laconien, abandonne
en faveur de Derville — et du lecteur — ses maximes et
s'autorise l'orgie d'une énorme confidence qui nous
éclaire sinon sur les dessous à jamais inaccessibles de sa
vie, du moins sur sa pensée et sa Weltanschauung. Certes, il y a à cette apparente anomalie une raison purement
technique : si Gobseck ne s'exprime pas, il perd toute
profondeur ; on le verra agir sans le comprendre, on aura
le comment mais non le pourquoi. Le personnage romanesque ne peut prendre son ampleur et se dilater jusqu'à
la transcendance du mythe que si, au moins une fois, il
nous est loisible de pénétrer au tréfonds de ce qui le meut,
et la « confession » inattendue d'un homme qui fuit toute
exhibition de soi et cherche avant tout à échapper à la
prise d'autrui est un impératif à la fois esthétique et
sémantique, qui va plus loin que la simple faiblesse
passagère à laquelle on pourrait d'abord l'imputer. Aussi
déshumanisé qu'on voudra, Gobseck reste humain, il est
loin d'apparaître tout d'une pièce et ne se trouve pas
indemne de contradictions ; la confiance qu'il accorde à
Derville est l'indice non pas d'une défaillance sénile,
mais d'un besoin de communiquer dont il aurait dû sans
doute se défaire pour aller jusqu'au bout de sa profession
de foi, mais auquel il cède exceptionnellement parce
qu'on se lasse après tout de n'avoir jamais de témoin, et
parce que sans ce soupirail — vite refermé — sur son
paysage intérieur, il serait mort sans qu'aucune pierre de
Rosette eût permis de le déchiffrer.

    Flamber ou végéter : Charybde et Scylla. On n'échappe
pas à la convocation de ce dilemme, qui est au plexus de
la réflexion balzacienne dans les années 1830-1835. Le
grand développement prêté à Gobseck, cautionné par le
poids d'une expérience sans seconde (« Vous êtes

jeune... ») ne s'aborde pertinemment que si le lecteur
garde présent à l'esprit qu'il a été ajouté en août 1835, et
suppose donc avant lui deux morceaux de bravoure avec
lesquels il entretient d'étroites relations : le discours de
l'Antiquaire à Raphaël dans *La Peau de chagrin* (1830-
1831) et celui de Vautrin à Rastignac dans *Le Père Goriot*
(1834-1835).

Les rapprochements entre *Gobseck* et *La Peau de chagrin* ont été maintes fois opérés[8]. Au-delà des ressem-
blances extérieures entre tel ou tel point de détail, il est de
fait que ce que P. Barbéris appelle à juste titre « la première grande prédication balzacienne[9] » trouve des échos
dans la confidence de l'usurier de la rue des Grès. Peu
nous chaut ici ce que *La Peau de chagrin* doit au douloureux sentiment de blocage éprouvé à l'ombre de la mani-
pulation et de la frustration en quoi avait avorté le radieux
espoir de Juillet. Ce qui importe à notre propos, ce sont
les trois verbes, les trois pôles entre lesquels l'Antiquaire
déploie l'espace de la liberté humaine. Deux sont mortels, un seul procure l'ataraxie bénéfique : « *Vouloir* nous
brûle et *Pouvoir* nous détruit ; mais SAVOIR laisse notre
faible organisation dans un perpétuel état de calme[10]. »
Ce qui suppose l'extinction du désir et du mouvement,
dont l'énergie se reporte sur une pensée hypertrophique,
en quoi s'est réfugiée toute la force du vivant. L'ambition
de l'Antiquaire a été non pas d'avoir, mais de savoir,
c'est-à-dire de voir. Le texte de Balzac est d'ailleurs
délibérément ambigu. On ne sait pas si les mille et une
aventures survenues au cours d'une existence de cent
deux ans — « ... j'ai vu le monde entier. Mes pieds ont
foulé les plus hautes montagnes de l'Asie et de l'Amérique, j'ai appris tous les langages humains, et j'ai vécu
sous tous les régimes. J'ai prêté mon argent à un Chinois
en prenant pour gage le corps de son père, j'ai dormi sous
la tente de l'Arabe sur la foi de sa parole, j'ai signé des
contrats dans toutes les capitales européennes, et j'ai
laissé sans crainte mon or dans le wigham des sauvages[11]... » — sont réelles ou simplement le fruit imaginaire d'un rêve éveillé. Cela revient au même, dans la
mesure où pour l'Antiquaire tous les événements sont de

purs spectacles dans lesquels il se garde bien de s'investir, pour n'en extraire que la quintessence intellectuelle, l'élixir esthétique. Tout ce qu'on possède, ou atteint, est détruit. Pour ne pas enfermer le monde dans sa matérialité périssable, il faut en recueillir la formule spirituelle. La jouissance échappe alors à la finitude. Elle se fait inépuisable comme l'Idée. Femmes, paysages sont réellement pénétrés parce que précisément on s'est refusé à les étreindre. Les passions humaines sont un débordement condamné, elles fatiguent et tuent; le désir transcende toujours le pauvre objet qui le mobilise. La seule sagesse est donc de se maintenir en dehors et au-dessus de ce bouillonnement dérisoire, dans la sphère épurée où la contemplation permet de goûter tout sans s'engager en rien : « Ce que les hommes appellent chagrins, amours, ambitions, revers, tristesse, sont pour moi des idées que je change en rêveries ; au lieu de leur laisser dévorer ma vie, je les dramatise, je les développe, je m'en amuse comme de romans que je lirais par une vision intérieure. » Immobile et voyant, l'Antiquaire jouit. Comme un romancier ou comme Dieu (c'est la même chose, on le sait bien, la vie est le grand roman de Dieu). Comme Gobseck qui, lui aussi, « s'amuse » à voir défiler devant lui les épisodes divers, du plus palpitant romanesque, du drame auquel il assiste sans le partager. Lui s'est donné la peine de vivre intensément, dangereusement. Il a jeté le flux vital à pleines mains, par-dessus bord. Un jour, par une conversion brutale ou progressive dont on ne connaîtra jamais l'histoire, il a décidé de se retirer en soi-même : non pas de cesser d'agir comme l'Antiquaire noyé dans son illusion créatrice, mais d'agir par d'autres voies qui amènent le monde à lui, au lieu d'aller tumultueusement à sa rencontre. « Le bonheur consiste ou en émotions fortes qui usent la vie, ou en occupations réglées qui en font une mécanique anglaise fonctionnant par temps réguliers. Au-dessus de ces bonheurs, il existe une curiosité, prétendue noble, de connaître les secrets de la nature ou d'obtenir une certaine imitation de ses effets. N'est-ce pas, en deux mots, l'Art ou la Science, la Passion ou le Calme ? Hé bien, toutes les passions humaines agrandies par le jeu de vos intérêts sociaux viennent parader devant moi qui vis dans le calme. Puis, votre curiosité scientifique, espèce de lutte où l'homme a toujours le dessous, je la remplace par la pénétration de tous les ressorts qui font mouvoir l'Humanité.» Le voilà maître du grand Jeu, depuis la chambre banale où le grand *Theatrum Mundi* monte ses tréteaux. Le répertoire humain à chaque instant est à sa disposition dans son entier. Comédies, tragédies à volonté : toute la lyre. Kaléidoscope endiablé devant lequel Gobseck s'enchante d'un pouvoir d'autant plus enivrant qu'il reste souvent virtuel : puisqu'il *peut* tout avoir (pouvoir et plaisir), il n'a pas à risquer la dépense énergétique nécessaire à la possession ; ce n'est pas la chose qui est savoureuse, c'est l'idée qu'on en est maître si on veut : pur bénéfice, puisqu'il a la jouissance sans écorner le capital de radio-activité désirante comme il y serait contraint pour sa satisfaction. Ainsi comprend-on que ce Sardanapale de volupté (le juron cher à Derville s'éclaire assez étrangement dans ce contexte) vive en apparence comme un frugal gourou détaché de tous les faux biens et fausses valeurs du monde : par un paradoxe plein de sens, l'apothéose d'un assouvissement totalitaire ne se distingue plus extérieurement de la vocation au renoncement. Nous y reviendrons.

Ce qui rapproche Gobseck de Vautrin est d'un autre ordre, quoique les points de contact avec l'Antiquaire ne manquent pas non plus. Vautrin aussi est «un artiste», qui «s'amuse». Mais ses poésies, il ne les écrit pas, pas plus que l'Antiquaire, pas plus que Gobseck, qui demande à Derville : «Croyez-vous qu'il n'y ait de poètes que ceux qui impriment des vers?» Tout est dans le regard jeté sur le spectacle du monde et apprécié en connaisseur. On en suit toutes les pantomimes et on les fait jouer à son gré. La conscience silencieuse de sa propre supériorité suffit. En fait, ce qui fait de Vautrin une figure parente de l'usurier — avec toutes les différences à marquer, car Vautrin est un révolté militant, ce que Gobseck n'est pas — c'est le constat sans pitié qu'il dresse devant Rastignac (toujours le même dispositif fondateur de l'aîné initiant le novice) du désordre institution-

nel de la société, laquelle lui semble n'avoir pour principe
que l'absence de tout principe et le sacre de cette anti-
morale qu'est la pure morale des intérêts : « Paris, voyez-
vous, est comme une forêt du Nouveau Monde, où s'agitent vingt espèces de peuplades sauvages, les Illinois, les
Hurons, qui vivent du produit que donnent les différentes
chasses sociales [12]... » Revoilà Fenimore Cooper, en
plein exotisme parisien, en plein archaïsme moderne.
Qu'est-ce à dire, sinon que le civilisé contemporain est un
primitif lâché dans la sylve luxuriante, implacable du
désir ? Bien entendu, on a progressé, les armes sont plus
sophistiquées, il y a des assassinats juridiques : « Je vous
défie de faire deux pas dans Paris sans rencontrer des
manigances infernales... Je n'en finirais pas s'il fallait
vous expliquer les trafics qui se font pour des amants,
pour des chiffons, pour des enfants [13]... » Une phrase
comme celle-ci, ou telle autre, évoquant le « dandy qui,
dans une nuit, ôte à un enfant la moitié de sa fortune [14] »,
semble annoncer la tragédie domestique des Restaud.
Mais plus généralement c'est à un constat d'universelle
abjection qu'est parvenu Vautrin devant le train des choses : « Ça n'est pas plus beau que la cuisine, ça pue tout
autant, et il faut se salir les mains si l'on veut fricoter ;
sachez seulement vous bien débarbouiller : là est toute la
morale de notre époque [15]. » De tous côtés, sottise, relati-
vité, injustice et violence. Vautrin : « Voilà vos lois. Il
n'y a pas un article qui n'arrive à l'absurde [16]. » De
même, Gobseck se désolidarise : *vos* sociétés, *votre* ordre
social. Tout n'est que convention. Le dévoilement est
rude sous les yeux encore ingénus d'Eugène. Mais qu'il
écoute et en fasse son profit : « Si je vous parle ainsi du
monde, il m'en a donné le droit, je le connais. Croyez-
vous que je le blâme ? du tout. Il a toujours été ainsi. Les
moralistes ne le changeront jamais. L'homme est impar-
fait. Il est parfois plus ou moins hypocrite, et les niais
disent alors qu'il a ou n'a pas de mœurs. Je n'accuse pas
les riches en faveur du peuple : l'homme est le même en
haut, en bas, au milieu. Il se rencontre par chaque million
de ce haut bétail dix lurons qui se mettent au-dessus de
tout, même des lois : j'en suis [17]. » Conséquence logique,

article premier et dernier de cet anti-Credo : « Il n'y a pas
de principes, il n'y a que des événements ; il n'y a pas de
lois, il n'y a que des circonstances [18]. » Sur ces bases un
dialogue étroitement fraternel s'instaure avec Gobseck :
« Mes principes ont varié comme ceux des hommes, j'en
ai dû changer à chaque latitude. Ce que l'Europe admire,
l'Asie le punit. Ce qui est un vice à Paris est une nécessité
quand on a passé les Açores. Rien n'est fixe ici-bas, il n'y
existe que des conventions qui se modifient suivant les
climats. Pour qui s'est jeté forcément dans tous les moules sociaux, les convictions et les morales ne sont plus
que des mots sans valeur. Reste en nous le seul sentiment
vrai que la nature y ait mis : l'instinct de notre conservation. (...) Quant aux mœurs, l'homme est le même partout : partout le combat entre le pauvre et le riche est
établi, partout il est inévitable : il vaut donc mieux être
l'exploitant que d'être l'exploité... » « Voilà la vie telle
qu'elle est [19] », approuve Vautrin. Dans ces conditions,
avoir des opinions et y tenir, quelle niaiserie ! Croire
qu'on améliorera la nature humaine, risible utopie : il n'y
a plus, à supposer qu'il y ait jamais eu, d'absolu des
valeurs. Vautrin, qui a une revanche à prendre, mène un
duel personnel contre la société, à laquelle il finira par
s'intégrer, au sommet de l'appareil répressif, pour mieux
la bafouer. Tel n'est pas du tout le choix de Gobseck,
dont l'activité intense ne peut occulter le caractère au
fond contemplatif (beaucoup plus proche en cela de
l'Antiquaire), et ne se colore que très fugitivement d'une
nuance de rancune individuelle ou de compte à régler,
moins encore de pré-nietzschéisme agressif. Gobseck n'a
pas été jeté au bagne. Ce n'est ni un déviant sexuel ni un
criminel. Au contraire, il évolue avec une aisance souveraine dans le maquis de ces lois qu'il méprise, ne les
respectant scrupuleusement que pour mieux les exploiter
à son profit. C'est de l'intérieur, méthodiquement et sans
haine, qu'il subvertit le système et le domine sans prétendre se parer du prestige sulfureux du Rebelle.

   Trois modulations, on le voit, d'une même problématique qui hante profondément Balzac. On fait communé-
ment remonter à son père la réflexion sur l'économie

vitale, et déjà *Clotilde de Lusignan* (1822) en portait trace. Désirer et posséder, c'est mourir. Mais ne pas désirer, ni posséder, est-ce encore vivre ? Raphaël de Valentin est mort, écartelé par cette contradiction. Gobseck a choisi la distance. Il a tout parce qu'il s'est installé au nœud du Sens. Tous les nerfs du corps social et moral aboutissent à lui. Il agit sur eux comme sur les cordes d'un instrument dont la musique s'élève pour lui seul. Il réussit le prodige d'être plongé dans l'action (ce que n'était pas l'Antiquaire) et en même temps de la surplomber. L'incessant travail auquel il se livre ne sert qu'à déployer le mirage universel dont, comme un dieu, il s'offre le solitaire chatoiement.

L'essentiel reste bien la manière dont Gobseck décape jusqu'à l'os devant Derville, comme dans la soude caustique, les mécanismes, terribles de froideur et d'égoïsme, qui animent la vie *réelle,* contraintes dont lui-même est indemne, puisqu'il est libre, totalement à l'écart des pulsions qui font courir et souffrir les hommes. Ce qui pour les autres pèse de tout son poids de fatalité insoulevable n'est pour lui qu'ingrédients d'un drame intéressant. La cruauté des pièges où la passion prend les êtres éloigne de lui le spectre de l'ennui. Cynisme d'esthète ? Le sourire voltairien dont Balzac le crédite à plusieurs reprises, son rire muet et en quelque sorte *à blanc,* qui démystifie tout, pourrait le faire croire. Il éprouve sans doute une intense satisfaction à voir, jour après jour, se confirmer la déroute de l'Idéalisme, de l'Humanisme, de tous les grands mots creux sur lesquels on se juche pour dissimuler la férocité qui est au fond d'une nature impossible à amender. Il a plaisir certainement à piétiner les illusions du Candide qui l'écoute, à le dépuceler. Un zeste de provocation n'est pas à exclure. Mais il a surtout conscience d'être porteur de Vérité, et cette fois la majuscule s'impose, parce que ce que Gobseck dit, au-delà du bien, du mal et des frileuses catégories que les hommes inventent pour se rassurer et ne pas se regarder en face, c'est le Vrai dans toute sa nudité effroyable, pitoyable. Il leur tend le miroir : un de ces miroirs verdâtres qu'on trouve, dit Balzac, dans les auberges de province et qui donnent à

celui qui s'y penche la figure d'un homme tombant en
apoplexie. Les hommes sont malades, mais ils ne veulent
pas le savoir. Gobseck est médecin, il met le doigt sur le
siège du mal, il connaît à fond toutes les plaies, il sait que
nul ne souhaite guérir, et lui-même a besoin que nul ne
guérisse. Il est prêtre : dans sa cellule, des pénitents, qui
ne se repentent pas et récidiveront toujours, viennent « à
confesse » implorer la grâce d'un emprunt qui les soulage
des conséquences matérielles de leur faute; devant lui,
tous les secrets s'ouvrent, plus rien n'est caché, la dou-
blure des vies se révèle; il « lie et délie », non pas les
péchés mais les cordons de la bourse : dans le monde
moderne la faute de pécune est bien le seul péché. Il est
juge : siégeant au café Thémis, il pèse sur des balances
qui ressemblent à celles du Jugement dernier non seulement les intérêts et successions de tout Paris, mais les
mérites et les vices de chacun, qui, devant lui, se fait
transparent. « Mon regard est comme celui de Dieu, je
vois dans les cœurs. » Le coup d'œil de Gobseck est
divinatoire, prophétique. C'est beaucoup plus que la dé-
duction foudroyante du policier de génie à qui rien
n'échappe, et qui tire immédiatement d'un indice minime
toute l'histoire qu'il implique; c'est l'intuition d'un être
supérieur qui embrasse d'un seul coup la totalité d'un
destin : dès le début il sait, parce qu'il a *vu* Maxime et
Mme de Restaud, comment tout cela finira. L'œillade de
Gobseck tranche comme le scalpel de la Vérité. Si devant
lui se déchaîne tout le théâtre du mensonge, toute la
rhétorique de la mauvaise foi, il laisse couler, il attend :
vient le moment où les mots ne servent à rien, il faut en
venir à l'aveu le plus cru, dans le silence, réellement
mortel, de la solitude sans remède, « comme dans une
cuisine où l'on égorge un canard ». Trivialité des tragédies absolues. Gobseck est une formidable machine à
faire avouer. Ceux qui sont forcés de venir chez lui le
savent, tremblent à l'avance : *Quid sum miser tum dictu-
rus ?* Leur pas hésitant dans son triste couloir manifeste
qu'ils vont se soumettre à l'épreuve décisive de la *question,* à l'ordalie du Grand Inquisiteur.
  Gobseck volatilise les faux semblants, arrache les ori-

peaux sociaux, voit l'écorché et dégrade. La riche͏̈s͏̈
lui en impose pas. Il sait ce que recouvrent son appar͏̈
son appareil, quelles œuvres se dissimulent derrière tant
de pompes, de quels fils sordides ou criminels est tissue
cette moire. Comme Vautrin, il sait que les puissants
organisent farouchement leur monopole, se retranchent
dans leurs privilèges et sont prêts à tout pour en interdire
l'accès à ce qui n'est pas eux : « Pour se garantir leurs
biens, les riches ont inventé des tribunaux, des juges, et
cette guillotine, espèce de bougie où viennent se brûler
les ignorants. » Julien Sorel sera bientôt l'un de ces pha-
lènes. Mais de quelle rançon faut-il payer l'exclusivité
dont le système leur réserve la jouissance ! Les apostro-
phant directement, Gobseck pointe un doigt biblique sur
les damnés : « ... pour vous qui couchez sur la soie et sous
la soie, il est des remords, des grincements de dents
cachés sous un sourire, et des gueules de lions fantastiques qui vous donnent un coup de dent au cœur ». L'ours,
les fauves qui ornent le lit de Mme de Restaud prennent,
dirait-on, une présence allégorique et mordante. Tel est le
prix dont il faut acheter la beauté de la vie inimitable.
Livrées, équipages : la spirale infernale du luxe entraîne
inéluctablement au reniement des valeurs. L'apothéose
du paraître conduit fatalement à l'assassinat du Sens :
« Voilà ce qui les pousse à voler décemment des millions,
à trahir leur patrie. Pour ne pas se crotter en allant à pied,
le grand seigneur, ou celui qui le singe, prend une bonne
fois un bain de boue ! » L'amour de l'inessentiel
consomme la mort de l'âme. Gobseck ne prêche pas. Il
constate, moins indigné que sarcastique. Derrière et sous
le brillant, le sale, le mesquin, le marécageux pauvrement
nié par l'éclaboussement des lumières. Le « repas de
garçons » auquel le sage Derville se laisse amener, couplet à faire qui sera plus amplement orchestré dans *La
Peau de chagrin*, n'a rien de particulièrement peccami-
neux, et pourtant manifeste avec éloquence, dans sa
sphère, la vérité du plaisir : la neige éblouissante du linge
et des cristaux bientôt souillée, la cacophonie, la violence, le désordre d'un capharnaüm, la mauvaise fièvre
d'un pandemonium, toute la vulgarité et au fond la misère

INTRODUCTION

ε croit joyeux. Le tableau offert par la comtesse après une soirée qu'on suppose quelque bal prestigieux, ne vaut pas mieux : maîtres le disparate, le dissonant, l'épars, le devenu dérisoire parce que la totalité vive et émembrée ou plutôt disséquée à froid, exhibe ses co... antes dans leur signifiance partielle, et l'on se demande comment toutes ces petites morts additionnées ont jamais pu organiquement se lier en une gerbe de désir : « Des fleurs, des diamants, des gants, un bouquet, une ceinture gisaient çà et là. » Le regard erre à la recherche d'une unité chaude et sensuelle dont le démontage clinique fait éclater l'imposture : et pourtant, la veille au soir, la réunion artificieuse de ces éléments avait causé « quelque délire ». Telle est la folie de l'imaginaire, la frivolité du fantasme, qui cristallise, élabore, échafaude des constructions mythiques dans lesquelles il engage les enjeux les plus intenses et risque son va-tout, à partir de réalités objectivement inconsistantes ou minables. Les rougeurs qui parsèment le visage de la femme « heureuse » et les cernes de ses yeux attestent la présence du ver rongeur, qui dépasse les circonstances particulières où elle se trouve et ses soucis du moment : la référence à Tantale, cherchant éperdument à embrasser des satisfactions qui le fuient, fait de Mme de Restaud la victime d'un appétit fondamental de l'être humain, et fondamentalement erroné. Elle est coupable, mais surtout elle se trompe sur la fin et sur les moyens. A l'abri sur la rive, Gobseck comme au théâtre contemple les affres des futurs naufragés.

C'est que le désir, en soi, c'est la faute — non pas au sens moral, dont au fond Gobseck n'a cure — mais dans la mesure où le désir, élisant toujours un objet qu'il place au-dessus de tout et qu'il constitue en valeur suprême, est voué d'abord à l'aliénation (puisque son moindre mouvement se met à dépendre d'autrui et que son principe de bonheur ou de malheur se trouve donc placé en dehors de lui), ensuite et surtout à la déception, la plupart du temps l'objet se révélant sans solidité ou inférieur à l'idée, ou à la mesure, qu'on avait éprouvé le besoin de s'en faire.

Mme de Restaud désire Maxime. Qu'est-ce Maxime? De la boue (encore et toujours la métapho récurrente qui désigne comme l'élément même du monde selon Gobseck), dans un bas de soie bien sûr, ou plutôt dans des veines de soie, où elle coule limoneusement, charriant l'impur sous la peau bien poncée. Maxime est de la race des suceurs de sang. Il vampirise Anastasie (et peut-être y aurait-il là, secrètement, une ressemblance avec Gobseck : cette froideur centrale, prédatrice, et le caractère neutre ou «amphibie» d'un être au-delà du masculin et du féminin [20]). Gobseck comprend immédiatement que le désir qu'il suscite met en branle un processus de voracité exponentielle, impossible à maîtriser : «Ce joli monsieur blond, froid, joueur sans âme, se ruinera, la ruinera, ruinera le mari, ruinera les enfants, mangera leurs dots, et causera plus de ravages à travers les salons que n'en causerait une batterie d'obusiers dans un régiment.» Avec son corps, qu'il fait miroiter comme son *capital* avec un cynisme prostitutionnel, une désinvolture courtisanesque, il sème le désordre et la mort dans le monde. Rien ne l'arrête, y compris le chantage au suicide. Le «monstre à visage d'ange» dévaste la vie des autres avec une merveilleuse innocence, parce qu'au fond les autres n'existent pas pour lui. La manière dont il désigne Mme de Restaud par un admirable «quelque chose» en dit plus long que tout sur la valeur uniquement instrumentale qu'autrui revêt à ses yeux. Tel est le chevalier errant de la modernité mondaine. On a les Arioste qu'on peut.

L'amour de Mme de Restaud est donc une maldonne, mais quel amour ne l'est pas? Dans la *Physiologie*, Balzac avait à l'avance, semble-t-il, tracé le parcours d'Anastasie : «Il y a je ne sais quoi de terrible dans la situation où parvient une femme mariée, alors qu'un amour illégitime l'enlève à ses devoirs de mère et d'épouse. Comme l'a fort bien exprimé Diderot, l'infidélité est chez la femme comme l'incrédulité chez un prêtre, le dernier terme des forfaitures humaines; c'est pour elle le plus grand crime social, car pour elle il implique tous les autres. En effet, ou la femme profane son amour en technique [23], et épaulé par Gobseck, y joue un rôle capital au profit de la justice, mais l'intérêt se concentre sur le clair-obscur dans lequel se débat la comtesse. D'une part, c'est une mère admirable, repentie, expiante, qui a bu jusqu'à la lie le calice du remords et se dévoue avec sublimité pour sauver les intérêts matériels des enfants de l'amour. Elle a reconnu la bassesse de Maxime et, revenue d'égarements qu'elle abjure, elle implore le pardon de l'époux outragé. Mais derrière ce chromo larmoyant (pourtant, en un sens, incontestable) se profile une femme tout autre, une démone dont le pondéré Derville estime que pour arriver à ses fins (désintéressées, semble-t-il) elle serait capable d'un crime. Elle s'avère capable de tout, en effet, et comme un insecte carnivore — araignée, fourmi — elle dresse ses pièges patients. Pour désarmer Derville, elle irait jusqu'à flirter avec lui. Surtout elle isole son mari, le coupe du monde, l'entoure de ses satellites et le soumet à un espionnage permanent pour surprendre son secret, tandis qu'elle-même, au chevet du mourant, bûche le Code pour y trouver la faille qui, peut-être... Balzac sera toujours fasciné par les manœuvres qui se déploient autour des lits funèbres [24]. C'est ici l'une des premières fois qu'il souligne, avec tant d'âpreté dans le trait, l'inhumanité des vivants avec leurs calculs, plus encombrés que jamais de leur avidité, et qui ne comprennent pas ou ne veulent pas comprendre que celui qui s'en va, radicalement, les invalide. Tout se passe comme si, au lieu de rappeler à l'ordre du néant, la Mort qui passe exacerbait follement le besoin d'une possession que pourtant elle disqualifie. C'est pour la bonne cause de la maternité, bien entendu, que la comtesse se bat comme une lionne. Mais sur les moyens elle n'est pas regardante. La manière dont elle essaie captieusement de faire parler l'aîné, de lui soutirer une confidence — en jouant sur la tendresse, et en mentant par amour, tout en prétendant qu'il ne faut pas mentir — est d'un « sublime horrible » dont Balzac devait être fort satisfait. Au-delà d'un oxymore romantique, on y lit l'atrocité de la contradiction où Anastasie s'est enferrée. L'apparition spectrale du cadavre du Commandeur, surgi de sa chambre-tom-

beau, dont le lugubre désordre offre comme un envers,
paradoxalement ident.que, à celle de sa femme après le
plaisir, est impuissante à altérer la logique d'un acharnement fondé sur une idée fausse, mais fixe. Dans sa
frénésie obscène, le pillage par la veuve hallucinée de la
chambre mortuaire (qui évoque déjà le saccage par
Mme Dambreuse du bureau de son mari, en quête du
testament, dans *L'Éducation sentimentale*), est non seulement un attentat contre le respect dû aux morts, mais
une bêtise : il aboutit à la destruction du document passionnément recherché. Balzac, par Derville interposé,
arrache à sa plume des accents pascaliens devant le corps
du comte, dédaigneusement jeté comme une des enveloppes de papier gisant à terre : « car lui aussi n'était plus
qu'une enveloppe ».

   Voilà donc où mènent les mauvais chemins du désir.
L'héroïque comtesse, l'éducatrice exemplaire a été capable de *cela*, et Gobseck est là pour en témoigner. Certes,
ce n'est pas lui qui a conduit les choses, mais dès l'origine il était là, il a tout vu, tout saisi, tout présagé. Il est
celui qui, sous les élégantes arabesques de la vie déli-
cieuse, sous les étincelants mélismes du plaisir, lit l'avenir dans les cartes et tire toujours sombrement celle qui
annonce la mort. Dans ce paysage désolé (est-ce pour rien
que Balzac qualifie sa face de *lunaire* ?), quelles lueurs ?
Fanny Malvaut, bien sûr, en sa demeure chaste et pure,
volet édifiant et bourgeois du diptyque féminin, l'anti-
sirène de service : mais écrit-on des romans avec les
Fanny Malvaut ? Une fois saluées leurs vertus, on les
oublie. Derville est plus intéressant, parce que plus
complexe : honnête, lui aussi, mais trempant profession-
nellement dans les fanges du monde, il est un bon tru-
chement, à la fois dedans (il connaît tous les dessous) et
dehors (il ne partage pas la folie universelle et garde
solidement la tête sur les épaules). Il sait et il juge, il agit
mais il ne se salit pas, il plonge sans se mouiller. Sa
position intermédiaire mime celle de l'auteur, et ce n'est
évidemment pas pour rien que c'est à travers sa parole
que Balzac donne à lire son histoire. Il représente peut-
être un compromis [25] entre des convocations divergentes.

Il n'est pas dégoûté par le train des choses au point de se claquemurer à la Grande-Chartreuse, il reste et prospère; mais, parce qu'il n'a pas «une âme d'avoué» — c'est-à-dire tout simplement parce qu'il a une âme — il garde les yeux ouverts, le cœur clair et, au fond, ne pactise pas avec le désordre établi. Nous savons qu'il prendra sa retraite avec une bonne pelote, mais que le scrupule le plus sourcilleux ne saurait suspecter. Il est toujours ce jeune homme qui, après sa première conversation avec Gobseck, se demande avec horreur sans trouver le sommeil : «Tout doit-il donc se résoudre par l'argent?»

Auri sacra fames... Gobseck prend cette boue que le monde lui donne et il en fait de l'or, dont il se nourrit. Gobseck gobe sec, naturellement. Comme son doublet onomastique Gobenheim, de *Modeste Mignon* (1844). Que de gloses virtuoses, barthésiennes, on pourrait gloser sur les gutturales, les occlusives, implacables comme un claquement de mâchoires ou la fermeture d'un tiroir-caisse métallique... Gobseck, Shylock, Vidocq [26]... C'est évidemment le contraire d'une «singularité», mais une nature et un destin. Le nom assigne une vocation. Gobseck, c'est un boa, un ogre, un dévorant, un cannibale. Il avale l'univers et n'est jamais repu, toujours en chasse. A la différence du stupide Fafner, assoupi sur son trésor rhénan qu'il se borne à conserver tel qu'il l'a reçu («Ich liege und besitz»), il est sans cesse à l'affût de la proie, agile, inventif, sans repos, affamé. La satisfaction du moment relance aussitôt un appétit inépuisable. Rien ne semble devoir être à la mesure d'un besoin perpétuellement renaissant. L'or est le combustible de cette chaudière, le pain de ce Baal à la gueule toujours ouverte. Deux choses, dans la débâcle universelle, l'effondrement total des valeurs, restent debout parmi le champ de ruines, expose l'usurier à Derville : le moi et l'or, deux colonnes monosyllabiques sur lesquelles il est possible, nécessaire même de bâtir un empire qui, lui, ne croulera pas. L'or, c'est l'étalon suprême. Le moi ne peut se construire et s'épanouir que dans la caution de cet élément originaire et ultime qui *fonde* la seule vérité. On n'a que trop passé Balzac à la moulinette marxiste, mais il

faut rappeler les termes du *Capital*, où l'on peut imaginer
certains échos de cette étude que Marx projetait d'écrire
sur Balzac : « La société moderne qui, à peine née encore,
tire déjà par les cheveux le dieu Plutus des entrailles de la
terre, salue dans l'or, son saint Graal, l'incarnation
éblouissante du principe même de sa vie [27]. » Dans sa
monstrance mystique, l'hostie du XIXe siècle, c'est le
louis d'or ou le napoléon.

Il ne s'agit pas de faire un sort, plein d'arrière-pensées
militantes et actuelles, au mot « capitaliste » par lequel
Balzac désigne à plusieurs reprises son héros. Mais ce
mot est là, on s'y heurte et il est plein de sens. Gobseck
est celui qui accumule le capital, geste en même temps
immémorial et typiquement contemporain : les deux aspects doivent être envisagés et pensés à la fois. D'une
part, Gobseck est le représentant d'une thésaurisation
active qui caractérise un certain état d'une société donnée, de l'autre il hypostasie et pousse jusqu'au mythe un
désir de l'âme humaine, vieux comme elle, et transcen-
dant aux conditions socio-économiques ponctuelles. La
comparaison avec Grandet, autre boa insatiable (1833),
est obligée ; on peut croire qu'en effet Balzac a voulu
opposer l'usurier parisien à l'avare provincial dont il
précise à l'occasion que, sorti de Saumur, il aurait pauvrement figuré. En fait, ce qui divise les deux hommes
est peut-être plus fort que ce qui, d'évidence, les unit.
Non seulement ils n'ont ni la même sphère d'action ni les
mêmes techniques, mais leur attitude devant l'or est foncièrement différente. Chez Grandet la réalité de l'or est
tangible, elle s'affiche avec une volupté charnelle : les
pièces, les tonneaux, les terres, l'avare les caresse et jouit
du contact physique, sensuel, avec sa fortune qu'il
éprouve souvent le besoin de vérifier et d'étreindre. Mis à
part quelques fugitifs moments de passion tactile (avec
les girandoles d'Anastasie, par exemple), Gobseck est
essentiellement un cérébral. Il est caractéristique qu'il
n'ait jamais d'or sur lui ni dans sa chambre, sauf ce qu'il
dissimule sous la cendre de sa cheminée parce que la
maladie l'a empêché de s'en débarrasser. Gobseck entasse l'or dans les caves mythiques de la Banque, mais,

dirait-on, sans le toucher. C'est peut-être qu'il est devenu or lui-même : il « s'était fait or », dit Balzac — *et aurum factum est* — et l'insistance sur le jaune, le jauni ou le jaunâtre, dans les traits qui décrivent son apparence, dit assez que cet homme-métal s'est incorporé la substance des jaunets. Aurifié jusque dans les moelles, il peut se dispenser de confirmer naïvement sa richesse au soleil ou au fond de ses coffres comme le fait Grandet, infiniment plus primaire que lui et, en fait, resté paysan. C'est que pour lui, l'or est avant tout une sublime Idée. Il y a du platonicien en cet homme qui jouit de s'absorber dans la méditation de l'or en tant que concept pur, riche de ses seules potentialités, et, à la limite, dégagé de ses investissements concrets. En poète qu'il est, Gobseck savoure bien sûr les délicieux affûts du chasseur, les risques et les audaces du grand prédateur, mais ce qui le sollicite le plus, c'est le rêve de ce que sa victoire lui permet, et non de le réaliser. Le fait qu'il vive comme un pauvre, et chastement, n'est pas seulement le signe d'une parcimonie congénitale, mais plutôt que la richesse extérieure (celle que tout le monde souhaite et toutes les aménités qu'elle offre) ne l'intéresse pas. Marx encore : « Pour retenir le métal précieux en qualité de monnaie, et par suite d'élément de la thésaurisation, il faut qu'on l'empêche de circuler ou de se résoudre comme moyen d'achat en moyens de jouissance. Le thésauriseur sacrifie donc à ce fétiche tous les penchants de sa chair. Personne plus que lui ne prend au sérieux l'évangile du renoncement [28]. » Pour Gobseck, l'essentiel n'est pas dans les jouissances positives, mais dans la richesse du virtuel, du possible, en définitive la richesse abstraite. On a observé finement que Grandet, accumulant peu à peu les écus, étend sa puissance, parce qu'il est pris dans une durée productrice qui progressivement l'agrandit et l'arrondit, tandis que Gobseck reste à l'écart du temps ; il exerce un pouvoir immédiat ; il est au moment même ce qu'il veut être [29]. Ce qui suppose que le Sens n'est pas dans l'objet acquis grâce à l'or, mais dans l'or lui-même qui permet de l'acquérir (et donc dispense de le faire).

L'or, énonce Gobseck en des axiomes vertigineux,

« représente toutes les forces humaines... L'or contient tout en germe, et donne tout en réalité ». Comprenons que ce qu'il donne est de l'ordre de l'imaginaire, seule Réalité. Gobseck reproche à Derville de s'amuser — c'est le son âge — à voir des figures de femme palpiter dans ses tisons. Lui n'y voit que des charbons. Rappel à l'ordre du réel, mais ce refus du fantasme s'accompagne paradoxalement d'un triomphe absolu du fantasme, puisque Gobseck, apôtre du positif et hyper-actif sur le terrain des faits têtus, est lui aussi totalement abîmé dans la contemplation de ces « germes » infinis qui lui donnent l'ébriété lucide du pouvoir. Pouvoir avoir, c'est tellement plus et mieux qu'avoir. L'or, pour lui, c'est tellement autre chose qu'une masse monétaire à placer ici ou là, à faire fructifier, à engager dans des spéculations juteuses, à multiplier sans relâche pour qu'elle rende. C'est un accumulateur, un formidable condensateur d'énergie, une sorte de pile ou de batterie qui peut faire tourner à plein régime les turbines du monde. Énergie qu'on peut ne pas voir et ne pas toucher, si on sait — et quel frisson de le savoir ! — qu'elle est là, soumise, à disposition. Et puisque référence fut déjà faite à *L'Or du Rhin,* qu'il suffise d'évoquer l'idée de Patrice Chéreau et Richard Peduzzi pour le centenaire du *Ring* à Bayreuth : non pas de vulgaires pépites en lingots de carton doré, mais un barrage hydro-électrique. Parce que l'or, c'est ce qui produit les kilowatts-désir et la houille blanche de la volonté de puissance.

« L'or est le spiritualisme de vos sociétés actuelles » : encore une de ces formules violentes où s'opèrent, comme dans l'athanor, les noces d'éléments qui devraient s'exclure. L'allusion alchimique n'apparaît pas gratuitement : Balzac y renvoie, elle est explicite. A. Béguin s'en est autorisé pour de fulgurantes, mais contestables intuitions qui font de Gobseck un frère du Balthazar Claës de *La Recherche de l'absolu,* dont la première édition avait paru en 1834, un an avant les modifications décisives de notre nouvelle. Que Gobseck soit *aussi* une *Étude philosophique,* c'est trop clair (ce que n'est à aucun degré *Eugénie Grandet*), mais faut-il pour autant suivre Béguin dans son interprétation qui fait de l'usurier la figure d'une soif inextinguible de la Connaissance, sur fond de vocation judaïque, qui plus est? Dans cette perspective, l'Avoir ne serait plus qu'une pure et simple métaphore de l'Être. N'oublions pas la fin de la phrase de Balzac. *De vos sociétés actuelles* cloue au pilori une organisation (désorganisation devenue système) qui fait du matérialisme l'aliment même de la vie. Gobseck, ni Balzac, ne la proposent en modèle. L'usurier utilise simplement, pour l'exaltation intérieure (donc spirituelle) de son propre pouvoir la tension formidable de ce ressort dans laquelle une humanité asservie à l'avoir bande toutes ses capacités d'être. L'Antiquaire de *La Peau de chagrin* répudiait le Pouvoir au profit du Savoir. Le Pouvoir de Gobseck lui apporte en même temps le Savoir, mais c'est le Pouvoir qui l'occupe. Connaître n'est pas, ou pas d'abord, son propos : sinon, il n'agirait pas, mais resterait en repos dans son poêle, comme l'autre dans sa boutique d'antiquités. Ce dont il a besoin, ce n'est pas de déchiffrer le sens du monde (il y a longtemps qu'il l'a fait, c'est la leçon à Derville), mais de sentir à chaque instant qu'il peut l'exploiter à son profit. Disposant de l'or à sa guise, il dispose du Sens même et joue des âmes, comme le Dieu qu'il est. Le thème des dix « rois silencieux et inconnus » de Paris, si balzacien par l'idée de forces essentielles et occultes agissant décisivement derrière la façade des choses, manifeste bien cette présence-absence dans le monde et hors de lui qui est l'attribut de la divinité. Les conclaves de ces « arbitres des destinées » ne se distinguent plus des comptes de Josaphat, et leur *livre noir* du Grand Registre métaphysique où actif et passif de chacun s'inscrit pour toujours, et sans fraude : « Liber scriptus proferetur, in quo totum continetur. »

Substance vitale et *mana* énergétique, l'or est aussi mortifère, et c'est évidemment autour de ce renversement constitutif, de cette terrible ambivalence, que Balzac organise sa nouvelle. Comme un talisman révélateur, promené devant toutes les réalités humaines transformées en spectacles, en illusions, l'or avait permis à Gobseck d'en démontrer et démonter le néant. Il semblait être la seule

vérité. Mais il est lui-même en proie à une négativité
interne qui finit par l'amener à se détruire. Ici éclate la
différence entre les deux chutes voulues par Balzac pour
son texte. En 1830, Gobseck a abjuré son ancien métier,
est député, songe à devenir baron et convoite la croix. En
1835, s'il conserve des terres, construit des fermes, répare les moulins et plante des arbres, c'est tout à fait
abstrait et ces détails, qui l'apparentent à Grandet, auraient pu disparaître sans dommage. En effet, tout se
passe comme si (peut-être justement après avoir imaginé
la mort de Grandet) Balzac avait pris conscience que la
logique même de ce qui fait mouvoir Gobseck devait
fatalement le détruire. Le dévorant devait se dévorer
lui-même, destin dont sa maigreur qui frappe justement
sa portière — «je crois qu'il avale tout sans que cela le
rende plus gras...» — est un indice autophagique (le
cannibale, au fond, se mange lui-même [30]). Si tout entre
chez Gobseck sans que rien n'en sorte jamais, ce symp-
tôme profondément inquiétant signifie qu'il est voué à
l'entropie : au lieu de s'accroître de manière indéfinie,
l'or s'inverse dans une spirale involutive qui finit par
l'abandonner au vide. En 1830, Gobseck échappait à
l'ombre où il avait toujours vécu, il devenait un personnage officiel, installé, bref « quelqu'un ». C'était, il faut
bien l'avouer, une conclusion d'une banalité (ou d'une
ironie) flaubertienne, réaliste, qui manifestait à quel point
Balzac n'avait pas encore lui-même pris mesure de son
personnage. En 1835, contrairement à ce qu'on a pu
dire [31], la mort de Gobseck dans son galetas est le
contraire d'un accident. C'était, en quelque sorte, écrit.
Celui qui a vécu par l'or périra par l'or : pauvre Sardanapale (encore lui), qui a cru s'entourer de tous ses trésors
et les emporter dans une grande flamme, il les a laissés
aux rats, qui déjà s'en occupent. A la fin, Gobseck est
saisi par « l'instinct illogique dont tant d'exemples nous
sont offerts par les avares de province » : c'est dire qu'il
se ravale à l'absurdité d'un Grandet, il s'est lui aussi
laissé piéger par les choses. Défaillance de vieillard, sans
doute. Balzac nous souffle une autre explication, la
bonne : chez lui, la passion, parce qu'elle était forte, a

survécu à l'intelligence. Elle s'est emballée, a déraillé et
a fini par exploser comme une locomotive devenue folle.
Et c'est toujours ainsi chez Balzac, qui voit la passion
comme une de ces machines célibataires ou un de ces
engins de Tinguely dont l'ardeur à fonctionner en arrive à
consommer leur propre désintégration. Le sage Antiquaire, si détaché, avait déjà jeté sa philosophie aux
orties et, reniant tous ses principes, se pâmait dans les
bras d'Euphrasie. Ce pouvait être, chez lui, une inconsé-
quence, mais ruineuse et peut-être expiatrice d'une ambition surhumaine. Chez Gobseck, il s'agit d'une loi du
moteur qui l'anime : Balzac, au lieu de le contrarier
comme en 1830, le pousse cette fois à bout. L'idée est
devenue idée fixe. Elle bascule dans le rien. La mort
dérisoire de Gobseck parmi ses stocks pourrissants, à la
fois morgue et mont-de-piété, signifie non seulement
qu'il faut laisser « vaisselles et vaisseaux », mais que
l'avoir, ce n'est pas l'être ; c'est la malédiction, ça pue la
mort. Au bout du « décompte », comme il dirait lui-
même, quid ? Lucide, semblait-il, à l'égard du périssable,
tout se passe — pascaliennement encore — comme s'il
s'en était saoulé et se décomposait avec lui. Il y a au fond
de tout cela une immense *puérilité*. La fortune de Gobseck ira à une putain au grand cœur, puis à un gigolo
malgré lui, enfin à des enfants provinciaux qui ne sauront
jamais quels étranges chemins elle a suivis pour leur
échoir... Tels sont les circuits de l'Or et du Sens. Dieu,
on le sait, écrit droit par lignes tordues : lui aussi doit
beaucoup « s'amuser ».

   Mais Gobseck n'est pas monolithique. Sa mort n'affiche pas seulement la pitoyable défaite de l'homme
vaincu, absorbé par le réel, elle se drape aussi d'une
noblesse explicitement romaine : le bronze, qui jusque-là
avait connoté froideur et désincarnation, se fait digne de
l'antique et introduit l'usurier chez Plutarque. Il y a de la
grandeur chez cet homme que la référence à Rembrandt
suffirait à nimber d'un halo : quoiqu'ils soient collègues,
Gobseck n'est pas Gigonnet. Et des ressources insoupçonnées sinon de tendresse, ce qui serait vraiment beaucoup trop dire, au moins d'humanité : si le *papa* Gobseck

reste aux antipodes du *papa* Goriot, il est tout de même
capable de confiance et d'affection. Non certes dans
l'expansion effusive ou le pathos à la Greuze, mais enfin
il ouvre les bras à Derville qu'il appelle son «fils», et le
considère bien comme tel (et jusqu'à lui dénicher une
bonne petite femme), mais sur une base «donnant-don-
nant» qui ôte aux relations ce qu'elles pourraient avoir de
gluant et élimine les risques de duperie sentimentale.
C'est sans doute une forme de respect et de soi et de
l'autre, un refus de l'aliénation. Enfin et peut-être surtout, Gobseck est un capitaliste d'une honnêteté scrupu-
leuse. Derville met en valeur auprès de M. de Restaud la
délicatesse de sa probité. Squale peut-être, mais non pas
aigrefin, il met son génie au service d'Ernest et joue les
anges gardiens, les paladins et les redresseurs de torts.
Lui qui s'est enrichi de la dissipation de tant de fortunes,
il assure la conservation du patrimoine Restaud et le
garde du naufrage. Face lumineuse d'un Janus qui, lui
aussi, a le sentiment de la justice et sa part de vertu?
Caprice d'un homme qui exerce indifféremment le
«bien» et le «mal» et s'amuse à changer de rôle parce
qu'il siège au-dessus des humains, dans un empyrée inaccessible et dont les inconnaissables décrets n'ont pas à se
justifier? En tout cas, c'est bien grâce à lui que la RES
TUTA, préservée des dangers qui allaient l'anéantir, sera
RES(TI)TUTA. Camille pourra épouser Ernest, tout est
bien qui finit bien: du bon usage des usuriers. Reste que
dans ce *happy end* qui se dessine en filigrane, quelque
chose grince désagréablement... Ernest sera riche, c'est
entendu; mais il faudra qu'il le soit beaucoup pour faire
accepter par les Grandlieu une belle-mère qui non seulement s'est mal conduite, mais a eu le mauvais goût d'être
d'abord une *demoiselle Goriot*. De ces deux taches, la
seconde est évidemment la plus indélébile et il faudra
beaucoup, beaucoup de parfums d'Arabie ou plutôt de
livres de rente pour parvenir à l'effacer. Elle ne le sera
d'ailleurs jamais. La fin admirablement brusque de la
nouvelle, en haussement d'épaules vicomtales, c'est tout
le noble Faubourg dans sa glaciale splendeur: on vous
fait l'honneur de prendre votre argent, qui, lui, est tou-

jours propre, mais on ne vous accepte pas. Camille ne verra pas Mme de Restaud. Ainsi se consacre un troc : une fortune contre un nom, et ce qui va avec. Mais on reste entre soi. Des mutuels sentiments de Camille et d'Ernest, il est fort peu question, soit qu'ils aillent de soi et qu'on n'ait pas besoin de les évoquer, soit que, plus vraisemblablement, ils n'entrent guère en ligne de compte dans des stratégies familiales et hautement aristocratiques qui les dépassent. Lavé de sa mère par la fortune que Gobseck lui a sauvée, Ernest entrera chez les Grandlieu à condition de passer pour orphelin : il faut savoir faire de petits sacrifices, quelquefois.

Ce qui reste frappant, en tout cas, c'est que Mme de Grandlieu ne s'est pas intéressée à Gobseck, mais simplement aux conséquences pratiques découlant du récit de Derville : le mariage de Camille peut-il se faire ou non ? Gobseck est quelqu'un d'infréquentable, d'impensable presque : on sait bien, abstraitement, que ça existe, mais il faut l'intermédiaire d'un professionnel, très au-dessous de soi, pour s'en approcher et comme d'une curiosité quasi ethnologique. De toutes manières, ce n'est pas lui qui compte, mais le résultat de son action. Mme de Grandlieu ne restera nullement marquée par Gobseck. Tel n'est pas le cas de Derville, dont Balzac fait bien sentir qu'à l'orée de sa vie, il a rencontré en l'usurier une de ces figures qui orientent et déterminent décisivement l'idée qu'on se fait du monde, des autres et de soi. En un sens, Gobseck l'accompagne dans chacun de ses gestes, parce qu'une fois pour toutes, dans une mansarde de la rue des Grès, il a soulevé le voile de l'Isis moderne, et que, de cette initiation, on ne se remet pas. Et cette différence d'appréciation du rôle et de la stature de Gobseck — purement utilitaire pour la vicomtesse qui, le récit fini, n'y songera plus, philosophique et mythique aux yeux de Derville, qui l'a pénétré et compris, et pour qui il est infiniment plus qu'un des plus adroits escompteurs en activité sur la place de Paris, mais comme un emblème révélateur planant sur toutes les formes de l'activité humaine — ce double niveau de réception illustre bien l'effet recherché par Balzac dans l'agencement technique

de sa nouvelle [32]. Apparemment fort simple : faisant les
frais modiques d'une mise en scène minimale, un narrateur anonyme semble prendre à cœur de disparaître au
plus vite pour déléguer ses pouvoirs à un « récitant » qui
va le relayer jusqu'au bout. Dispositif économique et
efficace : au creux de la nuit d'hiver, dans un salon,
quelques personnes (trois, puis deux, voire une seule, si
tant est que, dans la version de 1830, le « vieux marquis »
s'était copieusement endormi et, dans celle de 1835, le
comte de Born se ... borne à faire de la figuration) sont
suspendues aux lèvres d'un homme qui parle. Une histoire se déploie, portée par une parole. Et ici, le système
est le plus nu, il n'y a que deux partenaires : un homme
qui parle, une femme qui écoute. Mais ce cadre, qui
ménage à l'écrit les ressources infiniment souples de
l'oralité (et qui, via les *Contes bruns,* aboutira aux *Diaboliques* de Barbey d'Aurevilly) est plus subtil qu'il n'y
paraît. La parole passe en effet, comme le furet, de
bouche en bouche et le texte donne à observer son reten-
tissement en ondes concentriques, plus ou moins défor-
mantes, ce qui amène à privilégier le remous (et donc la
pluralité d'une « signifiance » ouverte) au détriment d'un
sens fixe univoque. Un Asmodée qui ressemble à Balzac
est clandestinement présent à une heure du matin dans le
salon de l'hôtel de Grandlieu. Il raconte qu'un invité
raconte, mais reproduit ses propos au style direct. A
l'intérieur du récit, un grand récit-gigogne : la confidence
de Gobseck, et beaucoup d'autres de moindre envergure,
des dialogues rapportés entre guillemets, etc. Donc des
paroles qui s'entrecroisent dans la parole de Derville. Par
moments, retour au cadre premier : le salon, pour jouer
savoureusement de la distance entre la quiétude, devenue
paradoxalement quelque peu irréelle, de cet « ici et
maintenant » suspendu hors de l'espace et du temps, et la
violence, l'urgence du drame véhiculée par des mots sans
épaisseur desquels, en fait, tout dépend. Le récit achevé,
la narrataire en tire pour elle les conclusions. Le texte
explicite s'achève, son sillage tacite commence : le public
admis incognito dans le salon, et qui, comme dans les
histoires d'enfants qu'on a oublié d'envoyer se coucher,

sans se trahir est resté dissimulé derrière les rideaux et *a tout entendu,* — c'est-à-dire le public virtuellement infini des lecteurs, la foule sans limite des narrataires potentiels, a reçu lui aussi la visite de Gobseck et peut, à son gré, en rester là, avec le point final, ou se mettre à la rêver, à la modeler, à l'inventer, comme il a pu, aussi, à l'instar du vieux marquis, en perdre le fil parce qu'il était fatigué ou que tout cela ne l'intéressait pas vraiment. Ce qui compte, c'est cette dissémination que Barthes appelait (et c'est le cas ou jamais de le dire) « l'or du signifiant » : d'un or qui ne dort pas immobile dans les chambres fortes, mais passe de l'un à l'autre, au risque de se perdre ou de s'amoindrir, à la chance aussi d'être reçu et même multiplié, comme la fortune des Restaud, le récit de Derville et le sens de toute cette aventure. Centre du dispositif, Gobseck l'ambigu, dont on a pu faire à juste titre le symbole ou la métaphore de l'acte d'échange au cœur de toute communication littéraire [33], avec Derville qui, sans lui ressembler ni partager son Credo, lui prend cependant des reflets et joue d'une certaine manière comme lui.

Dans la grande usine balzacienne, l'or circule, le sens aussi, et c'est la vie même de ce vaste corps, dans son dynamisme et son ambivalence que rien ne saurait réduire ou arrêter. Spectacle infini pour le penseur et l'écrivain dont il est clair que Gobseck endosse certains traits. L'usurier est de la famille et fait de l'art : non pas parce qu'il a brocanté des tableaux, aime à ses moments perdus à fouiller dans les gravures sur le boulevard ou cite Léonard de Vinci, mais parce qu'il jouit en dilettante des contrastes du monde, les fait servir à ce que Poussin assignait comme but à la peinture : la délectation. Est-ce à dire qu'il faille, comme A. Béguin qui, là encore, force ou sollicite à l'excès, en faire une figure du Créateur, un double fraternel de Balzac lui-même ? Non, car une différence essentielle les sépare : s'il est vrai que, comme l'écrivain, Gobseck regarde la « parade sauvage » de la Comédie humaine et tire jouissance de la penser, il lui est inférieur — sans même parler de sa catastrophique embardée finale, qui signe sinon l'échec de tout ce qui a précédé, du moins la possibilité d'une contradiction mortelle — en ceci de décisif que lui-même est spectacle pour Balzac. Gobseck est au-dessus du monde, mais Balzac au-dessus de Gobseck, et le surplombe, ou le subsume. Gobseck radiographiait le Sens comme Balzac, mais Balzac radiographie Gobseck lui-même et dans cette mesure l'emporte sur lui. Il n'y a pas d'Œil suprême au-dessus de Balzac. Si Gobseck est, face au monde, un miroir qui le *réfléchit* (et donc conscience de ce qui s'inscrit sur ce miroir), il entre à son tour dans le miroir, et la conscience, d'une vision qui le dépasse. Le triomphe de Balzac est solitaire et absolu.

On a dérivé bien loin, semble-t-il, des sages admonestations pour jeunes personnes que se proposent les *Scènes de la vie privée*. C'est indiquer la portée d'un texte où, dirait-on, Balzac s'invente. Il consacre la fin du recours juvénile aux ingrédients de la « gothic novel », congédie W. Scott et installe définitivement les pénates du romancier trentenaire dans la contemporanéité urbaine, infiniment plus passionnante et riche en humanité ; ce faisant, il découvre un continent absolument nouveau du romanesque et fonde une poétique inédite. L'océan de la modernité, avec ses courants enchevêtrés, les grandes forces qui le traversent, les drames inépuisables qui s'y jouent, devient la matière même de l'écriture et renvoie aux vieilles lunes une littérature qui choisissait de s'en détourner ou de l'ignorer. Balzac y plonge totalement, persuadé que ce qui s'y trame est nécessaire et fort esthétiquement, plus que tout ce que pouvaient offrir ses modèles. Avec *Gobseck,* le décor, le personnel, le matériel, l'action et ses ressorts, le réel — tout le réel avec ses infrarouges et ses ultraviolets — tout ce qui va faire que les romans de Balzac ressemblent à « la vie », ou plutôt que la vie fabrique « du Balzac », se met en place une fois pour toutes. C'est bien l'une des « cellules-mères [34] » de son énorme polype, une des pierres sur lesquelles il va édifier sa cathédrale de mots. Le regard récapitulateur et rétrospectif que nous pouvons jeter sur *La Comédie humaine* nous y fait discerner un concentré séminal. En *Gobseck,* la boue, l'or et l'encre s'échangent pour se faire le sang même de l'œuvre à venir.

Une double famille se rattache de beaucoup plus près au dessein initial des *Scènes de la vie privée* que *Gobseck* dans sa version définitive. On peut en saisir les prémisses dans la *Physiologie du mariage*. La Méditation IV s'intitule *De la femme vertueuse* et Balzac, goguenard, y esquisse un type contemporain : «... avouons, à l'avantage du siècle, que, depuis la restauration de la morale et de la religion, et par le temps qui court, on rencontre éparses quelques femmes si morales, si religieuses, si attachées à leurs devoirs, si droites, si compassées, si roides, si vertueuses, si... que le Diable n'ose seulement pas les regarder; elles sont flanquées de rosaires, d'heures et de directeurs... Chut[35] !» Il y avait là le germe d'une étude mordante, qui pouvait — au-delà du ridicule de surface — toucher à des questions à la fois sociales et spirituelles d'une considérable portée. *De la femme vertueuse* se propose donc de parler là où la *Physiologie* avait choisi de se taire. La reprise du titre ironique — auquel il renoncera en 1842 — indique bien la filiation. Si Balzac a modifié le titre, mais non le texte, c'est évidemment que l'épithète *vertueuse,* sans guillemets et aggravée de l'article défini généralisateur, laissait croire éventuellement que, pour l'auteur, la vertu de toute femme était soit une dérision soit une catastrophe. La Préface du *Père Goriot* prendra soin d'aller au-devant du possible grief en dressant une liste des femmes *réellement* vertueuses de la *Comédie humaine*. Mais l'ambiguïté pouvait subsister : comme si l'aigre Angélique devait incarner l'image de toute (fausse?) vertu féminine. Pour la lever, Balzac a préféré finalement une enseigne moins provocante, même s'il est clair à tout lecteur un peu attentif que la «vertu» de Mme de Granville est antiphrastique ou, du moins, totalement fourvoyée. Le problème était à peu près le même que pour Molière, accusé par certains de s'en prendre à la dévotion en soi, plutôt qu'à ses formes perverties.

La «femme vertueuse» est donc aux yeux de Balzac un spécimen tout à fait spécifique de l'époque actuelle, dont l'éclosion et la prolifération se trouvent favorisées par le contexte politico-idéologique : Charles X et Polignac (qui

voyait la Vierge), la Congrégation... tout ce climat à la
fois exalté et confit, ce réseau chafouin et machiavélique
dans lequel une collusion plus ou moins occulte du pouvoir temporel et de l'autorité religieuse enserre capillai-
rement l'ensemble du corps social. On sait le rôle que
jouera dans le déclenchement des proches journées de
Juillet le refus de cette mainmise, refus préparé et attisé
par la guérilla anti-jésuite de Montlosier et de Béranger
contre les «hommes noirs». L'abbé Fontanon, qui guigne
un évêché, est explicitement l'un d'eux, et militant. Son
rôle dans la nouvelle est totalement négatif et confirme ce
que nous savons des sentiments de Balzac, qui avait
hérité de son père une tradition anticléricale, admirait
Tartuffe et éprouve dans les années 30 de la sympathie
pour Lamennais. A quoi s'ajoute une expérience provinciale : en allant à Bayeux voir sa sœur Laure — séjour
(1822) dont on verra les traces dans *Une double famille* — Balzac s'était imprégné d'une certaine atmosphère ; la petite ville «pleine de dévotes» et la pression
du milieu, contraignant à «plier les genoux devant les
préjugés et les plâtres de l'Église [36] », l'avaient marqué.
Angélique transporte dans la haute société parisienne une
étroitesse butée spécifiquement provinciale. Au lieu de se
diluer sous l'influence des gulf-streams de la vie au sein
de la capitale, sa bigoterie — par peur — s'y durcit et
s'enkyste. Elle n'aura jamais pu quitter l'horizon borné
où le piège du parti-prêtre fonctionne plus facilement et
efficacement que partout ailleurs.

Elle n'est ni jésuite ni janséniste, cette sainte «à faire
frémir», dit Alain, elle «rassemble les horreurs des
deux [37] ». Son nom déjà la convoque au Ciel ; elle est en
transit dans un monde où l'on doit uniquement songer à
assurer son salut. C'est significativement pendant un
Carême que se noue son mariage avec Granville : d'emblée, il sera placé sous le signe constrictif de l'abstinence.
Balzac s'amuse, dans un croquis qui constitue déjà une
véritable «scène de la vie de province», à camper en
quelques traits symboliques le microcosme rigide, as-
phyxiant qui est celui d'Angélique : il insiste sur le sombre, le symétrique (même le végétal se géométrise et se

cléricalise dans les austères carrés de buis), la nudité
conventuelle, où respire (c'est-à-dire ne respire pas) on
ne sait quel puritanisme méthodiste, en tout cas nordique,
peut-être même groenlandais. Il est clair que les élans du
cœur, la véhémence de la chair sont ici morfondus. Le
fleuve Amour est gelé. La religion, c'est le froid. Tout le
drame de Granville viendra de ce qu'il tentera de se
réchauffer. A Paris, son épouse impose comme résidence
un quartier (le Marais) tourné vers le passé, mais riche en
lieux de culte, où le couple «s'enterre». Chez elle, elle
semble régner sur un trône de glace. L'arrangement de
son appartement — et l'on sait que pour Balzac rien n'est
plus révélateur, les meubles matérialisent un texte objec-
tal — manifeste, jusque dans les moindres détails, un
besoin maniaque d'éteindre le feu, c'est-à-dire d'éloigner
le corps, au fond de le châtrer : jambes nues des cariatides
ou torses égyptiens, censurés, risqueraient d'amener le
fantasme, c'est-à-dire le mal, le mâle. Le grand crucifix
d'ivoire qui, loin de bénir le rapprochement de deux
couches conjugales, semble interdire leur réunion, est le
symbole même d'un catéchisme qui mutile le désir, parce
que c'est la faute. Cet homme nu sur une croix et tué,
c'est Granville lui-même. La *Physiologie* avait, sans réplique, édicté : « Le lit est tout le mariage [38]. » Angélique
donne à son mari ponctuellement, docilement, chrétien-
nement, des enfants. Ce n'est pas ce que Balzac voulait
dire... Avec une opiniâtreté doucement fanatique, Angélique fait le vide entre elle et son mari. Les tabous
alimentaires et sexuels, scrupuleusement observés, ma-
nifestent un refus fondamental du vivant. Le fait qu'Angélique soit toujours en compagnie de vieilles femmes,
refuse le bal et le théâtre comme frivolités mondaines,
donc coupables, confirme ce tropisme mortifère. Ce qu'il
y a peut-être de plus terrifiant chez elle, c'est qu'à part
une brève période de prosélytisme, elle ne prêche ni ne
polémique, ne fait pas d'éclats. Impitoyablement sou-
riante, elle arrache systématiquement une à une les fleurs
de l'existence le long du chemin de la perfection. Morte
vivante, elle sèche sur pied et son haleine fane tout ce
qu'elle touche autour d'elle. Il est visible que Balzac

prend plaisir à cette savoureuse « physiologie de la maison bigote » où il donne à observer l'inexorable multipli-
cation des pieuses métastases, la ramification morbide de
la « vertu », qui finit par endeuiller et tarir tout appétit de
vivre. Les aspects comiques (le style biblique d'Angélique, et jusqu'à sa voix, totalement ecclésifiée, qui retentit
comme une sonnette d'église !) ne dissimulent pas ce qui
gît de terrible au fond de cet impérialisme de la négativité. Après avoir essayé de lutter, Granville doit se résoudre à sauver ce qui peut l'être et nulle autre solution
que de faire sécession : la maison se coupe en deux. Au
temps de la guérilla entre celle qui croit au Ciel et celui
qui n'y croit pas, ou pas comme elle, avec son cortège de
défis (on fera gras exprès toute l'année) et de provoca-
tions (le valet libertin engagé pour faire pièce à la sou-
brette-nonnain), succède un découpage de l'espace domestique en zones étanches, une distribution en vases non
communicants : le fils au mari, les filles à la mère. La
famille est frappée au cœur : c'est bien de mort morale
qu'il s'agit. Et presque de mort physique, puisque Granville en est arrivé à souhaiter la disparition de sa femme :
au chevet d'Angélique, « les soins et les attentions du
magistrat ressemblaient à ceux qu'un neveu s'efforce de
prodiguer à un vieil oncle ». Et la comtesse ne s'y trompe
d'ailleurs pas... Si l'on reconnaît l'arbre à ses fruits, il y a
bien quelque chose de pourri dans ce couple radicalement
faussé.

Balzac précise que l'histoire de ce triste ménage est
« didactique », exemplaire. Elle l'est sur plusieurs plans,
mais sur le plan religieux, le plus évident, il est clair
qu'elle consacre « la tyrannie des fausses idées », une
monstrueuse aberration. Granville n'est pas un athée
combatif. Il ne mange pas du curé. Il ne lutte pas person-
nellement contre Dieu pour lui arracher Angélique. Le
débat eschatologique ou spirituel, s'il est parfois amorcé,
tourne court et n'aura pas lieu : *Une double famille* n'est
pas de Bernanos. Formé par un père resté très XVIIIe siècle, c'est un agnostique de bonne compagnie, essentiellement attaché à la tolérance, à l'ouverture, à l'aise dans
le monde, aimant le plaisir comme il est humain de

l'aimer, et avide de trouver dans les légitimes satisfactions du mariage le contrepoids vital à ses austères travaux. Or c'est justement ce qu'Angélique lui refuse, au nom d'une conception étriquée d'un Devoir complètement coupé de la vie. Granville (et Balzac se solidarise totalement avec lui) dénonce, sous cette prétendue « vertu », bouffie de bonne conscience et inaccessible au doute, le despotisme de l'égoïsme et de l'orgueil (pour ne rien dire de la bêtise), assaisonné de toutes les ruses ingénues d'une ravageuse sincérité : la mante religieuse se pose en victime et, soumettant son partenaire à un chantage de tous les instants, réclame en pleurant (et en jouissant) la palme du martyre. Elle a par définition le beau rôle, puisque la Cause transcendante à laquelle elle s'est vouée, par pur esprit de sacrifice, suppose que Granville joue les récalcitrants diaboliques, et s'obstine à se fermer à la Grâce dont son épouse voudrait, par amour, l'éclairer. Or ce que Balzac souligne, c'est évidemment qu'une pareille attitude, fondée sur un manque de respect de l'autre et la confiscation de sa liberté, est le contraire même de l'amour véritable, de l'amour-charité. A une religion selon la lettre, qui stérilise par son formalisme mesquin et persécuteur, Balzac oppose une religion selon l'esprit, accueillante, qui fasse vivre par son rayonnement compréhensif ; qui ne jette pas l'anathème sur les joies licites de l'existence humaine ; qui soit inspirée par saint Jean et saint Augustin plus que par Jansenius. L'épisode de la lettre au pape (qu'on se permet de solliciter pour savoir si en conscience une épouse chrétienne peut se décolleter !) est symptomatique à cet égard. Pie VII prend la peine de répondre par un « véritable cathéchisme conjugal », une charte du mariage intelligent, enraciné dans la confiance et la droiture, c'est-à-dire pouvant se dispenser de toutes les prescriptions tatillonnes qui finissent par ligoter et paralyser les mouvements du cœur, donc ceux du corps. Pontife libéral et moderne, à l'image du clergé parisien, que Balzac prend bien soin d'opposer à « l'âpreté » du clergé provincial, le pape dit en somme à Angélique horrifiée : « Aime et fais ce que voudras. » Scandalisée de ce laxisme, qui au fond la terrorise

— parce que, si elle l'acceptait, il lui faudrait renoncer au
système d'interdits multiples qu'elle a organisé en soi,
comme autant de chicanes pour ne pas se regarder en face
ni s'assumer, il lui faudrait s'inventer et s'accepter, renier
la dénégation qui fonde son non-être — Mme de Granville réagit en intégriste typique : Rome a parlé, mais
Rome n'est plus dans Rome, le pape lui-même est gan-
grené. Le bref pontifical respire une tendresse félono-
nienne, à quoi s'oppose la sévérité maximaliste de Pascal, à qui Balzac fait peut-être allusion en évoquant à ce
moment « la plus faible créature pensante ». Religion ne
rime donc pas fatalement avec aliénation : c'est tout ce
que Granville voulait savoir (et savait à l'avance), mais la
leçon n'a été ni reçue ni comprise. Granville la reprendra
à son compte, et la commentera à sa destinataire, mais
trop tard pour qu'elle admette qu'on peut aimer à la fois
Dieu et ses créatures, Dieu dans ses créatures, être dans le
monde sans être du monde. L'exaspération lui arrachera
un jeu de mots (il faut choisir entre l'époux céleste et son
mari sous peine de bigamie) d'assez mauvais goût (et
d'autant plus mal venu que si quelqu'un est bigame dans
cette histoire, c'est bien lui !), et il ira jusqu'à soutenir
que l'amour peut imposer le sacrifice de la religion même
— ce que le pape n'avait pas fait… — mais Angélique ne
peut entendre ce langage idolâtrique et l'on devine très
bien qu'elle mourra irréprochable, comme tous les sépul-
cres blanchis.

   En fait, c'est un retour aux sources authentiquement
évangéliques que Balzac, faisant parler le vénérable pas-
teur, préconise en réaction contre les déviations modernes, singulièrement contre les agissements cryptopoliti-
ques d'une partie du clergé [39], agissements qui, croyant
servir les intérêts de l'Église, les desservent au contraire
et la rendent prisonnière de stratégies temporelles où elle
a, à terme, tout à perdre. L'union d'Angélique et de
Granville avait été, si l'on peut dire, consacrée (au moment de la signature du contrat, et non à la messe de
mariage : le vrai sacrement, c'est celui du notaire) par le
sourire insidieux et tartare de l'abbé Fontanon, plus perspicace — croit-il — que ses confrères, opposés à cette

union à cause des origines douteuses du promis : Fontanon, lui, sait que la proie est bien ferrée ; le Seigneur va
avoir une nouvelle recrue de choix (comprenons : les
congrégationnistes disposer d'une jolie fortune). La pensée de Balzac est nette sur ce point, on la trouve exprimée
dans *Les Petits Bourgeois :* « Rien n'est plus fatal au
bonheur, croyez-moi, que l'intervention des prêtres dans
les ménages [40]. » Déjà la *Physiologie* avait annoncé une
Méditation, la vingt-cinquième, consacrée aux religions
et à la confession « considérées dans leurs rapports avec le
mariage » : mais le texte consistait en deux pages de
lettres renversées et brouillées, indéchiffrables, facétie
typographique inspirée du *Tristram Shandy* de Sterne, qui
pouvait signifier que le problème était trop sérieux pour
être traité dans un ouvrage au ton volontiers badin ; on
s'en tirait par une pirouette impénétrable comme la
confession elle-même. *Une double famille* l'aborde de
plein fouet. Impatronisé dans l'hôtel de Granville, Fontanon en est devenu le maître absolu, grâce à cet admirable
insfrument de pouvoir qui permet de gouverner les femmes, donc les hommes : la direction de conscience et
l'aveu auriculaire. Comme George Sand *(Mademoiselle
La Quintinie)* ou Michelet *(Le Prêtre),* Balzac en dénonce
le fonctionnement. Le sacrement de pénitence est dé-
voyé, utilisé à des manœuvres profanes. Le confesseur
manipule les pensées, suscite les décisions, agit dans le
monde par ouaille interposée, sous couvert d'instructions
purement spirituelles : le clergé catholique dispose là d'un
formidable levier qu'il utilise avec une adresse consom-
mée. Fontanon, qui, appelé à la rescousse par le concile
goyesque et intéressé des harpies, n'hésite pas à trahir le
secret de la confession en révélant à Angélique les confidences de Mme Crochard mourante, n'éprouve aucun
scrupule à exploiter dans une visée d'ambition ou de
domination terrestres les moyens d'investigation dont le
munit son sacerdoce. C'est pourquoi Granville pronosti-
que qu'au jour du Jugement Angélique sera moins accablée que ceux qui se sont servi d'elle en prétendant servir
Dieu.

Mais Granville lui-même est-il aussi innocent qu'une

lecture manichéenne pourrait le laisser croire ? L'échec de
son mariage n'est pas dû qu'à l'incompréhension d'une
épouse monomaniaque. Lui aussi a péché. Et d'abord par
légèreté. Même s'il avait été jadis son camarade d'enfance, il avait depuis longtemps perdu de vue Angélique
lorsque, sur injonction de son père, il accepte de l'épouser. Ce ne sont pas les deux semaines que dure sa « cour »
qui lui permettront de connaître réellement l'inconnue
qu'elle est devenue pour lui. La *Physiologie* avait pré-
venu : « Demander à une fille que l'on a vue quatorze fois
en quinze jours de l'amour de par la loi, le roi et la
justice, est une absurdité [41]... » C'est pourtant dans ces
absurdités qu'un homme aussi intelligent et profession-
nellement perspicace que Granville va tomber. Ses réticences à suivre le plan de son père sont prophétiques,
mais il ne les écoute pas, subjugué d'ailleurs par un désir
dont il commet « l'énorme faute » de prendre les prestiges
pour ceux de l'amour. Il y a là, dès l'origine, une faiblesse de jugement dont les conséquences s'avéreront
catastrophiques. Ou faiblesse de caractère : on voit bien
que Granville n'ose pas résister à son père, lequel pro-
fesse sur le mariage les idées désinvoltes de la noblesse
d'ancien régime (« Est-ce que nous sommes jamais embarrassés d'une femme, nous autres !... »); pour le vieux
comte, qui parle comme un roué, l'institution matrimo-
niale et la religion qui la cautionne sont des fariboles,
mais utiles : une fille élevée par les prêtres, « ça aura des
principes » — principes qui assureront la tranquillité du
mari, libertin et esprit fort, sans qu'il soit le moins du
monde obligé de les appliquer lui-même. Son fils essaie
de lui faire comprendre que les temps ont changé, donc
les mœurs, mais peine perdue. En fait, le mariage est
conclu par le père sur des bases strictement économiques,
bien qu'il affecte un moment, pour amadouer le prétendant et lui ôter d'éventuels scrupules, de le lui présenter
comme une mission de sauvetage physique et moral : en
proie à une entreprise systématique de décervelage et de
confiscation de soi, la jeune fille, ensevelie vivante dans
la piétié, est perdue si quelque chevalier ne veut l'en tirer
(Roger délivrant Angélique, on a déjà rencontré cet ex-

ploit quelque part!). La référence ariostéenne vise à transfigurer un calcul qui l'ironise cyniquement. La famille de Granville est « l'une des meilleures maisons de la Normandie ». Mais elle a dû dé-Roger : le paladin s'est fait avocat. La particule a disparu. Un beau-frère, entré au Conseil d'État, a participé à la rédaction du Code Napoléon. Bref, on a accepté la Révolution et ses suites. Le mariage arrangé par le vieux comte, qui, s'il en est resté musicalement aux opéras de Monsigny, a parfaitement compris où va l'époque moderne, continue logiquement l'évolution déjà amorcée. Ce n'est pas une femme que son fils va épouser (considération tout à fait subalterne), mais une fortune qui lui permettra de se lancer dans la magistrature, de devenir sénateur, et de monter qui sait jusqu'où ? Évidemment, l'origine de cette fortune n'est pas pure : non seulement elle est bourgeoise, mais le père Bontems, comme le père Grandet, a été « bonnet rouge foncé », a acquis à vil prix des biens nationaux, bref représente tout ce que le ci-devant comte de Granville devrait mépriser ou haïr. Mais on est en 1805, que diable ! En poussant son fils à prendre Angélique, c'est son temps qu'il l'invite à épouser. Il ne voit pas pourquoi l'on reculerait devant « une autre concession aux idées actuelles » : c'est que pour lui, sans doute, les idées sont bien peu de chose. Spéculant sur la vanité d'une famille roturière trop flattée de s'enter sur un arbre généalogique prestigieux, il propose, et pratiquement impose, le troc entre un nom et l'argent qui, dans un monde bouleversé, fondé sur de nouvelles valeurs, permettra à la vieille maison de Granville, vent en poupe, de retrouver influence et rang par-delà le séisme révolutionnaire. La tache de fumier jacobin sera vite effacée par les grandeurs futures. *Non olet*.

De ces unions combinées par intérêt, la *Physiologie* avait déjà signalé les dangers : « La plupart des hommes ne se marient-ils pas absolument comme s'ils achetaient une partie de rentes à la Bourse[42] ? » Ce qui amenait Balzac à plaider pour « une exhérédation sagement calculée » des filles, ou pour que les hommes épousent, « comme aux États-Unis, sans dot[43] ». *La Femme de trente ans* y reviendra : « Mais exhérédez les femmes ! au moins accomplirez-vous ainsi une loi de nature en choisissant vos compagnes, en les épousant au gré des vœux du cœur [44]. » En se laissant marier par ambition avec quelqu'un qu'il ne connaît pas et avec qui en fait il ne partage rien, Granville a succombé à des considérations sociales aux dépens des exigences du bonheur individuel, qui ne vont pas tarder à se venger. Là encore, la *Physiologie* prophétisait : « Alors, un matin arrive où tous les contresens qui ont présidé à cette union se relèvent comme des branches un moment ployées sous un poids par degrés allégé [45]. » Quand l'irréparable sera consommé entre eux, Angélique reprochera à son mari sa conduite « digne d'un jacobin », à quoi Granville réplique que « le citoyen Bontems » a été l'un de ces jacobins et a signé des arrêts de mort tout comme un autre. Il n'ajoute pas que cela ne l'a pas empêché d'accepter cette fortune sanglante... On se demande d'ailleurs au prix de quelle souplesse l'avocat, propulsé par la faveur impériale, a pu continuer sous la Restauration une ascension apparemment irrésistible. La manière dont il impose silence au bonapartisme imprudent de Mme Crochard apporte sans doute la réponse. On voit en tout cas à quel point les cicatrices révolutionnaires, apparemment endormies, sont toujours promptes à se réveiller, et surtout comment la crise conjugale repose, au fond, sur une dysharmonie idéologique, sociologique, historique, artificiellement replâtrée, qu'elle révèle, ou qui la révèle, dès qu'il y va d'un enjeu important. En ce sens, l'histoire de ce couple dépasse de beaucoup les destins individuels et doit être restituée dans tout le contexte politique d'une France qui, non sans mal, après avoir été remuée dans ses profondeurs, se recompose et se rassied.

Pas plus qu'Angélique, Granville n'est donc pur de toute responsabilité dans le naufrage. Il en a sa part et son malheur n'est pas immérité. Et Caroline ? Elle semble l'innocence régénératrice de la vraie vie : lorsque Granville la voit pour la première fois, il est terreux, verdâtre, noir, funèbre, glacial, Angélique l'a totalement contaminé et détruit. Caroline — dont le nom suffit à emblé-

matiser la puissance charnelle, par opposition à l'«angé-
lisme» désincarné et mortel de sa rivale — va le réani-
mer. Ce n'est pas qu'elle-même soit physiquement très
robuste : elle est victime de son milieu, cette cave humide
et sombre qui la condamne à la chlorose. Mais il y a chez
cette «grisette» (comme la désignait dans son titre une
publication pré-originale), à certains égards typique —
son travail, ses discours, ses distractions, ses aspirations,
et la mère-maquerelle, son accessoire obligé — quelque
chose qui la fait aller très au-delà du croquis parisien
réaliste : elle est la jeune fille ployée par les circonstances, accablée de misère, mais recélant une immense soif
de vivre, et au fond aussi forte que pure. Ses cheveux
magnifiques, qui reviennent comme un leitmotiv, et que
Granville adore, semblent matérialiser dans leur exubé-
rance le jaillissement vigoureux du désir. Quant à la
candeur, Balzac ne lésine pas : la brodeuse est constamment associée à la blancheur, celle de sa peau, de sa robe,
de la neige ; bref, le lys dans la ruelle, et le thème végétal
s'épanouit largement : Caroline, qui jardine à sa fenêtre,
est toute florale ; elle hiberne avec ses plantes jusqu'au
merveilleux printemps où, après l'oarystis ophtalmologi-
que et muette, les bourgeons de la nature et du cœur
peuvent enfin éclater en toute liberté. La dilatation nup-
tiale du dehors, après le confinement au fond du Marais le
trop bien nommé, dans une campagne tout imprégnée de
tendresse rousseauiste ou déjà nervalienne, qui s'agrandit
lyriquement jusqu'à la mer sans rivages d'un émoi infini,
est l'apothéose d'un processus de palingénésie : Médée
bienfaisante, amoureuse, Caroline d'un vieillard a fait un
jeune homme, Granville naît une seconde fois. Elle sera
bien sûr une mère admirable, ruisselante de lait, parée de
toutes les vertus domestiques. La construction fortement
binaire de la nouvelle, induite par son sujet même, impose que point par point les deux femmes de Granville
s'opposent en mutuel repoussoir. C'est l'incompatibilité
du Nord (pluies normandes et frimas) et du Sud solaire,
italien ou espagnol. Caroline doit par définition se montrer aussi gaie qu'Angélique est rabat-joie, aussi moderne
et tournée vers l'avenir — son installation à la Chaussée

d'Antin en témoigne — que l'autre rechignée dans la raideur du passé. Surtout, il importe que Caroline n'apparaisse pas comme une vulgaire prostituée, venue débaucher un mari dont elle exploiterait les insatisfactions. Même si elle jouit naïvement d'avoir terre et particule, elle n'est pas intéressée, ne ruine personne, c'est une âme entièrement donnée à l'amour, un parangon d'oblation rayonnante. Elle réalise exactement cet équilibre entre plaisir et devoir que Granville a vainement espéré chez sa femme légitime, ce qui revient à dire que la légitimité authentique n'est pas du côté de la loi. Ange et maîtresse, Caroline est l'épouse parfaite, inépousable hélas non seulement parce que trop tard trouvée, mais parce que les préjugés du monde n'auraient jamais permis à un comte de Granville de la choisir. Elle reste donc ce qu'elle est : une grisette « parvenue », une fille entretenue, malgré tout ce qui l'auréole et l'arrache au scandale où s'installent les professionnelles auxquelles elle pourrait ressembler.

Reste tout de même un renversement justement scandaleux : l'épouse dont l'union a été bénie au pied des autels est délaissée, et pour Balzac il est clair que c'est à juste titre ; et c'est du côté de l'adultère, donc en plein péché, que fleurissent en liberté les attendrissants tableaux de famille et les charismes matrimoniaux d'agréable odeur. Il y a là un désordre plus que choquant, insupportable, vers lequel Balzac se laisse entraîner et qui, visiblement, d'une certaine manière le séduit, mais qui, en même temps, sur un autre plan auquel il ne peut renoncer, lui apparaît comme inadmissible et contre lequel il va, à la fin de sa nouvelle, durement réagir — réaction contre une partie de lui-même. Nous avons la preuve que, dans une première mouture, il avait songé à faire se séparer Granville de sa femme. Il gardait ses fils avec lui, devenait député, se signalait par sa lutte contre les Jésuites, et tout laissait à penser qu'il continuait à filer avec Caroline un parfait bonheur conjugal hors conjugalité. Telle est du moins la conclusion du manuscrit. Mais entre le manuscrit et la publication [46], Balzac imagine un épilogue qui va dans une tout autre direction, et même dans la direction opposée. Caroline était bien une gourgandine, elle a trahi Granville et s'est collée avec un mauvais sujet, ivrogne et débauché. Cette embardée totalement inattendue impose quelques considérations sur la structure du texte, qui est des plus singulières et constitue peut-être le meilleur de son originalité.

Une double famille commence par un travelling plus balzacien que nature destiné à planter le décor et à donner la couleur du premier épisode, qui commence en août 1815. L'idylle entre Caroline et Granville se développe : elle atteint son acmé lors de l'excursion à Montmorency, qu'on peut dater (par le recoupement de l'anniversaire qui en sera célébré plus tard) du 6 mai 1816. Après une brève ellipse, nous retrouvons les amants installés en septembre de la même année. C'est ici qu'intervient une première solution de continuité, mais on avance toujours dans la durée. Le bonheur n'a pas d'histoire, Balzac transporte son lecteur d'un coup « cinq ans » après l'installation rue Taitbout, soit en septembre 1821. Mais la chronologie interne flotte un peu : on nous précise plus tard que la scène se déroule en fait le 6 mai 1822. Mme Crochard meurt « quelques jours après », et sur son rire aussi énigmatique que macabre s'opère la deuxième rupture du récit, rétrograde cette fois puisqu'il prend un second départ sur un flash-back de dix-sept années, ramenant le lecteur à novembre 1805. Le procédé est étrange. Balzac le justifie en assurant qu'il est nécessaire à la compréhension de l'intérêt de « l'introduction » qu'on vient de lire, manière d'indiquer que tout ce qui a été raconté jusqu'alors ne fait pas encore partie intégrante du corps de la nouvelle [47]. Ce retour en arrière semble entraîner dans une intrigue sans rapport avec la précédente, mais qui lui est en fait étroitement liée : Balzac explique qu'il s'agit d'« une loi particulière à la vie parisienne », monde si vaste qu'il peut abriter deux actions concomitantes et longtemps parallèles, cheminant chacune de son côté et s'ignorant mutuellement alors qu'elles se rattachent à la même histoire. Ainsi se justifie plus ou moins le fait, assez invraisemblable, que le deuxième ménage de Granville n'ait pas été éventé : il sortait avec Caroline sans se cacher, et on croit difficilement qu'Angélique n'ait rien

su, de même que, Psyché volontaire, Caroline n'a rien
voulu savoir, avant que l'indiscrétion de l'abbé Fontanon
crée le court-circuit qui réunit brusquement les deux fils
fictionnels. Toujours est-il qu'avec cet introït à nouveau
hyperbalzacien (« Vers la fin du mois de novembre 1805,
un jeune avocat... »), c'est, dirait-on, une seconde nouvelle qui commence, à l'intérieur même de la première,
arrêtée à un moment de suspense. La narration produit
ainsi un effet gigogne, d'emboîtement télescopique, si
bien que le premier récit apparaît comme dans une sorte
de futur antérieur. On revient dix ans avant le début du
texte, que l'intrigue antécède, et, par une assez brutale
prolepse narrative, on nous fait comprendre que l'apparent point de départ est en fait un point d'arrivée (non
encore terminal). C'est beaucoup plus loin que le second
récit rejoint le premier, par la mort de Mme Crochard,
datée de mai 1822. La suture a lieu, la déflagration se
produit. La nouvelle pourrait se terminer sur la « muette
réponse » de la comtesse à son mari. Mais Balzac ajoute
in extremis le post-scriptum de la rencontre de Granville
avec Bianchon, onze ans et sept mois après la scène qui
précède, et qui, à son tour, semble mettre sur orbite un
troisième roman, mimant le second (« Dans les premiers
jours du mois de décembre 1833, un homme... »). De
sorte que la structure chronologique de la nouvelle est la
suivante :

1815   (premier   1822
             récit)

1805   (deuxième   1822
              récit)

1833
(troisième récit)

Ces décrochements, ces lacunes ne relèvent pas seulement de l'habileté technique, soucieuse de relancer l'intérêt. Ils posent la question même du sens. En effet, ce
qui fascine le lecteur, c'est évidemment ce trou béant

entre 1822 et 1833, que Balzac ne remplira jamais.
Balzac, que les tenants du «nouveau roman» taxèrent
d'hypertrophie de l'explicite, sait aussi admirablement se
taire et faire rêver sur ses silences [48]. Du blanc typographique sort l'haleine d'un gouffre vertigineux : que
s'est-il donc passé entre ces deux repères, pour que se
produise un renversement aussi stupéfiant? On croit
d'abord assister à la répétition des scènes du tout début,
comme si le Temps, cyclique, recommençait : un
homme, depuis la rue, observe en rêveur, en voyeur, une
femme qui travaille à sa fenêtre allumée. Situation bau-
delairienne, aurevillienne, féconde en infinité de potentialités poétiques ou romanesques. Balzac y avait fait
allusion dans les premières pages de la nouvelle, en
évoquant les possibles suscités en chaque passant, selon
son caractère et son état, par ce qui semble bien constituer
l'image fondatrice, la matrice fantasmatique du texte
balzacien ici : une femme dans un cadre, brodant, regar-
dée par un homme [49]. Il n'est pas jusqu'au détail du
carreau cassé, remplacé par du papier, qui ne renvoie au
passé. Rien n'a donc changé? Si : c'est poussé par quelque instinct, ou intuition plus profonde que ses capacités
d'observation, que le promeneur nocturne s'arrête devant
cette fenêtre de la rue de Gaillon. Il n'aperçoit que de la
lumière. Il ne sait pas qui est derrière, qui y fait quoi. Il
songe à quelque autre fenêtre de jadis, sans doute...
Bianchon lui apprendra que son instinct avait obscuré-
ment vu plus loin que ses yeux. Caroline a abandonné
Roger. «Depuis neuf ans» — soit en 1824. Mais nous
restons sur notre faim. Comment la bonne compagne
a-t-elle plongé? Rien dans sa psychologie ne semblait la
prédisposer à pareille forfaiture. On relève bien, à la
réflexion, de vagues indices : sa chevelure, si belle, lui
faisait aussi comme un pavillon la dissimulant, la rendant
inconnaissable; serait-elle une fausse innocente, capable
d'effroyables dessous, comme Rosalie de Watteville *(Albert Savarus)* ou Véronique Graslin *(Le Curé de village)*?
Et son hérédité de «fille d'Opéra» — au sens propre : ses
parents sont deux anciens théâtreux — ne lui imposait-
elle pas comme un destin d'inconstance? Mais la méta-

morphose de la fée en souillon crapuleuse et malade
resterait inexplicable (on pense au *Leone Leoni* de George
Sand, où l'on voit aussi une femme entre deux hommes,
incapable de ne pas préférer un voyou qui la bafoue à
l'homme de bien qui l'aime) si l'explication devait être
cherchée ailleurs que dans une justice transcendante à la
psychologie des individus. On ne comprendra jamais que
Caroline ait pu devenir *ça*, si on n'admet pas qu'il y a un
talion social qui se charge « tôt ou tard », dit Balzac, de
punir ceux qui n'ont pas obtempéré aux lois du groupe
(lois humaines et non pas divines : Balzac ne se place pas
sur le plan du « bien » et du « mal » tel que le définit le
catéchisme, et ce n'est pas au nom de l'Église qu'il
condamne l'adultère). Les déviants finissent toujours pas
avoir tort, par principe et non en vertu de quelque défaillance personnelle. Il *fallait* que Caroline, qui avait accepté le bonheur hors mariage, fût victime de sordides
égarements. Il *fallait* que son fils, l'angélique Charles,
humide et satiné comme un enfant de Lawrence, le jour
du baptême de sa petite sœur, et à qui Caroline donnait
bien entendu une éducation admirable, devînt une ca-
naille, capable de tous les mauvais coups. Pour la pureté
de la démonstration, lui aussi doit déchoir : telle mère, tel
fils ; d'un arbre socialement mal planté, quels bons fruits
pourraient provenir ?

Caroline et Charles paient, Roger aussi. C'est que sa
faute est encore plus lourde. Caroline a les circonstances
atténuantes de sa condition misérable, qui l'obligeait à ne
pas laisser passer sa chance. En cultivant l'illégitimité, le
haut magistrat qu'est Granville, placé au sommet de la
hiérarchie judiciaire, a contrevenu aux règles qu'il est
lui-même chargé de faire respecter. Dans la *Physiologie*,
Balzac avait observé, et critiqué, une hypocrisie du
Code : en cas d'adultère, il condamne la femme en quelque lieu que le crime soit commis, mais l'homme seulement s'il abrite la concubine sous le toit conjugal, ce qui
autorise implicitement les maîtresses en ville. Granville a
joué sur cette tolérance coupable, mais il n'est pas lavé
pour autant ; pire : en tant que gardien professionnel et
herméneute patenté du licite et de l'illicite, il devait plus

que tout autre s'interdire la facilité de la faute et expier,
sans quêter ailleurs de consolation, l'erreur d'un mariage
manqué assumé jusqu'au bout, parce que seul légitime et
indissoluble aux yeux de la communauté, si l'on veut que
la société civile reste stable et élimine dans l'œuf les
ferments de désordre permanent. L'énormité de sa culpabilité éclate dans la scène où son fils Eugène, lui-même
procureur du Roi, vient lui demander ce qu'il doit faire au
sujet de ce Charles Crochard, pincé en plein cambriolage,
et qui se prétend aussi son fils... Un de ses fils incarne la
Loi, l'autre ce qui la nie. C'est ici, plus peut-être que par
l'abandon de Caroline, que la contradiction dans laquelle
Granville s'est laissé enfermer, explose et le désintègre.
Il n'aurait pas dû accepter la mésalliance ni l'adultère.
Ses actes inconsidérés l'ont rejoint.

Conception réactionnaire, immobiliste et anti-anar-
chiste, certes, typiquement idéologique en tout cas. Plus
intimement aussi, peut-être, ruminement d'un «roman
familial» marqué par un drame qui évoque étrangement
Une double famille : Henri, le jeune frère d'Honoré de
Balzac, était le produit d'une liaison de sa mère avec Jean
de Margonne [50], dont l'épouse légitime ressemblait de
près à Mme de Granville. En soulignant la responsabilité
de la «femme vertueuse», en faisant de Caroline un
personnage éminemment sympathique et positif, Honoré
essayait peut-être d'euphémiser la faute de sa mère. Mais
nous savons aussi combien il a souffert, et durablement,
d'être moins aimé d'elle que le fils adultérin : et choisir
finalement de punir Caroline, et dans sa progéniture,
c'était peut-être une manière d'exprimer sa rancune, sa
peine inapaisée d'avoir eu un rival, de n'avoir pas reçu
son *dû*. Dans *Une double famille*, il n'y a pas d'inno-
cents.

La morale, on le voit, est impitoyable. Les vierges
sages pour qui la nouvelle était censément écrite réflé-
chiront à deux fois avant de se laisser entraîner hors des
sentiers du devoir. Chacun est puni par où il a failli.
Caroline coupe sa splendide chevelure de Madeleine pénitente, pour la vendre et nourrir ses petits. Granville
hébété part pour l'Italie — non pas pour le soleilleux

horizon du bonheur à deux, mais l'Herculanum d'un cœur fossilisé. Castration et deuil, salaire de la transgression. Il ne sert à rien de juger la scène finale et le dialogue avec Bianchon absurde et conformiste[51]. Ils ont leur logique, même si on les trouve bourgeoisement moralisateurs. Inhumanisé par l'amertume, Granville ne s'intéresse plus à rien et ne croit plus en rien. Dans son marché avec le chiffonnier, qui évoque irrésistiblement la scène du pauvre de *Dom Juan*[52] et a quelque chose de démoniaque et de faustien, il consacre le nihilisme de qui a rompu définitivement avec toutes les valeurs, reconnues fausses en gros et en détail. En signifiant son congé à Bianchon, il invalide la charité et la risible cohorte des sentiments humanitaires. Il est hors monde. Peut-être est-ce là que par d'obscurs chemins il a rejoint Gobseck, qui lui ressemble si peu et qui pourtant, comme lui, est totalement dés-illusionné. Il reste seul, parmi les décombres d'une vie bombardée. Au détour d'une phrase de *Splendeurs et Misères des courtisanes*, on apprendra qu'à cinquante-trois ans (ici il en a cinquante-quatre) il n'a jamais pu inspirer l'amour. Comme si Caroline n'avait jamais existé. Mais a-t-elle existé en effet? Le Temps a fait, a défait. Il est bien «forme et fond de l'œuvre[53]». Comme chez Beckett, «quelque chose a suivi son cours». Ne reste que le clair-obscur hollandais[54], qui baigne l'orée et la fin de ce texte mystérieusement pictural où un être mouvant, clos comme chacun sur la solitude de son désir, paraît, puis disparaît, sans qu'on puisse le fixer dans la lumière crue d'une certitude immobile et complète. La vie, c'est l'insaisissable, le fragile, le pénombral. Avant Proust, Balzac sait que nous mourrons tous inconnus.

Philippe BERTHIER.

NOTES

1. *Correspondance*, Garnier, t. 1, 1960 (p. 591).

2. *La Comédie humaine* (désormais : *CH*), Bibl. de la Pléiade, t. I, 1976 (p. 1173).

3. Cette idée se trouve déjà dans le chapitre *Pensionnats* de la *Physiologie*.

4. *CH*, t. I (p. 1172-1173).

5. M. Bardèche, *Balzac romancier*, Plon, 1943 (p. 189).

6. P. Barbéris, *Le Monde de Balzac*, Arthaud, 1973 (p. 232).

7. J.-L. Seylaz, *Réflexions sur Gobseck*, in *Études de Lettres*, oct.-déc. 1968 (p. 301-302).

8. Cf. P. Citron, introduction à *La Peau de chagrin*, GF Flammarion, 1971 (p. 33-40).

9. *Balzac et le mal du siècle*, Gallimard, 1970 (p. 1502).

10. *La Peau de chagrin*, GF Flammarion (p. 89).

11. *Ibid.* (p. 89).

12. *Le Père Goriot*, GF Flammarion, 1966 (p. 113).

13. *Ibid.* (p. 111).

14. *Ibid.* (p. 116).

15. *Ibid.* (p. 111).

16. *Ibid.* (p. 116).

17. *Ibid.* (p. 111).

18. *Ibid.* (p. 114).

19. *Ibid.* (p. 111).

20. Sans parler de leur parenté de pirates : Maxime est « le plus habile, le plus adroit, le plus renaré, le plus instruit, le plus hardi, le plus subtil, le plus ferme, le plus prévoyant de tous les corsaires à gants jaunes, à cabriolet, à belles manières, qui naviguèrent, naviguent et navigueront sur la mer orageuse de Paris » (*Un homme d'affaires*, *CH*, t. VII, 1977, p. 779).

21. *Physiologie du mariage*, GF Flammarion, 1968 (p. 136).

22. Cf. A. Michel, *Le Mariage et l'amour dans l'œuvre romanesque d'Honoré de Balzac*, Atelier Reproduction des thèses, Université Lille III, H. Champion, 1976 (p. 472).

23. Sur l'aspect juridique du drame, cf. *ibid.* (p. 484-487).

24. Et jusque dans *Une double famille* (Mme Crochard), cette fois sur le mode humoristique : humour noir, s'entend.

25. Cf. P. Barbéris, *Le Monde de Balzac* (p. 452).

26. C'est ce dernier qui aurait décrit à Balzac l'original de Gobseck (cf. M. Bardèche, in *Œuvres complètes* de Balzac, Club de l'Honnête homme, 1968, t. 3 (p. 427).

27. Cité par L. Frappier-Mazur, *L'Expression métaphorique dans " La Comédie humaine "*, Klincksieck, 1976 (p. 224).

28. *Ibid.* (p. 225).

29. J.-L. Seylaz, *art. cit.* (p. 299).

30. Cf. L. Frappier-Mazur, *op. cit.* (p. 272-273).

31. J.-L. Seylaz, *art. cit.* (p. 308).

32. *Ibid.* (p. 301).

33. Cf. L. Mazet : *Récit(s) dans le récit : l'échange du récit chez Balzac*, in *L'Année balzacienne*, 1976.

34. P. Barbéris, *Le Monde de Balzac* (p. 84).

35. *Physiologie du mariage*, GF Flammarion (p. 72).

36. *Correspondance*, t. I (p. 98).

37. *Les Arts et les Dieux*, Bibl. de la Pléiade, 1961 (p. 976).

38. *Physiologie du mariage*, GF Flammarion (p. 164).

39. Cf. A. Michel, *op. cit.* (p. 502-503).

40. *CH*, t. VIII, 1977 (p. 47).

41. *Physiologie du mariage*, GF Flammarion (p. 84).

42. *Ibid.* (p. 284).

43. *Ibid.* (p. 287).

44. *La Femme de trente ans*. GF Flammarion, 1965 (p. 135).

45. *Physiologie du mariage*. GF Flammarion (p. 165).

46. Et non pas en 1842, comme l'affirme à tort J. Baudry dans son article *En relisant « Une double famille »*, in *L'Année balzacienne*, 1976.

47. Laquelle se réduirait alors, si on en défalque aussi l'épilogue, à fort peu de chose quantitativement : la scène, en effet capitale et centrale, de l'explication décisive entre les époux, une fois le mystère découvert.

48. Cf. Ph. Berthier, *Les « Diaboliques » de Balzac et la déception du texte*, in *Studi francesi*, sept.-déc. 1974.

49. A rapprocher évidemment de Théodore de Sommervieux regardant Augustine, dans *La Maison du Chat-qui-pelote* (publiée en avril 1830), GF Flammarion, à paraître en 1985.

50. Cf. A.-M. Meininger, in *CH*, t. II, 1976 (p. 6).

51. Cf. A. Wurmser, *La Comédie inhumaine*, Gallimard, 1970 (p. 643).

52. Cf. Alain, *op. cit.* (p. 980). Se reporter à l'Anthologie critique.

53. A.-M. Meininger, *loc. cit.* (p. 12).

54. Les *Scènes de la vie privée* sont encore hollandaises par le soin apporté aux détails réalistes. Balzac s'y réfère explicitement dans sa *Préface : CH*, t. I (p. 1174).

HISTOIRE DU TEXTE

Pour une discussion serrée des avatars de *Gobseck*, on se reportera à l'étude de B. Lalande (cf. *Orientation bibliographique*).

Le manuscrit est conservé à Chantilly (Bibliothèque Lovenjoul), mais il est incomplet (on trouvera le détail dans nos notes). La rédaction date sans doute de janvier 1830, comme Balzac l'a indiqué à la fin de la nouvelle.

Le 6 mars 1830, *La Mode*, sous le titre *L'Usurier*, en avait publié un fragment, repris dans *Le Voleur* du 10 août.

L'édition originale parut en avril 1830, dans le premier volume des *Scènes de la vie privée* (Mame-Delaunay et Vallée), sous le titre *Les Dangers de l'inconduite*. Cinq autres nouvelles complétaient le recueil, en deux volumes : *La Vendetta*, *Le Bal de Sceaux*, *Gloire et Malheur* (qui deviendra *La Maison du chat-qui-pelote*), *La Femme vertueuse* (plus tard *Une double famille*) et *La Paix du ménage*.

En 1832, seconde édition, chez le même éditeur, sans changement. Le recueil a été augmenté et comporte quatre volumes.

En août 1835, Balzac revoit le texte et y apporte de très importants enrichissements (cf. notre *Introduction*). En novembre, la nouvelle remaniée paraît sous le titre *Le Papa Gobseck*, dans le premier volume des *Scènes de la vie parisienne*, à l'intérieur du plus vaste ensemble, en douze volumes, intitulé *Études de mœurs au XIXe siècle* chez Mme Ch. Béchet.

Réédition en 1839 chez Charpentier.

En 1842, *Gobseck*, au tome II de *La Comédie humaine* (Furne) revient au sein des *Scènes de la vie privée* et reçoit son titre définitif.

On trouvera le détail des variantes dans l'excellente édition procurée par P. Citron dans la Bibliothèque de la Pléiade (cf. *Orientation bibliographique*). Nous lui devons beaucoup.

Le manuscrit d'*Une double famille* se trouve à Chantilly (Bibliothèque Lovenjoul). Rédigée en février 1830, il s'agit de la dernière, chronologiquement, des six premières *Scènes de la vie privée*.

Le 5 avril 1830, *Le Voleur* publia en avant-première un extrait de la nouvelle, intitulé *La Grisette parvenue* (le découpage en est indiqué dans les notes). Le 13 avril, sous le titre *La Femme vertueuse*, paraissait le texte intégral, dans le tome II des *Scènes de la vie privée*, chez Mame et Delaunay-Vallée. Il garde sa place dans l'édition augmentée de 1832.

En 1835, Balzac détache *La Femme vertueuse* des *Scènes de la vie privée* et l'inclut dans les *Scènes de la vie parisienne*, qui terminent les *Études de mœurs au XIXe siècle* (chez Mme Béchet). Elle y demeure dans l'édition de 1839 (Charpentier).

C'est seulement en 1842, dans la première édition de *La Comédie humaine* (Furne) que *La Femme vertueuse* regagne les *Scènes de la vie privée*, définitivement baptisée *Une double famille*, sans doute pour obéir au conseil de Félix Davin : « A cette étude nous reprocherons son titre, qui est une ironie d'autant plus injuste, qu'il existe, dans les œuvres de l'auteur, un grand nombre de femmes belles et pieuses. Sa prétendue *Femme vertueuse* n'est qu'une prude revêche, intolérante et glaciale. Changez le titre, cette étude sera parfaite » (Introduction aux *Études de mœurs au XIXe siècle*). Cette histoire assez mouvementée explique que la nouvelle soit finalement datée « février 1830 — janvier 1842 ».

Il n'est pas question de donner ici le relevé minutieux

de toutes les variantes de détail au fil des diverses éditions. Ce travail a été fait, et remarquablement, par A.-M. Meininger, dans l'apparat critique de la Bibliothèque de la Pléiade (cf. *Orientation bibliographique*). Nous y renvoyons le lecteur, nous bornant à signaler dans les notes les modifications les plus importantes.

GOBSECK

A MONSIEUR LE BARON
BARCHOU DE PENHOËN [1]

> *Parmi tous les élèves de Vendôme, nous sommes, je crois, les seuls qui se sont retrouvés au milieu de la carrière des lettres, nous qui cultivions déjà la philosophie à l'âge où nous ne devions cultiver que le De viris [2]. Voici l'ouvrage que je faisais quand nous nous sommes revus, et pendant que tu travaillais à tes beaux ouvrages sur la philosophie allemande. Ainsi nous n'avons manqué ni l'un ni l'autre à nos vocations. Tu éprouveras donc sans doute à voir ici ton nom autant de plaisir qu'en a eu à l'y inscrire*
>
> Ton vieux camarade de collège,
>
> DE BALZAC.

1840.

A une heure du matin, pendant l'hiver de 1829 à 1830, il se trouvait encore dans le salon de la vicomtesse de Grandlieu [3] deux personnes étrangères à sa famille. Un jeune et joli homme sortit en entendant sonner la pendule. Quand le bruit de la voiture retentit dans la cour, la vicomtesse, ne voyant plus que son frère et un ami de la famille qui achevaient leur piquet, s'avança vers sa fille qui, debout devant la cheminée du salon, semblait examiner un garde-vue en lithophanie [4], et qui écoutait le bruit du cabriolet de manière à justifier les craintes de sa mère.

« Camille, si vous continuez à tenir avec le jeune comte de Restaud la conduite que vous avez eue ce soir, vous

m'obligerez à ne plus le recevoir. Écoutez, mon enfant, si
vous avez confiance en ma tendresse, laissez-moi vous
guider dans la vie. A dix-sept ans l'on ne sait juger ni de
l'avenir, ni du passé, ni de certaines considérations sociales. Je ne vous ferai qu'une seule observation. M. de
Restaud a une mère qui mangerait des millions, une
femme mal née, une demoiselle Goriot qui jadis a fait
beaucoup parler d'elle. Elle s'est si mal comportée avec
son père qu'elle ne mérite certes pas d'avoir un si bon
fils [5]. Le jeune comte l'adore et la soutient avec une piété
filiale digne des plus grands éloges; il a surtout de son
frère et de sa sœur [6] un soin extrême. Quelque admirable
que soit cette conduite, ajouta la vicomtesse d'un air fin,
tant que sa mère existera, toutes les familles trembleront
de confier à ce petit Restaud l'avenir et la fortune d'une
jeune fille.

— J'ai entendu quelques mots qui me donnent envie
d'intervenir entre vous et Mlle de Grandlieu, s'écria l'ami
de la famille. — J'ai gagné, monsieur le comte, dit-il en
s'adressant à son adversaire. Je vous laisse pour courir au
secours de votre nièce.

— Voilà ce qui s'appelle avoir des oreilles d'avoué,
s'écria la vicomtesse. Mon cher Derville [7], comment
avez-vous pu entendre ce que je disais tout bas à Camille?

— J'ai compris vos regards», répondit Derville en
s'asseyant dans une bergère au coin de la cheminée.

L'oncle se mit à côté de sa nièce, et Mme de Grandlieu
prit place sur une chauffeuse, entre sa fille et Derville.

«Il est temps, madame la vicomtesse, que je vous
conte une histoire qui vous fera modifier le jugement que
vous portez sur la fortune du comte Ernest de Restaud.

— Une histoire! s'écria Camille. Commencez donc
vite, monsieur.»

Derville jeta sur Mme de Grandlieu un regard qui lui
fit comprendre que ce récit devait l'intéresser. La vicomtesse de Grandlieu était, par sa fortune et par l'antiquité
de son nom, une des femmes les plus remarquables du
faubourg Saint-Germain; et, s'il ne semble pas naturel
qu'un avoué de Paris pût lui parler si familièrement et se

comportât chez elle d'une manière si cavalière, il est néanmoins facile d'expliquer ce phénomène. Mme de Grandlieu, rentrée en France avec la famille royale, était venue habiter Paris, où elle n'avait d'abord vécu que de secours accordés par Louis XVIII sur les fonds de la liste civile, situation insupportable. L'avoué eut l'occasion de découvrir quelques vices de forme dans la vente que la république avait jadis faite de l'hôtel de Grandlieu, et prétendit qu'il devait être restitué à la vicomtesse. Il entreprit ce procès moyennant un forfait, et le gagna. Encouragé par ce succès, il chicana si bien je ne sais quel hospice, qu'il en obtint la restitution de la forêt de Liceney. Puis, il fit encore recouvrer quelques actions sur le canal d'Orléans, et certains immeubles assez importants que l'Empereur avait donnés en dot à des établissements publics. Ainsi rétablie par l'habileté du jeune avoué, la fortune de Mme de Grandlieu s'était élevée à un revenu de soixante mille francs environ, lors de la loi sur l'indemnité qui lui avait rendu des sommes énormes [8]. Homme de haute probité, savant, modeste et de bonne compagnie, cet avoué devint alors l'ami de la famille. Quoique sa conduite envers Mme de Grandlieu lui eût mérité l'estime et la clientèle des meilleures maisons du faubourg Saint-Germain, il ne profitait pas de cette faveur comme en aurait pu profiter un homme ambitieux. Il résistait aux offres de la vicomtesse qui voulait lui faire vendre sa charge et le jeter dans la magistrature, carrière où, par ses protections, il aurait obtenu le plus rapide avancement [9]. A l'exception de l'hôtel de Grandlieu, où il passait quelquefois la soirée, il n'allait dans le monde que pour y entretenir ses relations. Il était fort heureux que ses talents eussent été mis en lumière par son dévouement à Mme de Grandlieu, car il aurait couru le risque de laisser dépérir son étude. Derville n'avait pas une âme d'avoué. Depuis que le comte Ernest de Restaud s'était introduit chez la vicomtesse, et que Derville avait découvert la sympathie de Camille pour ce jeune homme, il était devenu aussi assidu chez Mme de Grandlieu que l'aurait été un dandy de la Chaussée d'Antin nouvellement admis dans les cercles du noble faubourg. Quelques jours au-

paravant, il s'était trouvé dans un bal auprès de Camille,
et lui avait dit en montrant le jeune comte : « Il est dommage que ce garçon-là n'ait pas deux ou trois millions,
n'est-ce pas ? — Est-ce un malheur ? Je ne le crois pas,
avait-elle répondu. M. de Restaud a beaucoup de talent,
il est instruit, et bien vu du ministre auprès duquel il a été
placé. Je ne doute pas qu'il ne devienne un homme très
remarquable. *Ce garçon-là* trouvera tout autant de fortune qu'il en voudra, le jour où il sera parvenu au pouvoir. — Oui, mais s'il était déjà riche ? — S'il était riche,
dit Camille en rougissant. Mais toutes les jeunes personnes qui sont ici se le disputeraient, ajouta-t-elle en montrant les quadrilles. — Et alors, avait répondu l'avoué,
Mlle de Grandlieu ne serait plus la seule vers laquelle il
tournerait les yeux. Voilà pourquoi vous rougissez ? Vous
vous sentez du goût pour lui, n'est-ce pas ? Allons,
dites. » Camille s'était brusquement levée. « Elle
l'aime », avait pensé Derville. Depuis ce jour, Camille
avait eu pour l'avoué des attentions inaccoutumées en
s'apercevant qu'il approuvait son inclination pour le
jeune comte Ernest de Restaud. Jusque-là, quoiqu'elle
n'ignorât aucune des obligations de sa famille envers
Derville, elle avait eu pour lui plus d'égards que d'amitié
vraie, plus de politesse que de sentiment ; ses manières,
aussi bien que le ton de sa voix, lui avaient toujours fait
sentir la distance que l'étiquette mettait entre eux. La
reconnaissance est une dette que les enfants n'acceptent
pas toujours à l'inventaire.

« Cette aventure, dit Derville après une pause, me
rappelle les seules circonstances romanesques de ma vie.
Vous riez déjà, reprit-il, en entendant un avoué vous
parler d'un roman dans sa vie ! Mais j'ai eu vingt-cinq ans
comme tout le monde, et à cet âge j'avais déjà vu
d'étranges choses. Je dois commencer par vous parler
d'un personnage que vous ne pouvez pas connaître. Il
s'agit d'un usurier. Saisirez-vous [10] bien cette figure pâle
et blafarde, à laquelle je voudrais que l'Académie me
permît de donner le nom de face *lunaire*, elle ressemblait
à du vermeil dédoré ? Les cheveux de mon usurier étaient
plats, soigneusement peignés et d'un gris cendré. Les

traits de son visage, impassible autant que celui de **Tal-**
leyrand, paraissaient avoir été coulés en bronze. Jaunes
comme ceux d'une fouine, ses petits yeux n'avaient presque point de cils et craignaient la lumière ; mais l'abat-
jour d'une vieille casquette les en garantissait. Son nez
pointu était si grêlé dans le bout que vous l'eussiez
comparé à une vrille. Il avait les lèvres minces de ces
alchimistes et de ces petits vieillards peints par Rembrandt ou par Metzu [11]. Cet homme parlait bas, d'un ton
doux, et ne s'emportait jamais. Son âge était un problème : on ne pouvait pas savoir s'il était vieux avant le
temps, ou s'il avait ménagé sa jeunesse afin qu'elle lui
servît toujours. Tout était propre et râpé dans sa chambre,
pareille, depuis le drap vert du bureau jusqu'au tapis du
lit, au froid sanctuaire de ces vieilles filles qui passent la
journée à frotter leurs meubles. En hiver les tisons de son
foyer, toujours enterrés dans un talus de cendres, y fu-
maient sans flamber. Ses actions, depuis l'heure de son
lever jusqu'à ses accès de toux le soir, étaient soumises à
la régularité d'une pendule. C'était en quelque sorte un
homme modèle que le sommeil remontait. Si vous tou-
chez un cloporte cheminant sur un papier, il s'arrête et
fait le mort ; de même, cet homme s'interrompait au
milieu de son discours et se taisait au passage d'une
voiture, afin de ne pas forcer sa voix. A l'imitation de
Fontenelle, il économisait le mouvement vital [12], et
concentrait tous les sentiments humains dans le moi.
Aussi sa vie s'écoulait-elle sans faire plus de bruit que le
sable d'une horloge antique. Quelquefois ses victimes
criaient beaucoup, s'emportaient ; puis après il se faisait
un grand silence, comme dans une cuisine où l'on égorge
un canard. Vers le soir l'homme-billet se changeait en un
homme ordinaire, et ses métaux se métamorphosaient en
cœur humain. S'il était content de sa journée, il se frottait
les mains en laissant échapper par les rides crevassées de
son visage une fumée de gaieté [13], car il est impossible
d'exprimer autrement le jeu muet de ses muscles, où se
peignait une sensation comparable au rire à vide de *Bas-*
de-Cuir [14]. Enfin, dans ses plus grands accès de joie, sa
conversation restait monosyllabique, et sa contenance

était toujours négative. Tel est le voisin que le hasard m'avait donné dans la maison que j'habitais rue des Grès [15], quand je n'étais encore que second clerc et que j'achevais ma troisième année de droit. Cette maison, qui n'a pas de cour, est humide et sombre. Les appartements n'y tirent leur jour que de la rue. La distribution claustrale qui divise le bâtiment en chambres d'égale grandeur, en ne leur laissant d'autre issue qu'un long corridor éclairé par des jours de souffrance, annonce que la maison a jadis fait partie d'un couvent. A ce triste aspect, la gaieté d'un fils de famille expirait avant qu'il n'entrât chez mon voisin : sa maison et lui se ressemblaient. Vous eussiez dit de l'huître et son rocher. Le seul être avec lequel il communiquait, socialement parlant, était moi ; il venait me demander du feu, m'empruntait un livre, un journal, et me permettait le soir d'entrer dans sa cellule, où nous causions quand il était de bonne humeur. Ces marques de confiance étaient le fruit d'un voisinage de quatre années et de ma sage conduite, qui, faute d'argent, ressemblait beaucoup à la sienne. Avait-il des parents, des amis ? Était-il riche ou pauvre ? Personne n'aurait pu répondre à ces questions. Je ne voyais jamais d'argent chez lui. Sa fortune se trouvait sans doute dans les caves de la Banque. Il recevait lui-même ses billets en courant dans Paris d'une jambe sèche comme celle d'un cerf. Il était d'ailleurs martyr de sa prudence. Un jour, par hasard, il portait de l'or ; un double napoléon se fit jour, on ne sait comment, à travers son gousset ; un locataire qui le suivait dans l'escalier ramassa la pièce et la lui présenta.

« "Cela ne m'appartient pas, répondit-il avec un geste de surprise. A moi de l'or ! Vivrais-je comme je vis si j'étais riche ?" Le matin, il apprêtait lui-même son café sur un réchaud de tôle, qui restait toujours dans l'angle noir de sa cheminée ; un rôtisseur lui apportait à dîner. Notre vieille portière montait à une heure fixe pour approprier [16] la chambre. Enfin, par une singularité que Sterne appellerait une prédestination [17], cet homme se nommait Gobseck. Quand plus tard [18] je fis ses affaires, j'appris qu'au moment où nous nous connûmes il avait environ soixante-seize ans. Il était né vers 1740, dans les faubourgs d'Anvers, d'une Juive et d'un Hollandais, et se nommait Jean-Esther Van Gobseck. Vous savez combien Paris s'occupa de l'assassinat d'une femme nommée *la belle Hollandaise* [19] ? quand j'en parlai par hasard à mon ancien voisin, il me dit, sans exprimer ni le moindre intérêt ni la plus légère surprise : "C'est ma petite-nièce." Cette parole fut tout ce que lui arracha la mort de sa seule et unique héritière, la petite-fille de sa sœur. Les débats m'apprirent que la belle Hollandaise se nommait en effet Sara Van Gobseck. Lorsque je lui demandai par quelle bizarrerie sa petite-nièce portait son nom : "Les femmes ne se sont jamais mariées dans notre famille", me répondit-il en souriant. Cet homme singulier n'avait jamais voulu voir une seule personne des quatre générations femelles où se trouvaient ses parents. Il abhorrait ses héritiers et ne concevait pas que sa fortune pût jamais être possédée par d'autres que lui, même après sa mort. Sa mère l'avait embarqué dès l'âge de dix ans en qualité de mousse pour les possessions hollandaises dans les grandes Indes, où il avait roulé pendant vingt années. Aussi les rides de son front jaunâtre gardaient-elles les secrets d'événements horribles, de terreurs soudaines, de hasards inespérés, de traverses romanesques, de joies infinies : la faim supportée, l'amour foulé aux pieds, la fortune compromise, perdue, retrouvée, la vie maintes fois en danger, et sauvée peut-être par ces déterminations dont la rapide urgence excuse la cruauté. Il avait connu l'amiral Simeuse, M. de Lally, M. de Kergarouët, M. d'Estaing, le bailli de Suffren, M. de Portenduère, lord Cornwallis, lord Hastings, le père de Tippo-Saeb et Tippo-Saeb lui-même [20]. Ce Savoyard, qui servit Madhadjy-Sindiah [21], le roi de Delhy, et contribua tant à fonder la puissance des Marhattes [22], avait fait des affaires avec lui. Il avait eu des relations avec Victor Hughes [23] et plusieurs célèbres corsaires, car il avait longtemps séjourné à Saint-Thomas [24]. Il avait si bien tout tenté pour faire fortune qu'il avait essayé de découvrir l'or de cette tribu de sauvages si célèbres aux environs de Buenos Aires. Enfin il n'était étranger à aucun des événements de la guerre de l'indépendance améri-

caine. Mais quand il parlait des Indes ou de l'Amérique,
ce qui ne lui arrivait avec personne, et fort rarement avec
moi, il semblait que ce fût une indiscrétion, il paraissait
s'en repentir. Si l'humanité, si la sociabilité sont une
religion, il pouvait être considéré comme un athée. Quoique je me fusse proposé de l'examiner [25], je dois avouer à
ma honte que jusqu'au dernier moment son cœur fut
impénétrable. Je me suis quelquefois demandé à quel
sexe il appartenait. Si les usuriers ressemblent à celui-là,
je crois qu'ils sont tous du genre neutre. Était-il resté
fidèle à la religion de sa mère, et regardait-il les chrétiens
comme sa proie ? s'était-il fait catholique, mahométan,
brahme ou luthérien ? Je n'ai jamais rien su de ses opinions religieuses. Il me paraissait être plus indifférent
qu'incrédule. Un soir j'entrai chez cet homme qui s'était
fait or, et que, par antiphrase ou par raillerie, ses victimes, qu'il nommait ses clients, appelaient papa Gobseck.
Je le trouvai sur son fauteuil, immobile comme une statue, les yeux arrêtés sur le manteau de la cheminée où il
semblait relire ses bordereaux d'escompte. Une lampe
fumeuse dont le pied avait été vert jetait une lueur qui,
loin de colorer ce visage, en faisait mieux ressortir la
pâleur. Il me regarda silencieusement et me montra ma
chaise qui m'attendait. ''A quoi cet être-là pense-t-il ? me
dis-je. Sait-il s'il existe un Dieu, un sentiment, des femmes, un bonheur ?'' Je le plaignis comme j'aurais plaint
un malade. Mais je comprenais bien aussi que, s'il avait
des millions à la banque, il pouvait posséder par la pensée
la terre qu'il avait parcourue, fouillée, soupesée, évaluée,
exploitée. ''Bonjour, papa Gobseck'', lui dis-je. Il
tourna la tête vers moi, ses gros sourcils noirs se rappro-
chèrent légèrement ; chez lui, cette inflexion caractéristique équivalait au plus gai sourire d'un Méridional.
''Vous êtes aussi sombre que le jour où l'on est venu
vous annoncer la faillite de ce libraire de qui vous avez
tant admiré l'adresse, quoique vous en ayez été la victime. — Victime ? dit-il d'un air étonné. — Afin d'obtenir son concordat, ne vous avait-il pas réglé votre créance
en billets signés de la raison de commerce en faillite ; et
quand il a été rétabli, ne vous les a-t-il pas soumis à la

réduction voulue par le concordat [26] ? — Il était fin, répondit-il, mais je l'ai repincé. — Avez-vous donc quelques billets à protester [27] ? nous sommes le trente, je crois." Je lui parlais d'argent pour la première fois. Il leva sur moi ses yeux par un mouvement railleur, puis, de sa voix douce dont les accents ressemblaient aux sons que tire de sa flûte un élève qui n'en a pas l'embouchure : "Je m'amuse, me dit-il. — Vous vous amusez donc quelquefois ? — Croyez-vous qu'il n'y ait de poètes que ceux qui impriment des vers ?" me demanda-t-il en haussant les épaules et me jetant un regard de pitié. "De la poésie dans cette tête !" pensai-je, car je ne connaissais encore rien de sa vie. "Quelle existence pourrait être aussi brillante que l'est la mienne ? dit-il en continuant, et son œil s'anima. Vous êtes jeune [28], vous avez les idées de votre sang, vous voyez des figures de femme dans vos tisons [29], moi je n'aperçois que des charbons dans les miens. Vous croyez à tout, moi je ne crois à rien. Gardez vos illusions, si vous le pouvez. Je vais vous faire le décompte de la vie. Soit que vous voyagiez, soit que vous restiez au coin de votre cheminée et de votre femme [30], il arrive toujours un âge auquel la vie n'est plus qu'une habitude exercée dans un certain milieu préféré. Le bonheur consiste alors dans l'exercice de nos facultés appliquées à des réalités. Hors ces deux préceptes, tout est faux. Mes principes ont varié comme ceux des hommes, j'en ai dû changer à chaque latitude. Ce que l'Europe admire, l'Asie le punit. Ce qui est un vice à Paris est une nécessité quand on a passé les Açores. Rien n'est fixe ici-bas, il n'y existe que des conventions qui se modifient suivant les climats. Pour qui s'est jeté forcément dans tous les moules sociaux, les convictions et les morales ne sont plus que des mots sans valeur. Reste en nous le seul sentiment vrai que la nature y ait mis : l'instinct de notre conservation. Dans vos sociétés européennes, cet instinct se nomme *intérêt personnel*. Si vous aviez vécu autant que moi, vous sauriez qu'il n'est qu'une seule chose matérielle dont la valeur soit assez certaine pour qu'un homme s'en occupe. Cette chose… c'est L'OR. L'or représente toutes les forces humaines. J'ai voyagé, j'ai vu

qu'il y avait partout des plaines ou des montagnes : les
plaines ennuient, les montagnes fatiguent ; les lieux ne
signifient donc rien. Quant aux mœurs, l'homme est le
même partout : partout le combat entre le pauvre et le
riche est établi, partout il est inévitable ; il vaut donc
mieux être l'exploitant que d'être l'exploité ; partout il se
rencontre des gens musculeux qui travaillent et des gens
lymphatiques qui se tourmentent ; partout les plaisirs sont
les mêmes, car partout les sens s'épuisent, et il ne leur
survit qu'un seul sentiment, la vanité ! La vanité, c'est
toujours le *moi*. La vanité ne se satisfait que par des flots
d'or. Nos fantaisies veulent du temps, des moyens physi-
ques ou des soins. Eh bien, l'or contient tout en germe, et
donne tout en réalité. Il n'y a que des fous ou des malades
qui puissent trouver du bonheur à battre les cartes tous les
soirs pour savoir s'ils gagneront quelques sous. Il n'y a
que des sots qui puissent employer leur temps à se demander ce qui se passe, si madame une telle s'est couchée
sur son canapé seule ou en compagnie, si elle a plus de
sang que de lymphe, plus de tempérament que de vertu. Il
n'y a que des dupes qui puissent se croire utiles à leurs
semblables en s'occupant à tracer des principes politiques
pour gouverner des événements toujours imprévus. Il n'y
a que des niais qui puissent aimer à parler des acteurs et à
répéter leurs mots ; à faire tous les jours, mais sur un plus
grand espace, la promenade que fait un animal dans sa
loge ; à s'habiller pour les autres, à manger pour les
autres ; à se glorifier d'un cheval ou d'une voiture que le
voisin ne peut avoir que trois jours après eux. N'est-ce
pas la vie de vos Parisiens traduite en quelques phrases ?
Voyons l'existence de plus haut qu'ils ne la voient. Le
bonheur consiste ou en émotions fortes qui usent la vie,
ou en occupations réglées qui en font une mécanique
anglaise fonctionnant par temps réguliers. Au-dessus de
ces bonheurs, il existe une curiosité, prétendue noble, de
connaître les secrets de la nature ou d'obtenir une certaine
imitation de ses effets. N'est-ce pas, en deux mots, l'Art
ou la Science, la Passion ou le Calme ? Hé bien, toutes les
passions humaines agrandies par le jeu de vos intérêts
sociaux viennent parader devant moi qui vis dans le

calme. Puis, votre curiosité scientifique, espèce de lutte
où l'homme a toujours le dessous, je la remplace par la
pénétration de tous les ressorts qui font mouvoir l'Humanité. En un mot, je possède le monde sans fatigue, et le
monde n'a pas la moindre prise sur moi. Écoutez-moi,
reprit-il, par le récit des événements de la matinée, vous
devinerez mes plaisirs. " Il se leva, alla pousser le verrou
de sa porte, tira un rideau de vieille tapisserie dont les
anneaux crièrent sur la tringle, et revint s'asseoir. " Ce
matin, me dit-il, je n'avais que deux effets à recevoir, les
autres avaient été donnés la veille comme comptant à mes
pratiques. Autant de gagné ! car, à l'escompte, je déduis
la course que me nécessite la recette, en prenant quarante
sous pour un cabriolet de fantaisie. Ne serait-il pas plaisant qu'une pratique me fît traverser Paris pour six francs
d'escompte, moi qui n'obéis à rien, moi qui ne paye que
sept francs de contributions. Le premier billet, valeur de
mille francs présentée par un jeune homme, beau fils à
gilets pailletés, à lorgnon, à tilbury, cheval anglais, etc.,
était signé par l'une des plus jolies femmes de Paris,
mariée à quelque riche propriétaire, un comte. Pourquoi
cette comtesse avait-elle souscrit une lettre de change,
nulle en droit, mais excellente en fait, car ces pauvres
femmes craignent le scandale que produirait un protêt
dans leur ménage et se donneraient en paiement plutôt
que de ne pas payer ? Je voulais connaître la valeur
secrète de cette lettre de change. Était-ce bêtise, impru-
dence, amour ou charité ? Le second billet, d'égale
somme, signé Fanny Malvaut, m'avait été présenté par
un marchand de toiles en train de se ruiner. Aucune
personne, ayant quelque crédit à la banque, ne vient dans
ma boutique, où le premier pas fait de ma porte à mon
bureau dénonce un désespoir, une faillite près d'éclore, et
surtout un refus d'argent éprouvé chez tous les banquiers.
Aussi ne vois-je que des cerfs aux abois, traqués par la
meute de leurs créanciers. La comtesse demeurait rue du
Helder, et ma Fanny rue Montmartre. Combien de
conjectures n'ai-je pas faites en m'en allant d'ici ce matin ? Si ces deux femmes n'étaient pas en mesure, elles
allaient me recevoir avec plus de respect que si j'eusse été

leur propre père. Combien de singeries la comtesse ne me
jouerait-elle pas pour mille francs? Elle allait prendre un
air affectueux, me parler de cette voix dont les câlineries
sont réservées à l'endosseur du billet, me prodiguer des
paroles caressantes, me supplier peut-être, et moi..." Là,
le vieillard me jeta son regard blanc. "Et moi, inébranla-
ble! reprit-il. Je suis là comme un vengeur, j'apparais
comme un remords. Laissons les hypothèses. J'arrive.
'Mme la comtesse est couchée, me dit une femme de
chambre. — Quand sera-t-elle visible? — A midi.
— Mme la comtesse serait-elle malade? — Non, monsieur, mais elle est rentrée du bal à trois heures. — Je
m'appelle Gobseck, dites-lui mon nom, je serai ici à
midi.' Et je m'en vais en signant ma présence sur le tapis
qui couvrait les dalles de l'escalier. J'aime à crotter les
tapis de l'homme riche, non par petitesse, mais pour leur
faire sentir la griffe de la Nécessité. Parvenu rue Montmartre, à une maison de peu d'apparence, je pousse une
vieille porte cochère, et vois une de ces cours obscures où
le soleil ne pénètre jamais. La loge du portier était noire,
le vitrage ressemblait à la manche d'une douillette trop
longtemps portée, il était gras, brun, lézardé. 'Mlle
Fanny Malvaut? — Elle est sortie, mais si vous venez
pour un billet, l'argent est là. — Je reviendrai', dis-je.
Du moment où le portier avait la somme, je voulais
connaître la jeune fille; je me figurais qu'elle était jolie.
Je passe la matinée à voir les gravures étalées sur le
boulevard; puis, à midi sonnant, je traversais le salon qui
précède la chambre de la comtesse. 'Madame me sonne à
l'instant, me dit la femme de chambre, je ne crois pas
qu'elle soit visible. — J'attendrai', répondis-je en m'asseyant sur un fauteuil. Les persiennes s'ouvrent, la
femme de chambre accourt et me dit: 'Entrez, monsieur.' A la douceur de sa voix, je devinai que sa maîtresse ne devait pas être en mesure. Combien était belle la
femme que je vis alors! Elle avait jeté à la hâte sur ses
épaules nues un châle de cachemire dans lequel elle
s'enveloppait si bien que ses formes pouvaient se deviner
dans leur nudité. Elle était vêtue d'un peignoir garni de
ruches blanches comme neige et qui annonçait une dé-

pense annuelle d'environ deux mille francs chez la blanchisseuse en fin. Ses cheveux noirs s'échappaient en grosses boucles d'un joli madras négligemment noué sur sa tête à la manière des créoles. Son lit offrait le tableau d'un désordre produit sans doute par un sommeil agité. Un peintre aurait payé pour rester pendant quelques moments au milieu de cette scène. Sous des draperies voluptueusement attachées, un oreiller enfoncé sur un édredon de soie bleue, et dont les garnitures en dentelle se détachaient vivement sur ce fond d'azur, offrait l'empreinte de formes indécises qui réveillaient l'imagination. Sur une large peau d'ours, étendue aux pieds des lions ciselés dans l'acajou du lit, brillaient deux souliers de satin blanc, jetés avec l'incurie que cause la lassitude d'un bal. Sur une chaise était une robe froissée dont les manches touchaient à terre. Des bas que le moindre souffle d'air aurait emportés étaient tortillés dans le pied d'un fauteuil. De blanches jarretières flottaient le long d'une causeuse. Un éventail de prix, à moitié déplié, reluisait sur la cheminée. Les tiroirs de la commode restaient ouverts. Des fleurs, des diamants, des gants, un bouquet, une ceinture gisaient çà et là. Je respirais une vague odeur de parfums. Tout était luxe et désordre, beauté sans harmonie. Mais déjà, pour elle ou pour son adorateur, la misère, tapie là-dessous, dressait la tête et leur faisait sentir ses dents aiguës. La figure fatiguée de la comtesse ressemblait à cette chambre parsemée des débris d'une fête. Ces brimborions épars me faisaient pitié ; rassemblés, ils avaient causé la veille quelque délire. Ces vestiges d'un amour foudroyé par le remords, cette image d'une vie de dissipation, de luxe et de bruit, trahissaient des efforts de Tantale pour embrasser de fuyants plaisirs. Quelques rougeurs semées sur le visage de la jeune femme attestaient la finesse de sa peau ; mais ses traits étaient comme grossis, et le cercle brun qui se dessinait sous ses yeux semblait être plus fortement marqué qu'à l'ordinaire. Néanmoins la nature avait assez d'énergie en elle pour que ces indices de folie n'altérassent pas sa beauté. Ses yeux étincelaient. Semblable à l'une de ces Hérodiades dues au pinceau de Léonard de Vinci [31] (j'ai brocanté les tableaux), elle était magnifique de vie et de force; rien de mesquin dans ses contours ni dans ses traits; elle inspirait l'amour, et me semblait devoir être plus forte que l'amour. Elle me plut. Il y avait longtemps que mon cœur n'avait battu. J'étais donc déjà payé! je donnerais mille francs d'une sensation qui me ferait souvenir de ma jeunesse. 'Monsieur, me dit-elle en me présentant une chaise, auriez-vous la complaisance d'attendre? — Jusqu'à demain midi, madame, répondis-je en repliant le billet que je lui avais présenté, je n'ai le droit de protester qu'à cette heure-là.' Puis, en moi-même, je me disais : 'Paie ton luxe, paie ton nom, paie ton bonheur, paie le monopole dont tu jouis. Pour se garantir leurs biens, les riches ont inventé des tribunaux, des juges, et cette guillotine, espèce de bougie où viennent se brûler les ignorants. Mais, pour vous qui couchez sur la soie et sous la soie, il est des remords, des grincements de dents cachés sous un sourire, et des gueules de lions fantastiques qui vous donnent un coup de dent au cœur.' 'Un protêt! y pensez-vous? s'écria-t-elle en me regardant, vous auriez si peu d'égards pour moi! — Si le roi me devait, madame, et qu'il ne me payât pas, je l'assignerais encore plus promptement que tout autre débiteur.' En ce moment nous entendîmes frapper doucement à la porte de la chambre. 'Je n'y suis pas! dit impérieusement la jeune femme. — Anastasie, je voudrais cependant bien vous voir. — Pas en ce moment, mon cher, répondit-elle d'une voix moins dure, mais néanmoins sans douceur. — Quelle plaisanterie! vous parlez à quelqu'un', répondit en entrant un homme qui ne pouvait être que le comte. La comtesse me regarda, je la compris, elle devint mon esclave. Il fut un temps, jeune homme, où j'aurais été peut-être assez bête pour ne pas protester. En 1763, à Pondichéry, j'ai fait grâce à une femme qui m'a joliment roué. Je le méritais, pourquoi m'étais-je fié à elle? 'Que veut monsieur?' me demanda le comte. Je vis la femme frissonnant de la tête aux pieds, la peau blanche et satinée de son cou devint rude, elle avait, suivant un terme familier, la chair de poule. Moi, je riais, sans qu'un de mes muscles ne tressaillît. 'Monsieur est un de mes fournisseurs ', dit-elle. Le comte me tourna le dos, je tirai le billet à moitié hors de ma poche. A ce mouvement inexorable, la jeune femme vint à moi, me présenta un diamant: 'Prenez, dit-elle, et allez-vous-en [32].' Nous échangeâmes les deux valeurs, et je sortis en la saluant. Le diamant valait bien une douzaine de cents francs pour moi. Je trouvai dans la cour une nuée de valets qui brossaient leurs livrées, ciraient leurs bottes ou nettoyaient de somptueux équipages. 'Voilà, me dis-je, ce qui amène ces gens-là chez moi. Voilà ce qui les pousse à voler décemment des millions, à trahir leur patrie. Pour ne pas se crotter en allant à pied, le grand seigneur, ou celui qui le singe, prend une bonne fois un bain de boue !' En ce moment, la grande porte s'ouvrit, et livra passage au cabriolet du jeune homme qui m'avait présenté le billet. 'Monsieur, lui dis-je quand il fut descendu, voici deux cents francs que je vous prie de rendre à Mme la comtesse, et vous lui ferez observer que je tiendrai à sa disposition pendant huit jours le gage qu'elle m'a remis ce matin.' Il prit les deux cents francs, et laissa échapper un sourire moqueur, comme s'il eût dit : 'Ha ! elle a payé. Ma foi, tant mieux !' J'ai lu sur cette physionomie l'avenir de la comtesse [33]. Ce joli monsieur blond, froid, joueur sans âme, se ruinera, la ruinera, ruinera le mari, ruinera les enfants, mangera leurs dots, et causera plus de ravages à travers les salons que n'en causerait une batterie d'obusiers dans un régiment. Je me rendis rue Montmartre, chez Mlle Fanny. Je montai un petit escalier bien raide. Arrivé au cinquième étage, je fus introduit dans un appartement composé de deux chambres où tout était propre comme un ducat neuf. Je n'aperçus pas la moindre trace de poussière sur les meubles de la première pièce où me reçut Mlle Fanny, jeune fille parisienne, vêtue simplement : tête élégante et fraîche, air avenant, des cheveux châtains bien peignés, qui, retroussés en deux arcs sur les tempes, donnaient de la finesse à des yeux bleus, purs comme du cristal. Le jour, passant à travers de petits rideaux tendus aux carreaux, jetait une lueur douce sur sa modeste figure. Autour d'elle, de nombreux morceaux de toile taillés me dénoncèrent ses

occupations habituelles, elle ouvrait [34] du linge. Elle était
là comme le génie de la solitude. Quand je lui présentai le
billet, je lui dis que je ne l'avais pas trouvée le matin.
'Mais, dit-elle, les fonds étaient chez la portière.' Je
feignis de ne pas entendre. 'Mademoiselle sort de bonne
heure, à ce qu'il paraît ? — Je suis rarement hors de chez
moi ; mais quand on travaille la nuit, il faut bien quelquefois se baigner.' Je la regardai. D'un coup d'œil, je
devinai tout. C'était une fille condamnée au travail par le
malheur, et qui appartenait à quelque famille d'honnêtes
fermiers, car elle avait quelques-uns de ces grains de
rousseur particuliers aux personnes nées à la campagne.
Je ne sais quel air de vertu respirait dans ses traits. Il me
sembla que j'habitais une atmosphère de sincérité, de
candeur, où mes poumons se rafraîchissaient. Pauvre
innocente ! elle croyait à quelque chose : sa simple cou-
chette en bois peint était surmontée d'un crucifix orné de
deux branches de buis. Je fus quasi touché. Je me sentais
disposé à lui offrir de l'argent à douze pour cent seulement, afin de lui faciliter l'achat de quelque bon établissement. 'Mais, me dis-je, elle a peut-être un petit cousin
qui se ferait de l'argent avec sa signature, et grugerait la
pauvre fille.' Je m'en suis donc allé, me mettant en garde
contre mes idées généreuses, car j'ai souvent eu l'occasion d'observer que quand la bienfaisance ne nuit pas au
bienfaiteur, elle tue l'obligé. Lorsque vous êtes entré, je
pensai que Fanny Malvaut serait une bonne petite femme ;
j'opposais sa vie pure et solitaire à celle de cette comtesse
qui, déjà tombée dans la lettre de change, va rouler
jusqu'au fond des abîmes du vice ! Eh bien, reprit-il après
un moment de silence profond pendant lequel je l'exami-
nais, croyez-vous que ce ne soit rien que de pénétrer ainsi
dans les plus secrets replis du cœur humain, d'épouser la
vie des autres, et de la voir à nu ? Des spectacles toujours
variés : des plaies hideuses, des chagrins mortels, des
scènes d'amour, des misères que les eaux de la Seine
attendent, des joies de jeune homme qui mènent à
l'échafaud, des rires de désespoir et des fêtes somptueu-
ses. Hier, une tragédie : quelque bonhomme de père qui
s'asphyxie parce qu'il ne peut plus nourrir ses enfants.

Demain, une comédie : un jeune homme essaiera de me jouer la scène de M. Dimanche[35], avec les variantes de notre époque. Vous avez entendu vanter l'éloquence des derniers prédicateurs, je suis allé parfois perdre mon temps à les écouter, ils m'ont fait changer d'opinion, mais de conduite, comme disait je ne sais qui, jamais. Hé bien, ces bons prêtres, votre Mirabeau, Vergniaud[36] et les autres ne sont que des bègues auprès de mes orateurs. Souvent une jeune fille amoureuse, un vieux négociant sur le penchant de sa faillite, une mère qui veut cacher la faute de son fils, un artiste sans pain, un grand sur le déclin de la faveur, et qui, faute d'argent, va perdre le fruit de ses efforts, m'ont fait frissonner par la puissance de leur parole. Ces sublimes acteurs jouaient pour moi seul, et sans pouvoir me tromper. Mon regard est comme celui de Dieu, je vois dans les cœurs. Rien ne m'est caché. L'on ne refuse rien à qui lie et délie les cordons du sac. Je suis assez riche pour acheter les consciences de ceux qui font mouvoir les ministres, depuis leurs garçons de bureau jusqu'à leurs maîtresses : n'est-ce pas le Pouvoir ? Je puis avoir les plus belles femmes et leurs plus tendres caresses, n'est-ce pas le Plaisir ? Le Pouvoir et le Plaisir ne résument-ils pas tout votre ordre social ? Nous sommes dans Paris une dizaine ainsi, tous rois silencieux et inconnus, les arbitres de vos destinées. La vie n'est-elle pas une machine à laquelle l'argent imprime le mouvement ? Sachez-le, les moyens se confondent toujours avec les résultats : vous n'arriverez jamais à séparer l'âme des sens, l'esprit de la matière. L'or est le spiritualisme de vos sociétés actuelles. Liés par le même intérêt, nous nous rassemblons à certains jours de la semaine au café Thémis[37], près du Pont-Neuf. Là, nous nous révélons les mystères de la finance. Aucune fortune ne peut nous mentir, nous possédons les secrets de toutes les familles. Nous avons une espèce de *livre noir* où s'inscrivent les notes les plus importantes sur le crédit public, sur la Banque, sur le Commerce. Casuistes de la Bourse, nous formons un Saint-Office où se jugent et s'analysent les actions les plus indifférentes de tous les gens qui possèdent une fortune quelconque, et nous devinons toujours vrai. Celui-ci surveille la masse judiciaire, celui-là la masse financière ; l'un la masse administrative, l'autre la masse commerciale. Moi, j'ai l'œil sur les fils de famille, les artistes, les gens du monde, et sur les joueurs, la partie la plus émouvante de Paris. Chacun nous dit les secrets du voisin. Les passions trompées, les vanités froissées sont bavardes. Les vices, les désappointements, les vengeances sont les meilleurs agents de police. Comme moi, tous mes confrères ont joui de tout, se sont rassasiés de tout, et sont arrivés à n'aimer le pouvoir et l'argent que pour le pouvoir et l'argent même. Ici, dit-il, en me montrant sa chambre nue et froide, l'amant le plus fougueux, qui s'irrite ailleurs d'une parole et tire l'épée pour un mot, prie à mains jointes ! Ici le négociant le plus orgueilleux, ici la femme la plus vaine de sa beauté, ici le militaire le plus fier prient tous, la larme à l'œil ou de rage ou de douleur. Ici prient l'artiste le plus célèbre et l'écrivain dont les noms sont promis à la postérité [38]. Ici enfin, ajouta-t-il en portant la main à son front, se trouve une balance dans laquelle se pèsent les successions et les intérêts de Paris tout entier. Croyez-vous maintenant qu'il n'y ait pas de jouissances sous ce masque blanc dont l'immobilité vous a si souvent étonné ? '' dit-il en me tendant son visage blême qui sentait l'argent [39]. Je retournai chez moi stupéfait. Ce petit vieillard sec avait grandi. Il s'était changé à mes yeux en une image fantastique où se personnifiait le pouvoir de l'or. La vie, les hommes me faisaient horreur. ''Tout doit-il donc se résoudre par l'argent ? '' me demandais-je. Je me souviens de ne m'être endormi que très tard. Je voyais des monceaux d'or autour de moi. La belle comtesse m'occupa. J'avouerai à ma honte qu'elle éclipsait complètement l'image de la simple et chaste créature vouée au travail et à l'obscurité ; mais le lendemain matin, à travers les nuées de mon réveil, la douce Fanny m'apparut dans toute sa beauté, je ne pensai plus qu'à elle.

— Voulez-vous un verre d'eau sucrée ? dit la vicomtesse en interrompant Derville.

— Volontiers, répondit-il.

— Mais je ne vois là-dedans rien qui puisse nous concerner, dit Mme de Grandlieu en sonnant.

— Sardanapale! s'écria Derville en lâchant son juron, je vais bien réveiller Mlle Camille en lui disant que son bonheur dépendait naguère du papa Gobseck, mais comme le bonhomme est mort à l'âge de quatre-vingt-neuf ans, M. de Restaud entrera bientôt en possession d'une belle fortune. Ceci veut des explications. Quant à Fanny Malvaut, vous la connaissez, c'est ma femme!

— Le pauvre garçon, répliqua la vicomtesse, avoue-rait cela devant vingt personnes avec sa franchise ordi-naire.

— Je le crierais à tout l'univers, dit l'avoué.

— Buvez, buvez, mon pauvre Derville. Vous ne serez jamais rien, que le plus heureux et le meilleur des hom-mes.

— Je vous ai laissé rue du Helder, chez une comtesse, s'écria l'oncle en relevant sa tête légèrement assoupie. Qu'en avez-vous fait?

— Quelques jours [40] après la conversation que j'avais eue avec le vieux Hollandais, je passai ma thèse, reprit Derville. Je fus reçu licencié en droit, et puis avocat. La confiance que le vieil avare avait en moi s'accrut beau-coup. Il me consultait gratuitement sur les affaires épi-neuses dans lesquelles il s'embarquait d'après des don-nées sûres, et qui eussent semblé mauvaises à tous les praticiens. Cet homme, sur lequel personne n'aurait pu prendre le moindre empire, écoutait mes conseils avec une sorte de respect. Il est vrai qu'il s'en trouvait toujours très bien. Enfin, le jour où je fus nommé maître-clerc de l'étude où je travaillais depuis trois ans, je quittai la maison de la rue des Grès, et j'allai demeurer chez mon patron, qui me donna la table, le logement et cent cin-quante francs par mois. Ce fut un beau jour! Quand je fis mes adieux à l'usurier, il ne me témoigna ni amitié ni déplaisir, il ne m'engagea pas à le venir voir; il me jeta seulement un de ces regards qui, chez lui, semblaient en quelque sorte trahir le don de seconde vue. Au bout de huit jours, je reçus la visite de mon ancien voisin, il m'apportait une affaire assez difficile, une expropriation;

il continua ses consultations gratuites avec autant de liberté que s'il me payait. A la fin de la seconde année, de
1818 à 1819, mon patron, homme de plaisir et fort dépen-
sier, se trouva dans une gêne considérable, et fut obligé
de vendre sa charge. Quoique en ce moment les études
n'eussent pas acquis la valeur exorbitante à laquelle elles
sont montées aujourd'hui, mon patron donnait la sienne,
en n'en demandant que cent cinquante mille francs. Un
homme actif, instruit, intelligent pouvait vivre honora-
blement, payer les intérêts de cette somme, et s'en libérer
en dix années pour peu qu'il inspirât de confiance. Moi,
le septième enfant d'un petit bourgeois de Noyon, je ne
possédais pas une obole, et ne connaissais dans le monde
d'autre capitaliste que le papa Gobseck. Une pensée am-
bitieuse, et je ne sais quelle lueur d'espoir me prêtèrent le
courage d'aller le trouver. Un soir donc, je cheminai
lentement jusqu'à la rue des Grès. Le cœur me battit bien
fortement quand je frappai à la sombre maison. Je me
souvenais de tout ce que m'avait dit autrefois le vieil
avare dans un temps où j'étais bien loin de soupçonner la
violence des angoisses qui commençaient au seuil de
cette porte. J'allais donc le prier comme tant d'autres.
"Eh bien, non, me dis-je, un honnête homme doit partout
garder sa dignité. La fortune ne vaut pas une lâcheté,
montrons-nous positif autant que lui." Depuis mon départ, le papa Gobseck avait loué ma chambre pour ne pas
avoir de voisin; il avait aussi fait poser une petite chattière grillée au milieu de sa porte, et il ne m'ouvrit
qu'après avoir reconnu ma figure. "Hé bien, me dit-il de
sa petite voix flûtée, votre patron vend son étude.
— Comment savez-vous cela? Il n'en a encore parlé qu'à
moi." Les lèvres du vieillard se tirèrent vers les coins de
sa bouche absolument comme des rideaux, et ce sourire
muet fut accompagné d'un regard froid. "Il fallait cela
pour que je vous visse chez moi, ajouta-t-il d'un ton sec
et après une pause pendant laquelle je demeurai
confondu. — Écoutez-moi, monsieur Gobseck", repris-je avec autant de calme que je pus en affecter devant
ce vieillard qui fixait sur moi des yeux impassibles dont le
feu clair me troublait. Il fit un geste comme pour me dire :

Parlez. "Je sais qu'il est fort difficile de vous émouvoir.
Aussi ne perdrai-je pas mon éloquence à essayer de vous
peindre la situation d'un clerc sans le sou, qui n'espère
qu'en vous, et n'a dans le monde d'autre cœur que le
vôtre dans lequel il puisse trouver l'intelligence de son
avenir. Laissons le cœur. Les affaires se font comme des
affaires, et non comme des romans, avec de la sensible-
rie. Voici le fait. L'étude de mon patron rapporte an-
nuellement entre ses mains une vingtaine de mille francs;
mais je crois qu'entre les miennes elle en vaudra quarante. Il veut la vendre cinquante mille écus. Je sens là,
dis-je en me frappant le front, que si vous pouviez me
prêter la somme nécessaire à cette acquisition, je serais
libéré dans dix ans. — Voilà parler, répondit le papa
Gobseck qui me tendit la main et serra la mienne. Jamais,
depuis que je suis dans les affaires, reprit-il, personne ne
m'a déduit plus clairement les motifs de sa visite. Des
garanties? dit-il en me toisant de la tête aux pieds. Néant,
ajouta-t-il après une pause. Quel âge avez-vous?
— Vingt-cinq ans dans dix jours, répondis-je; sans cela,
je ne pourrais traiter. — Juste! — Hé bien? — Possible.
— Ma foi, il faut aller vite; sans cela, j'aurai des enché-
risseurs. — Apportez-moi demain matin votre extrait de
naissance, et nous parlerons de votre affaire : j'y songe-
rai." Le lendemain, à huit heures, j'étais chez le vieillard. Il prit le papier officiel, mit ses lunettes, toussa,
cracha, s'enveloppa dans sa houppelande noire, et lut
l'extrait des registres de la mairie tout entier. Puis il le
tourna, le retourna, me regarda, retoussa, s'agita sur sa
chaise, et il me dit : "C'est une affaire que nous allons
tâcher d'arranger." Je tressaillis. "Je tire cinquante pour
cent de mes fonds, reprit-il, quelquefois cent, deux cents,
cinq cents pour cent." A ces mots, je pâlis. "Mais, en
faveur de notre connaissance, je me contenterai de douze
et demi pour cent d'intérêt par..." Il hésita. "Eh bien
oui, pour vous je me contenterai de treize pour cent par
an. Cela vous va-t-il? — Oui, répondis-je. — Mais si
c'est trop, répliqua-t-il, défendez-vous, Grotius [41] !" Il
m'appelait Grotius en plaisantant. "En vous demandant
treize pour cent, je fais mon métier; voyez si vous pouvez

les payer. Je n'aime pas un homme qui tope à tout. Est-ce trop ? — Non, dis-je, je serai quitte pour prendre un peu plus de mal. — Parbleu ! dit-il en me jetant son malicieux regard oblique, vos clients paieront. — Non, de par tous les diables, m'écriai-je, ce sera moi. Je me couperais la main plutôt que d'écorcher le monde ! — Bonsoir, me dit papa Gobseck. — Mais les honoraires sont tarifés, repris-je. — Ils ne le sont pas, reprit-il, pour les transactions, pour les atermoiements[42], pour les conciliations. Vous pouvez alors compter des mille francs, des six mille francs même, suivant l'importance des intérêts, pour vos conférences, vos courses, vos projets d'actes, vos mémoires et votre verbiage. Il faut savoir rechercher ces sortes d'affaires. Je vous recommanderai comme le plus savant et le plus habile des avoués, je vous enverrai tant de procès de ce genre-là, que vous ferez crever vos confrères de jalousie. Werbrust, Palma, Gigonnet[43], mes confrères, vous donneront leurs expropriations ; et, Dieu sait s'ils en ont ! Vous aurez ainsi deux clientèles, celle que vous achetez et celle que je vous ferai. Vous devriez presque me donner quinze pour cent de mes cent cinquante mille francs. — Soit, mais pas plus '', dis-je avec la fermeté d'un homme qui ne voulait plus rien accorder au-delà. Le papa Gobseck se radoucit et parut content de moi. ''Je paierai moi-même, reprit-il, la charge à votre patron, de manière à m'établir un privilège bien solide sur le prix et le cautionnement. — Oh ! tout ce que vous voudrez pour les garanties. — Puis, vous m'en représenterez la valeur en quinze lettres de change acceptées en blanc, chacune pour une somme de dix mille francs. — Pourvu que cette double valeur soit constatée. — Non, s'écria Gobseck en m'interrompant. Pourquoi voulez-vous que j'aie plus de confiance en vous que vous n'en avez en moi ?'' Je gardai le silence. ''Et puis vous ferez, dit-il en continuant avec un ton de bonhomie, mes affaires sans exiger d'honoraires tant que je vivrai, n'est-ce pas ? — Soit, pourvu qu'il n'y ait pas d'avances de fonds. — Juste ! dit-il. Ah çà, reprit le vieillard dont la figure avait peine à prendre un air de bonhomie, vous me permettrez d'aller vous voir ? — Vous me ferez tou-

jours plaisir. — Oui, mais le matin, cela sera bien difficile. Vous aurez vos affaires, et j'ai les miennes. — Venez le soir. — Oh! non, répondit-il vivement, vous devez
aller dans le monde, voir vos clients. Moi, j'ai mes amis,
à mon café." "Ses amis!" pensai-je. "Eh bien, dis-je,
pourquoi ne pas prendre l'heure du dîner? — C'est cela,
dit Gobseck. Après la Bourse, à cinq heures. Eh bien,
vous me verrez tous les mercredis et les samedis. Nous
causerons de nos affaires comme un couple d'amis. Ah!
ah! je suis gai quelquefois. Donnez-moi une aile de
perdrix et un verre de vin de Champagne, nous causerons. Je sais bien des choses qu'aujourd'hui l'on peut
dire, et qui vous apprendront à connaître les hommes et
surtout les femmes. — Va pour la perdrix et le verre de
vin de Champagne. — Ne faites pas de folies, autrement
vous perdriez ma confiance. Ne prenez pas un grand train
de maison. Ayez une vieille bonne, une seule. J'irai vous
visiter pour m'assurer de votre santé. J'aurai un capital
placé sur votre tête, hé! hé! je dois m'informer de vos
affaires. Allons, venez ce soir avec votre patron.
— Pourriez-vous me dire, s'il n'y a pas d'indiscrétion à
le demander, dis-je au petit vieillard quand nous attei-
gnîmes au seuil de la porte, de quelle importance était
mon extrait de baptême dans cette affaire?" Jean-Esther
Van Gobseck haussa les épaules, sourit malicieusement
et me répondit: "Combien la jeunesse est sotte! Appre-
nez donc, monsieur l'avoué, car il faut que vous le
sachiez pour ne pas vous laisser prendre, qu'avant trente
ans la probité et le talent sont encore des espèces d'hy-
pothèques. Passé cet âge, l'on ne peut plus compter sur
un homme." Et il ferma sa porte. Trois mois après,
j'étais avoué. Bientôt j'eus le bonheur, madame, de pouvoir entreprendre les affaires concernant la restitution de
vos propriétés. Le gain de ces procès me fit connaître.
Malgré les intérêts énormes que j'avais à payer à Gobseck, en moins de cinq ans je me trouvai libre d'engage-
ments. J'épousai Fanny Malvaut que j'aimais sincèrement. La conformité de nos destinées, de nos travaux, de
nos succès augmentait la force de nos sentiments. Un de
ses oncles, fermier devenu riche, était mort en lui laissant

soixante-dix mille francs qui m'aidèrent à m'acquitter.
Depuis ce jour, ma v.e ne fut que bonheur et prospérité.
Ne parlons donc plus de moi, rien n'est insupportable
comme un homme heureux. Revenons à nos personnages. Un an après l'acquisition de mon étude, je fus
entraîné, presque malgré moi, dans un déjeuner de garçon. Ce repas était la suite d'une gageure perdue par un
de mes camarades contre un jeune homme alors fort en
vogue dans le monde élégant. M. de Trailles [44], la fleur
du *dandysme* de ce temps-là, jouissait d'une immense
réputation...

— Mais il en jouit encore, dit le comte de Born [45] en
interrompant l'avoué. Nul ne porte mieux un habit, ne
conduit un *tandem* [46] mieux que lui. Maxime a le talent
de jouer, de manger et de boire avec plus de grâce que qui
que ce soit au monde. Il se connaît en chevaux, en
chapeaux, en tableaux. Toutes les femmes raffolent de
lui. Il dépense toujours environ cent mille francs par an
sans qu'on lui connaisse une seule propriété, ni un seul
coupon de rente. Type de la chevalerie errante [47] de nos
salons, de nos boudoirs, de nos boulevards, espèce amphibie qui tient autant de l'homme que de la femme, le
comte Maxime de Trailles est un être singulier, bon à tout
et propre à rien, craint et méprisé, sachant et ignorant
tout, aussi capable de commettre un bienfait que de résoudre un crime, tantôt lâche et tantôt noble, plutôt couvert de boue que taché de sang, ayant plus de soucis que
de remords, plus occupé de bien digérer que de penser,
feignant des passions et ne ressentant rien. Anneau brillant qui pourrait unir le bagne à la haute société [48],
Maxime de Trailles est un homme qui appartient à cette
classe éminemment intelligente d'où s'élancent parfois
un Mirabeau, un Pitt, un Richelieu, mais qui le plus
souvent fournit des comtes de Horn [49], des Fouquier-Tin-
ville et des Coignard [50].

— Eh bien, reprit Derville après avoir écouté le frère
de la vicomtesse, j'avais beaucoup entendu parler de ce
personnage par ce pauvre père Goriot, l'un de mes
clients, mais j'avais évité déjà plusieurs fois le dangereux
honneur de sa connaissance quand je le rencontrais dans

le monde. Cependant mon camarade me fit de telles
instances pour obtenir de moi d'aller à son déjeuner, que
je ne pouvais m'en dispenser sans être taxé de *bégueu-
lisme*. Il vous serait difficile de concevoir un déjeuner de
garçon, madame. C'est une magnificence et une recherche rares, le luxe d'un avare qui par vanité devient fas-
tueux pour un jour. En entrant, on est surpris de l'ordre
qui règne sur une table éblouissante d'argent, de cristaux,
de linge damassé. La vie est là dans sa fleur : les jeunes
gens sont gracieux, ils sourient, parlent bas et ressemblent à de jeunes mariées, autour d'eux tout est vierge.
Deux heures après, vous diriez d'un champ de bataille
après le combat : partout des verres brisés, des serviettes
foulées, chiffonnées ; des mets entamés qui répugnent à
voir ; puis, c'est des cris à fendre la tête, des toasts
plaisants, un feu d'épigrammes et de mauvaises plaisante-
ries, des visages empourprés, des yeux enflammés qui
ne disent plus rien, des confidences involontaires qui
disent tout. Au milieu d'un tapage infernal, les uns cas-
sent des bouteilles, d'autres entonnent des chansons ; l'on
se porte des défis, l'on s'embrasse ou l'on se bat ; il
s'élève un parfum détestable composé de cent odeurs et
des cris composés de cent voix ; personne ne sait plus ce
qu'il mange, ce qu'il boit, ni ce qu'il dit ; les uns sont
tristes, les autres babillent ; celui-ci est monomane et
répète le même mot comme une cloche qu'on a mise en
branle ; celui-là veut commander au tumulte ; le plus sage
propose une orgie. Si quelque homme de sang-froid entrait, il se croirait à quelque bacchanale [51]. Ce fut au
milieu d'un tumulte semblable, que M. de Trailles essaya
de s'insinuer dans mes bonnes grâces. J'avais à peu près
conservé ma raison, j'étais sur mes gardes. Quant à lui,
quoiqu'il affectât d'être décemment ivre, il était plein de
sang-froid et songeait à ses affaires. En effet, je ne sais
comment cela se fit, mais en sortant des salons de Gri-
gnon, sur les neuf heures du soir, il m'avait entièrement
ensorcelé, je lui avais promis de l'amener le lendemain
chez notre papa Gobseck. Les mots : honneur, vertu,
comtesse, femme honnête, malheur, s'étaient, grâce à sa
langue dorée, placés comme par magie dans ses discours.

Lorsque je me réveillai le lendemain matin, et que je voulus me souvenir de ce que j'avais fait la veille, j'eus beaucoup de peine à lier quelques idées. Enfin, il me sembla que la fille d'un de mes clients était en danger de perdre sa réputation, l'estime et l'amour de son mari, si elle ne trouvait pas une cinquantaine de mille francs dans la matinée. Il y avait des dettes de jeu, des mémoires de carrossier, de l'argent perdu je ne sais à quoi. Mon prestigieux convive m'avait assuré qu'elle était assez riche pour réparer par quelques années d'économie l'échec [52] qu'elle allait faire à sa fortune. Seulement alors je commençai à deviner la cause des instances de mon camarade. J'avoue, à ma honte, que je ne me doutais nullement de l'importance qu'il y avait pour le papa Gobseck à se raccommoder avec ce dandy. Au moment où je me levais, M. de Trailles entra. "Monsieur le comte, lui dis-je après nous être adressé les compliments d'usage, je ne vois pas que vous ayez besoin de moi pour vous présenter chez Van Gobseck, le plus poli, le plus anodin de tous les capitalistes. Il vous donnera de l'argent s'il en a, ou plutôt si vous lui présentez des garanties suffisantes. — Monsieur, me répondit-il, il n'entre pas dans ma pensée de vous forcer à me rendre un service, quand même vous me l'auriez promis." "Sardanapale ! me dis-je en moi-même, laisserai-je croire à cet homme-là que je lui manque de parole ?" "J'ai eu l'honneur de vous dire hier que je m'étais fort mal à propos brouillé avec le papa Gobseck, dit-il en continuant. Or, comme il n'y a guère que lui à Paris qui puisse cracher en un moment, et le lendemain d'une fin de mois, une centaine de mille francs, je vous avais prié de faire ma paix avec lui. Mais n'en parlons plus… " M. de Trailles me regarda d'un air poliment insultant et se disposait à s'en aller. "Je suis prêt à vous conduire", lui dis-je. Lorsque nous arrivâmes rue des Grès, le dandy regardait autour de lui avec une attention et une inquiétude qui m'étonnèrent. Son visage devenait livide, rougissait, jaunissait tour à tour, et quelques gouttes de sueur parurent sur son front quand il aperçut la porte de la maison de Gobseck. Au moment où nous descendîmes de cabriolet, un fiacre entra dans la rue des Grès. L'œil de faucon du jeune homme lui permit de distinguer une femme au fond de cette voiture. Une expression de joie presque sauvage anima sa figure, il appela un petit garçon qui passait et lui donna son cheval à tenir. Nous montâmes chez le vieil escompteur. "Monsieur Gobseck, lui dis-je, je vous amène un de mes plus intimes amis (de qui je me défie autant que du diable, ajoutai-je à l'oreille du vieillard). A ma considération, vous lui rendrez vos bonnes grâces (au taux ordinaire), et vous le tirerez de peine (si cela vous convient)." M. de Trailles s'inclina devant l'usurier, s'assit, et prit pour l'écouter une de ces attitudes courtisanesques dont la gracieuse bassesse vous eût séduit; mais mon Gobseck resta sur sa chaise, au coin de son feu, immobile, impassible. Gobseck ressemblait à la statue de Voltaire vue le soir sous le péristyle du Théâtre-Français, il souleva légèrement, comme pour saluer, la casquette usée avec laquelle il se couvrait le chef, et le peu de crâne jaune qu'il montra achevait sa ressemblance avec le marbre. "Je n'ai d'argent que pour mes pratiques, dit-il. — Vous êtes donc bien fâché que je sois allé me ruiner ailleurs que chez vous? répondit le comte en riant. — Ruiner! reprit Gobseck d'un ton d'ironie. — Allez-vous dire que l'on ne peut pas ruiner un homme qui ne possède rien? Mais je vous défie de trouver à Paris un plus beau *capital* que celui-ci", s'écria le fashionable [53] en se levant et tournant sur ses talons. Cette bouffonnerie presque sérieuse n'eut pas le don d'émouvoir Gobseck [54]. "Ne suis-je pas l'ami intime des Ronquerolles, des de Marsay, des Franchessini, des deux Vandenesse, des Ajuda-Pinto [55], enfin, de tous les jeunes gens les plus à la mode dans Paris? Je suis au jeu l'allié d'un prince et d'un ambassadeur que vous connaissez. J'ai mes revenus à Londres, à Carlsbad, à Baden, à Bath. N'est-ce pas la plus brillante des industries? — Vrai. — Vous faites une éponge de moi, mordieu! et vous m'encouragez à me gonfler au milieu du monde, pour me presser dans les moments de crise; mais vous êtes aussi des éponges, et la mort vous pressera. — Possible. — Sans les dissipateurs, que deviendriez-vous? nous sommes à nous deux l'âme et le corps. — Juste. — Allons, une poignée de main, mon vieux papa Gobseck, et de la magnanimité, si cela est vrai, juste et possible. — Vous venez à moi, répondit froidement l'usurier, parce que Girard, Palma, Werbrust et Gigonnet ont le ventre plein de vos lettres de change, qu'ils offrent partout à cinquante pour cent de perte ; or, comme ils n'ont probablement fourni que moitié de la valeur, elles ne valent pas vingt-cinq. Serviteur ! Puis-je décemment, dit Gobseck en continuant [56], prêter une seule obole à un homme qui doit trente mille francs et ne possède pas un denier ? Vous avez perdu dix mille francs avant-hier au bal chez le baron de Nucingen. — Monsieur, répondit le comte avec une rare impudence en toisant le vieillard, mes affaires ne vous regardent pas. Qui a terme, ne doit rien. — Vrai ! — Mes lettres de change seront acquittées. — Possible ! — Et dans ce moment, la question entre nous se réduit à savoir si je vous présente des garanties suffisantes pour la somme que je viens vous emprunter. — Juste. " Le bruit que faisait le fiacre en s'arrêtant à la porte retentit dans la chambre. " Je vais aller chercher quelque chose qui vous satisfera peut-être, s'écria le jeune homme. — O mon fils ! s'écria Gobseck en se levant et me tendant les bras, quand l'emprunteur eut disparu, s'il a de bons gages, tu me sauves la vie ! J'en serais mort. Werbrust et Gigonnet ont cru me faire une farce. Grâce à toi, je vais bien rire ce soir à leurs dépens. " La joie du vieillard avait quelque chose d'effrayant. Ce fut le seul moment d'expansion qu'il eut avec moi. Malgré la rapidité de cette joie, elle ne sortira jamais de mon souvenir. " Faites-moi le plaisir de rester ici, ajouta-t-il. Quoique je sois armé, sûr de mon coup, comme un homme qui jadis a chassé le tigre, et fait sa partie sur un tillac quand il fallait vaincre ou mourir, je me défie de cet élégant coquin. " Il alla se rasseoir sur un fauteuil, devant son bureau. Sa figure redevint blême et calme. " Oh, oh ! reprit-il en se tournant vers moi, vous allez sans doute voir la belle créature de qui je vous ai parlé jadis, j'entends dans le corridor un pas aristocratique. " En effet le jeune homme revint en donnant la main à une femme en qui je reconnus cette comtesse dont le lever m'avait autrefois été dépeint par Gobseck, l'une des deux filles du bonhomme Goriot. La comtesse ne me vit pas d'abord, je me tenais dans l'embrasure de la fenêtre, le visage à la vitre. En entrant dans la chambre humide et sombre de l'usurier, elle jeta un regard de défiance sur Maxime. Elle était si belle que, malgré ses fautes, je la plaignis. Quelque terrible angoisse agitait son cœur, ses traits nobles et fiers avaient une expression convulsive, mal déguisée. Ce jeune homme était devenu pour elle un mauvais génie. J'admirai Gobseck, qui, quatre ans plus tôt, avait compris la destinée de ces deux êtres sur une première lettre de change. "Probablement, me dis-je, ce monstre à visage d'ange la gouverne par tous les ressorts possibles : la vanité, la jalousie, le plaisir, l'entraînement du monde."

— Mais, s'écria la vicomtesse, les vertus mêmes de cette femme ont été pour lui des armes, il lui a fait verser des larmes de dévouement, il a su exalter en elle la générosité naturelle à notre sexe, et il a abusé de sa tendresse pour lui vendre bien cher de criminels plaisirs.

— Je vous l'avoue, dit Derville qui ne comprit pas les signes que lui fit Mme de Grandlieu, je ne pleurai pas sur le sort de cette malheureuse créature, si brillante aux yeux du monde et si épouvantable pour qui lisait dans son cœur; non, je frémissais d'horreur en contemplant son assassin, ce jeune homme dont le front était si pur, la bouche si fraîche, le sourire si gracieux, les dents si blanches, et qui ressemblait à un ange. Ils étaient en ce moment tous deux devant leur juge, qui les examinait comme un vieux dominicain du seizième siècle devait épier les tortures de deux Maures, au fond des souterrains du Saint-Office. "Monsieur, existe-t-il un moyen d'obtenir le prix des diamants que voici, mais en me réservant le droit de les racheter, dit-elle d'une voix tremblante en lui tendant un écrin. — Oui, madame", répondis-je en intervenant et me montrant. Elle me regarda, me reconnut, laissa échapper un frisson, et me lança ce coup d'œil qui signifie en tout pays : *Taisez-vous!* "Ceci, dis-je en continuant, constitue un acte que nous appelons vente à réméré, convention qui consiste à céder et transporter une propriété mobilière ou immobilière pour un temps déterminé, à l'expiration duquel on peut rentrer dans l'objet en litige, moyennant une somme fixée." Elle respira plus facilement. Le comte Maxime fronça le sourcil, il se doutait bien que l'usurier donnerait alors une plus faible somme des diamants, valeur sujette à des baisses. Gobseck, immobile, avait saisi sa loupe et contemplait silencieusement l'écrin. Vivrais-je cent ans, je n'oublierais pas le tableau que nous offrit sa figure. Ses joues pâles s'étaient colorées, ses yeux, où les scintillements des pierres semblaient se répéter, brillaient d'un feu surnaturel. Il se leva, alla au jour, tint les diamants près de sa bouche démeublée, comme s'il eût voulu les dévorer. Il marmottait de vagues paroles, en soulevant tour à tour les bracelets, les girandoles [57], les colliers, les diadèmes, qu'il présentait à la lumière pour en juger l'eau, la blancheur, la taille; il les sortait de l'écrin, les y remettait, les y reprenait encore, les faisait jouer en leur demandant tous leurs feux, plus enfant que vieillard, ou plutôt enfant et vieillard tout ensemble. "Beaux diamants! Cela aurait valu trois cent mille francs avant la révolution. Quelle eau! Voilà de vrais diamants d'Asie venus de Golconde ou de Visapour [58]! En connaissez-vous le prix? Non, non, Gobseck est le seul à Paris qui sache les apprécier. Sous l'Empire il aurait encore fallu plus de deux cent mille francs pour faire une parure semblable." Il fit un geste de dégoût et ajouta: "Maintenant le diamant perd tous les jours, le Brésil nous en accable depuis la paix, et jette sur les places des diamants moins blancs que ceux de l'Inde. Les femmes n'en portent plus qu'à la cour. Madame y va?" Tout en lançant ces terribles paroles, il examinait avec une joie indicible les pierres l'une après l'autre: "Sans tache, disait-il. Voici une tache. Voici une paille. Beau diamant." Son visage blême était si bien illuminé par les feux de ces pierreries, que je le comparais à ces vieux miroirs verdâtres qu'on trouve dans les auberges de province, qui acceptent les reflets lumineux sans les répéter et donnent la figure d'un homme tombant en apoplexie au voyageur assez hardi pour s'y regarder. "Eh bien?" dit le comte en frappant sur l'épaule de Gobseck.

Le vieil enfant tressaillit. Il laissa ses hochets, les mit sur
son bureau, s'assit et redevint usurier, dur, froid et poli
comme une colonne de marbre : "Combien vous faut-il ?
— Cent mille francs, pour trois ans, dit le comte. — Possible !" dit Gobseck en tirant d'une boîte d'acajou des
balances inestimables pour leur justesse, son écrin à lui !
Il pesa les pierres en évaluant à vue de pays (et Dieu sait
comme !) le poids des montures. Pendant cette opération,
la figure de l'escompteur luttait entre la joie et la sévérité.
La comtesse était plongée dans une stupeur dont je lui
tenais compte, il me sembla qu'elle mesurait la profondeur du précipice où elle tombait. Il y avait encore des
remords dans cette âme de femme ; il ne fallait peut-être
qu'un effort, une main charitablement tendue pour la
sauver, je l'essayai. "Ces diamants sont à vous, madame ? lui demandai-je d'une voix claire. — Oui, monsieur, répondit-elle en me lançant un regard d'orgueil.
— Faites le réméré, bavard ! me dit Gobseck en se levant
et me montrant sa place au bureau. — Madame est sans
doute mariée ?" demandai-je encore. Elle inclina vivement la tête. "Je ne ferai pas l'acte, m'écriai-je. — Et
pourquoi ? dit Gobseck. — Pourquoi ? repris-je en entraînant le vieillard dans l'embrasure de la fenêtre pour lui
parler à voix basse. Cette femme étant en puissance de
mari, le réméré sera nul, vous ne pourriez opposer votre
ignorance d'un fait constaté par l'acte même. Vous seriez
donc tenu de représenter les diamants qui vont vous être
déposés, et dont le poids, les valeurs ou la taille seront
décrits." Gobseck m'interrompit par un signe de tête, et
se tourna vers les deux coupables : "Il a raison, dit-il.
Tout est changé. Quatre-vingt mille francs comptant, et
vous me laisserez les diamants, ajouta-t-il d'une voix
sourde et flûtée. En fait de meubles, la possession vaut
titre. — Mais, répliqua le jeune homme. — A prendre ou
à laisser, reprit Gobseck en remettant l'écrin à la comtesse, j'ai trop de risques à courir." "Vous feriez mieux
de vous jeter aux pieds de votre mari", lui dis-je à
l'oreille en me penchant vers elle. L'usurier comprit sans
doute mes paroles au mouvement de mes lèvres, et me
jeta un regard froid. La figure du jeune homme devint

livide. L'hésitation de la comtesse était palpable. Le comte s'approcha d'elle, et quoiqu'il parlât très bas, j'entendis : "Adieu, chère Anastasie, sois heureuse ! Quant à moi, demain je n'aurai plus de soucis." "Monsieur, s'écria la jeune femme en s'adressant à Gobseck, j'accepte vos offres. — Allons donc ! répondit le vieillard, vous êtes bien difficile à confesser, ma belle dame." Il signa un bon de cinquante mille francs sur la Banque, et le remit à la comtesse. "Maintenant, dit-il avec un sourire qui ressemblait assez à celui de Voltaire, je vais vous compléter votre somme par trente mille francs de lettres de change dont la bonté ne me sera pas contestée. C'est de l'or en barres. Monsieur vient de me dire : *Mes lettres de change seront acquittées*", ajouta-t-il en présentant des traites souscrites par le comte, toutes protestées la veille à la requête de celui de ses confrères qui probablement les lui avait vendues à bas prix. Le jeune homme poussa un rugissement au milieu duquel domina le mot : "Vieux coquin !" Le papa Gobseck ne sourcilla pas, il tira d'un carton sa paire de pistolets, et dit froidement : "En ma qualité d'insulté, je tirerai le premier. — Maxime, vous devez des excuses à monsieur, s'écria doucement la tremblante comtesse. — Je n'ai pas eu l'intention de vous offenser, dit le jeune homme en balbutiant. — Je le sais bien, répondit tranquillement Gobseck, votre intention était seulement de ne pas payer vos lettres de change." La comtesse se leva, salua, et disparut en proie sans doute à une profonde horreur. M. de Trailles fut forcé de la suivre ; mais avant de sortir : "S'il vous échappe une indiscrétion, messieurs, dit-il, j'aurai votre sang ou vous aurez le mien. — *Amen*, lui répondit Gobseck en serrant ses pistolets. Pour jouer son sang, faut en avoir, mon petit, et tu n'as que de la boue dans les veines." Quand la porte fut fermée et que les deux voitures partirent, Gobseck se leva, se mit à danser en répétant : "J'ai les diamants ! j'ai les diamants ! Les beaux diamants, quels diamants ! et pas cher. Ah ! ah ! Werburst et Gigonnet, vous avez cru attraper le vieux papa Gobseck ! *Ego sum papa* [59] *!* je suis votre maître à tous ! Intégralement payé ! Comme ils seront sots, ce soir quand je leur conterai l'affaire, entre deux parties de domino!" Cette joie sombre, cette férocité de sauvage, excitées par la possession de quelques cailloux blancs, me firent tressaillir. J'étais muet et stupéfait. "Ah, ah! te voilà, mon garçon, dit-il. Nous dînerons ensemble. Nous nous amuserons chez toi, je n'ai pas de ménage. Tous ces restaurateurs, avec leurs coulis, leurs sauces, leurs vins, empoisonneraient le diable." L'expression de mon visage lui rendit subitement sa froide impassibilité. "Vous ne concevez pas cela, me dit-il en s'asseyant au coin de son foyer où il mit son poêlon de fer-blanc plein de lait sur le réchaud. Voulez-vous déjeuner avec moi? reprit-il, il y en aura peut-être assez pour deux. — Merci, répondis-je, je ne déjeune qu'à midi." En ce moment des pas précipités retentirent dans le corridor. L'inconnu qui survenait s'arrêta sur le palier de Gobseck, et frappa plusieurs coups qui eurent un caractère de fureur. L'usurier alla reconnaître par la chattière, et ouvrit à un homme de trente-cinq ans environ, qui sans doute lui parut inoffensif, malgré cette colère. Le survenant, simplement vêtu, ressemblait au feu duc de Richelieu, c'était le comte que vous avez dû rencontrer et qui avait, passez-moi cette expression, la tournure aristocratique des hommes d'État de votre faubourg. "Monsieur, dit-il, en s'adressant à Gobseck redevenu calme, ma femme sort d'ici? — Possible. — Eh bien, monsieur, ne me comprenez-vous pas? — Je n'ai pas l'honneur de connaître madame votre épouse, répondit l'usurier. J'ai reçu beaucoup de monde ce matin: des femmes, des hommes, des demoiselles qui ressemblaient à des jeunes gens et des jeunes gens qui ressemblaient à des demoiselles. Il me serait bien difficile de... — Trêve de plaisanterie, monsieur, je parle de la femme qui sort à l'instant de chez vous. — Comment puis-je savoir si elle est votre femme, demanda l'usurier, je n'ai jamais eu l'avantage de vous voir. — Vous vous trompez, monsieur Gobseck, dit le comte avec un profond accent d'ironie. Nous nous sommes rencontrés dans la chambre de ma femme, un matin. Vous veniez toucher un billet souscrit par elle, un billet qu'elle ne devait pas. — Ce

n'était pas mon affaire de rechercher de quelle manière elle en avait reçu la valeur, répliqua Gobseck en lançant un regard malicieux au comte. J'avais escompté l'effet à l'un de mes confrères. D'ailleurs, monsieur, dit le capitaliste sans s'émouvoir ni presser son débit et en versant du café dans sa jatte de lait, vous me permettrez de vous faire observer qu'il ne m'est pas prouvé que vous ayez le droit de me faire des remontrances chez moi : je suis majeur depuis l'an soixante et un du siècle dernier.
— Monsieur, vous venez d'acheter à vil prix des diamants de famille qui n'appartenaient pas à ma femme.
— Sans me croire obligé de vous mettre dans le secret de mes affaires, je vous dirai, monsieur le comte, que si vos diamants vous ont été pris par Mme la comtesse, vous auriez dû prévenir, par une circulaire, les joailliers de ne pas les acheter, elle a pu les vendre en détail. — Monsieur! s'écria le comte, vous connaissiez ma femme.
— Vrai. — Elle est en puissance de mari. — Possible.
— Elle n'avait pas le droit de disposer de ces diamants...
— Juste. — Eh bien, monsieur ? — Eh bien, monsieur, je connais votre femme, elle est en puissance de mari, je le veux bien, elle est sous bien des puissances ; mais — je — ne — connais pas — vos diamants. Si Mme la comtesse signe des lettres de change, elle peut sans doute faire le commerce, acheter des diamants, en recevoir pour les vendre, ça s'est vu! — Adieu, monsieur, s'écria le comte pâle de colère, il y a des tribunaux. — Juste.
— Monsieur que voici, ajouta-t-il en me montrant, a été témoin de la vente. — Possible. " Le comte allait sortir. Tout à coup, sentant l'importance de cette affaire, je m'interposai entre les parties belligérantes. " Monsieur le comte, dis-je, vous avez raison, et M. Gobseck est sans aucun tort. Vous ne sauriez poursuivre l'acquéreur sans faire mettre en cause votre femme, et l'odieux de cette affaire ne retomberait pas sur elle seulement. Je suis avoué, je me dois à moi-même, encore plus qu'à mon caractère officiel, de vous déclarer que les diamants dont vous parlez ont été achetés par M. Gobseck en ma présence ; mais je crois que vous auriez tort de contester la légalité de cette vente dont les objets sont d'ailleurs peu

reconnaissables. En équité, vous auriez raison; en justice, vous succomberiez. M. Gobseck est trop honnête
homme pour nier que cette vente ait été effectuée à son
profit, surtout quand ma conscience et mon devoir me
forcent à l'avouer. Mais intentassiez-vous un procès,
monsieur le comte, l'issue en serait douteuse. Je vous
conseille donc de transiger avec M. Gobseck, qui peut
exciper de sa bonne foi, mais auquel vous devrez toujours
rendre le prix de la vente. Consentez à un réméré de sept
à huit mois, d'un an même, laps de temps qui vous
permettra de rendre la somme empruntée par Mme la
comtesse, à moins que vous ne préfériez les racheter dès
aujourd'hui en donnant des garanties pour le paiement. "
L'usurier trempait son pain dans la tasse et mangeait avec
une parfaite indifférence; mais au mot de transaction, il
me regarda comme s'il disait: "Le gaillard! comme il
profite de mes leçons." De mon côté, je lui ripostai par
une œillade qu'il comprit à merveille. L'affaire était fort
douteuse, ignoble; il devenait urgent de transiger. Gobseck n'aurait pas eu la ressource de la dénégation, j'aurais
dit la vérité. Le comte me remercia par un bienveillant
sourire. Après un débat dans lequel l'adresse et l'avidité
de Gobseck auraient mis en défaut toute la diplomatie
d'un congrès, je préparai un acte par lequel le comte
reconnut avoir reçu de l'usurier une somme de quatre-
vingt-cinq mille francs, intérêts compris, et moyennant la
reddition de laquelle Gobseck s'engageait à remettre les
diamants au comte. "Quelle dilapidation! s'écria le mari
en signant. Comment jeter un pont sur cet abîme?
— Monsieur, dit gravement Gobseck, avez-vous [60] beaucoup d'enfants?" Cette demande fit tressaillir le comte
comme si, semblable à un savant médecin, l'usurier eût
mis tout à coup le doigt sur le siège du mal. Le mari ne
répondit pas. "Eh bien, reprit Gobseck en comprenant le
douloureux silence du comte, je sais votre histoire par
cœur. Cette femme est un démon que vous aimez peut-
être encore; je le crois bien, elle m'a ému. Peut-être
voudriez-vous sauver votre fortune, la réserver à un ou
deux de vos enfants. Eh bien, jetez-vous dans le tourbillon du monde, jouez, perdez cette fortune, venez trouver

souvent Gobseck. Le monde dira que je suis un juif, un arabe, un usurier, un corsaire, que je vous aurai ruiné! Je m'en moque! Si l'on m'insulte, je mets mon homme à bas, personne ne tire aussi bien le pistolet et l'épée que votre serviteur. On le sait! Puis, ayez un ami, si vous pouvez en rencontrer un, auquel vous ferez une vente simulée de vos biens. — N'appelez-vous pas cela un fidéicommis?" me demanda-t-il en se tournant vers moi. Le comte parut entièrement absorbé dans ses pensées, et nous quitta en nous disant: "Vous aurez votre argent demain, monsieur, tenez les diamants prêts." "Ça m'a l'air d'être bête comme un honnête homme, me dit froidement Gobseck quand le comte fut parti. — Dites plutôt bête comme un homme passionné. — Le comte vous doit les frais de l'acte", s'écria-t-il en me voyant prendre congé de lui. Quelques jours après cette scène qui m'avait initié aux terribles mystères de la vie d'une femme à la mode, je vis entrer le comte, un matin, dans mon cabinet. "Monsieur, dit-il, je viens vous consulter sur des intérêts graves, en vous déclarant que j'ai en vous la confiance la plus entière, et j'espère vous en donner des preuves. Votre conduite envers Mme de Grandlieu, dit le comte, est au-dessus de tout éloge."

« Vous voyez, madame, dit l'avoué à la vicomtesse, que j'ai mille fois reçu de vous le prix d'une action bien simple. Je m'inclinai respectueusement, et répondis que je n'avais fait que remplir un devoir d'honnête homme. "Eh bien, monsieur, j'ai pris beaucoup d'informations sur le singulier personnage auquel vous devez votre état, me dit le comte. D'après tout ce que j'en sais, je reconnais en Gobseck un philosophe de l'école cynique. Que pensez-vous de sa probité? — Monsieur le comte, répondis-je, Gobseck est mon bienfaiteur... à quinze pour cent, ajoutai-je en riant. Mais son avarice ne m'autorise pas à le peindre ressemblant au profit d'un inconnu. — Parlez, monsieur! Votre franchise ne peut nuire ni à Gobseck ni à vous. Je ne m'attends pas à trouver un ange dans un prêteur sur gages. — Le papa Gobseck, repris-je, est intimement convaincu d'un principe qui domine sa conduite. Selon lui, l'argent est une marchandise que l'on peut, en toute sûreté de conscience, vendre cher ou bon marché, suivant les cas. Un capitaliste est à ses yeux un homme qui entre, par le fort denier qu'il réclame de son argent, comme associé par anticipation dans les entreprises et les spéculations lucratives. A part ses principes financiers et ses observations philosophiques sur la nature humaine qui lui permettent de se conduire en apparence comme un usurier, je suis intimement persuadé que, sorti de ses affaires, il est l'homme le plus délicat et le plus probe qu'il y ait à Paris. Il existe deux hommes en lui : il est avare et philosophe, petit et grand. Si je mourais en laissant des enfants, il serait leur tuteur. Voilà, monsieur, sous quel aspect l'expérience m'a montré Gobseck. Je ne connais rien de sa vie passée. Il peut avoir été corsaire, il a peut-être traversé le monde entier en trafiquant des diamants ou des hommes, des femmes ou des secrets d'État, mais je jure qu'aucune âme humaine n'a été ni plus fortement trempée ni mieux éprouvée. Le jour où je lui ai porté la somme qui m'acquittait envers lui, je lui demandai, non sans quelques précautions oratoires, quel sentiment l'avait poussé à me faire payer de si énormes intérêts, et par quelle raison, voulant m'obliger, moi son ami, il ne s'était pas permis un bienfait complet. "Mon fils, je t'ai dispensé de la reconnaissance en te donnant le droit de croire que tu ne me devais rien, aussi sommes-nous les meilleurs amis du monde." Cette réponse, monsieur, vous expliquera l'homme mieux que toutes les paroles possibles. "Mon parti est irrévocablement pris, me dit le comte. Préparez les actes nécessaires pour transporter à Gobseck la propriété de mes biens. Je ne me fie qu'à vous, monsieur, pour la rédaction de la contre-lettre par laquelle il déclarera que cette vente est simulée, et prendre l'engagement de remettre ma fortune administrée par lui comme il sait administrer, entre les mains de mon fils aîné, à l'époque de sa majorité. Maintenant, monsieur, il faut vous le dire : je craindrais de garder cet acte précieux chez moi. L'attachement de mon fils pour sa mère me fait redouter de lui confier cette contre-lettre. Oserais-je vous prier d'en être le dépositaire ? En cas de mort, Gobseck vous instituerait légataire de mes propriétés. Ainsi, tout est prévu." Le comte garda le silence pendant un moment et parut très agité. "Mille pardons, monsieur, me dit-il après une pause, je souffre beaucoup, et ma santé me donne les plus vives craintes. Des chagrins récents ont troublé ma vie d'une manière cruelle, et nécessitent la grande mesure que je prends. — Monsieur, lui dis-je, permettez-moi de vous remercier d'abord de la confiance que vous avez en moi. Mais je dois la justifier en vous faisant observer que par ces mesures vous exhérédez complètement vos... autres enfants. Ils portent votre nom. Ne fussent-ils que les enfants d'une femme autrefois aimée, maintenant déchue, ils ont droit à une certaine existence. Je vous déclare que je n'accepte point la charge dont vous voulez bien m'honorer, si leur sort n'est pas fixé." Ces paroles firent tressaillir violemment le comte. Quelques larmes lui vinrent aux yeux, il me serra la main en me disant : "Je ne vous connaissais pas encore tout entier. Vous venez de me causer à la fois de la joie et de la peine. Nous fixerons la part de ces enfants par les dispositions de la contre-lettre." Je le reconduisis jusqu'à la porte de mon étude, et il me sembla voir ses traits épanouis par le sentiment de satisfaction que lui causait cet acte de justice.

« Voilà, Camille, comment de jeunes femmes s'embarquent sur des abîmes. Il suffit quelquefois d'une contredanse, d'un air chanté au piano, d'une partie de campagne pour décider d'effroyables malheurs. On y court à la voix présomptueuse de la vanité, de l'orgueil, sur la foi d'un sourire, ou par folie, par étourderie? La Honte, le Remords et la Misère sont trois Furies entre les mains desquelles doivent infailliblement tomber les femmes aussitôt qu'elles franchissent les bornes...

— Ma pauvre Camille se meurt de sommeil, dit la vicomtesse en interrompant l'avoué. Va, ma fille, va dormir, ton cœur n'a pas besoin de tableaux effrayants pour rester pur et vertueux. »

Camille de Grandlieu comprit sa mère, et sortit.

« Vous êtes allé un peu trop loin, cher monsieur Derville, dit la vicomtesse, les avoués ne sont ni mères de famille, ni prédicateurs.

— Mais les gazettes sont mille fois plus...

— Pauvre Derville ! dit la vicomtesse en interrompant l'avoué, je ne vous reconnais pas. Croyez-vous donc que ma fille lise les journaux ? Continuez, ajouta-t-elle après une pause.

— Trois mois après la ratification des ventes[61] consenties par le comte au profit de Gobseck...

— Vous pouvez nommer le comte de Restaud, puisque ma fille n'est plus là, dit la vicomtesse.

— Soit ! reprit l'avoué. Longtemps après cette scène, je n'avais pas encore reçu la contre-lettre qui devait me rester entre les mains. A Paris, les avoués sont emportés par un courant qui ne leur permet de porter aux affaires de leurs clients que le degré d'intérêt qu'ils y portent eux-mêmes, sauf les exceptions que nous savons faire. Cependant, un jour que l'usurier dînait chez moi, je lui demandai, en sortant de table, s'il savait pourquoi je n'avais plus entendu parler de M. de Restaud. "Il y a d'excellentes raisons pour cela, me répondit-il. Le gentilhomme est à la mort. C'est une de ces âmes tendres qui, ne connaissant pas la manière de tuer le chagrin, se laissent toujours tuer par lui. La vie est un travail, un métier, qu'il faut se donner la peine d'apprendre. Quand un homme a su la vie, à force d'en avoir éprouvé les douleurs, sa fibre se corrobore et acquiert une certaine souplesse qui lui permet de gouverner sa sensibilité ; il fait de ses nerfs des espèces de ressorts d'acier qui plient sans casser ; si l'estomac est bon, un homme ainsi préparé doit vivre aussi longtemps que vivent les cèdres du Liban, qui sont de fameux arbres. — Le comte serait mourant ? dis-je. — Possible, dit Gobseck. Vous aurez dans sa succession une affaire juteuse." Je regardai mon homme, et lui dis pour le sonder : "Expliquez-moi donc pourquoi nous sommes, le comte et moi, les seuls auxquels vous vous soyez intéressé ? — Parce que vous êtes les seuls qui vous soyez fiés à moi sans finasserie", me répondit-il. Quoique cette réponse me permît de croire que Gobseck n'abuserait pas de sa position, si les contre-lettres se perdaient, je résolus d'aller voir le comte. Je prétextai des affaires, et nous sortîmes. J'arrivai promptement rue du

Helder. Je fus introduit dans un salon où la comtesse jouait avec ses enfants. En m'entendant annoncer, elle se leva par un mouvement brusque, vint à ma rencontre, et s'assit sans mot dire, en m'indiquant de la main un fauteuil vacant auprès du feu. Elle mit sur sa figure ce masque impénétrable sous lequel les femmes du monde savent si bien cacher leurs passions. Les chagrins avaient déjà fané ce visage; les lignes merveilleuses qui en faisaient autrefois le mérite restaient seules pour témoigner de sa beauté. "Il est très essentiel, madame, que je puisse parler à M. le comte... — Vous seriez donc plus favorisé que je ne le suis, répondit-elle en m'interrompant. M. de Restaud ne veut voir personne, il souffre à peine que son médecin vienne le voir, et repousse tous les soins, même les miens. Les malades ont des fantaisies si bizarres! ils sont comme des enfants, ils ne savent ce qu'ils veulent. — Peut-être, comme les enfants, savent-ils très bien ce qu'ils veulent." La comtesse rougit. Je me repentis presque d'avoir fait cette réplique digne de Gobseck. "Mais, repris-je pour changer de conversation, il est impossible, madame, que M. de Restaud demeure perpétuellement seul. — Il a son fils aîné près de lui", dit-elle. J'eus beau regarder la comtesse, cette fois elle ne rougit plus, et il me parut qu'elle s'était affermie dans la résolution de ne pas me laisser pénétrer ses secrets. "Vous devez comprendre, madame, que ma démarche n'est point indiscrète, repris-je. Elle est fondée sur des intérêts puissants..." Je me mordis les lèvres, en sentant que je m'embarquais dans une fausse route. Aussi, la comtesse profita-t-elle sur-le-champ de mon étourderie. "Mes intérêts ne sont point séparés de ceux de mon mari, monsieur, dit-elle. Rien ne s'oppose à ce que vous vous adressiez à moi... — L'affaire qui m'amène ne concerne que M. le comte, répondis-je avec fermeté. — Je le ferai prévenir du désir que vous avez de le voir." Le ton poli, l'air qu'elle prit pour prononcer cette phrase ne me trompèrent pas, je devinai qu'elle ne me laisserait jamais parvenir jusqu'à son mari. Je causai pendant un moment de choses indifférentes afin de pouvoir observer la comtesse; mais, comme toutes les femmes qui se sont fait un

plan, elle savait dissimuler avec cette rare perfection qui,
chez les personnes de votre sexe, est le dernier degré de la
perfidie. Oserai-je le dire, j'appréhendais tout d'elle,
même un crime. Ce sentiment provenait d'une vue de
l'avenir qui se révélait dans ses gestes, dans ses regards,
dans ses manières, et jusque dans les intonations de sa
voix. Je la quittai. Maintenant je vais vous raconter les
scènes qui terminent cette aventure, en y joignant les
circonstances que le temps m'a révélées, et les détails que
la perspicacité de Gobseck ou la mienne m'ont fait deviner. Du moment où le comte de Restaud parut se plonger
dans un tourbillon de plaisirs, et vouloir dissiper sa fortune, il se passa entre les deux époux des scènes dont le
secret a été impénétrable [62] et qui permirent au comte de
juger sa femme encore plus défavorablement qu'il ne
l'avait fait jusqu'alors. Aussitôt qu'il tomba malade, et
qu'il fut obligé de s'aliter, se manifesta son aversion pour
la comtesse et pour ses deux derniers enfants ; il leur
interdit l'entrée de sa chambre, et quand ils essayèrent
d'éluder cette consigne, leur désobéissance amena des
crises si dangereuses pour M. de Restaud, que le médecin
conjura la comtesse de ne pas enfreindre les ordres de son
mari. Mme de Restaud ayant vu successivement les terres, les propriétés de la famille, et même l'hôtel où elle
demeurait, passer entre les mains de Gobseck qui semblait réaliser, quant à leur fortune, le personnage fantastique d'un ogre, comprit sans doute les desseins de son
mari. M. de Trailles, un peu trop vivement poursuivi par
ses créanciers, voyageait alors en Angleterre. Lui seul
aurait pu apprendre à la comtesse les précautions secrètes
que Gobseck avait suggérées à M. de Restaud contre elle.
On dit qu'elle résista longtemps à donner sa signature,
indispensable aux termes de nos lois pour valider la vente
des biens, et néanmoins le comte l'obtint. La comtesse
croyait que son mari capitalisait sa fortune, et que le petit
volume de billets qui la représentait serait dans une ca-
chette, chez un notaire, ou peut-être à la Banque. Suivant
ses calculs, M. de Restaud devait posséder nécessairement un acte quelconque pour donner à son fils aîné la
facilité de recouvrer ceux de ses biens auxquels il tenait.

Elle prit donc le parti d'établir autour de la chambre de
son mari la plus exacte surveillance. Elle régna despoti-
quement dans sa maison, qui fut soumise à son espionnage de femme. Elle restait toute la journée assise dans le
salon attenant à la chambre de son mari, et d'où elle
pouvait entendre ses moindres paroles et ses plus légers
mouvements. La nuit, elle faisait tendre un lit dans cette
pièce, et la plupart du temps elle ne dormait pas. Le
médecin fut entièrement dans ses intérêts. Ce dévouement parut admirable. Elle savait, avec cette finesse naturelle aux personnes perfides, déguiser la répugnance
que M. de Restaud manifestait pour elle, et jouait si
parfaitement la douleur, qu'elle obtint une sorte de célé-
brité. Quelques prudes trouvèrent même qu'elle rachetait
ainsi ses fautes. Mais elle avait toujours devant les yeux
la misère qui l'attendait à la mort du comte, si elle
manquait de présence d'esprit. Ainsi cette femme, repoussée du lit de douleur où gémissait son mari, avait
tracé un cercle magique à l'entour. Loin de lui et près de
lui, disgraciée et toute-puissante, épouse dévouée en apparence, elle guettait la mort et la fortune, comme cet
insecte des champs qui, au fond du précipice de sable
qu'il a su arrondir en spirale, y attend son inévitable proie
en écoutant chaque grain de poussière qui tombe [63]. Le
censeur le plus sévère ne pouvait s'empêcher de reconnaître que la comtesse portait loin le sentiment de la
maternité. La mort de son père fut, dit-on, une leçon pour
elle [64]. Idolâtre de ses enfants, elle leur avait dérobé le
tableau de ses désordres, leur âge lui avait permis d'atteindre à son but et de s'en faire aimer, elle leur a donné
la meilleure, et la plus brillante éducation. J'avoue que je
ne puis me défendre pour cette femme d'un sentiment
admiratif et d'une compatissance sur laquelle Gobseck
me plaisante encore [65]. A cette époque, la comtesse, qui
reconnaissait la bassesse de Maxime, expiait par des
larmes de sang les fautes de sa vie passée. Je le crois.
Quelque odieuses que fussent les mesures qu'elle prenait
pour reconquérir la fortune de son mari, ne lui étaient-
elles pas dictées par son amour maternel et par le désir de
réparer ses torts envers ses enfants? Puis, comme plu-

sieurs femmes qui ont subi les orages d'une passion, peut-être éprouvait-elle le besoin de redevenir vertueuse. Peut-être ne connut-elle le prix de la vertu qu'au moment où elle recueillit la triste moisson semée par ses erreurs. Chaque fois que le jeune Ernest sortait de chez son père, il subissait un interrogatoire inquisitorial sur tout ce que le comte avait fait et dit. L'enfant se prêtait complaisamment aux désirs de sa mère qu'il attribuait à un tendre sentiment, et il allait au-devant de toutes les questions. Ma visite fut un trait de lumière pour la comtesse, qui voulut voir en moi le ministre des vengeances du comte et résolut de ne pas me laisser approcher du moribond. Mû par un pressentiment sinistre, je désirais vivement me procurer un entretien avec M. de Restaud, car je n'étais pas sans inquiétude sur la destinée des contre-lettres; si elles tombaient entre les mains de la comtesse, elle pouvait les faire valoir, et il se serait élevé des procès interminables entre elle et Gobseck. Je connaissais assez l'usurier pour savoir qu'il ne restituerait jamais les biens à la comtesse, et il y avait de nombreux éléments de chicane dans la contexture de ces titres dont l'action ne pouvait être exercée que par moi. Je voulus prévenir tant de malheurs, et j'allai chez la comtesse une seconde fois.

« J'ai remarqué, madame, dit Derville à la vicomtesse de Grandlieu en prenant le ton d'une confidence, qu'il existe certains phénomènes moraux auxquels nous ne faisons pas assez attention dans le monde. Naturellement observateur, j'ai porté dans les affaires d'intérêt que je traite et où les passions sont si vivement mises en jeu un esprit d'analyse involontaire. Or, j'ai toujours admiré avec une surprise nouvelle que les intentions secrètes et les idées que portent en eux deux adversaires sont presque toujours réciproquement devinées. Il se rencontre parfois entre deux ennemis la même lucidité de raison, la même puissance de vue intellectuelle qu'entre deux amants qui lisent dans l'âme l'un de l'autre. Ainsi, quand nous fûmes tous deux en présence, la comtesse et moi, je compris tout à coup la cause de l'antipathie qu'elle avait pour moi, quoiqu'elle déguisât ses sentiments sous les formes les plus gracieuses de la politesse et de l'aménité. J'étais un

confident imposé, et il est impossible qu'une femme ne
haïsse pas un homme devant qui elle est obligée de
rougir. Quant à elle, elle devina que si j'étais l'homme en
qui son mari plaçait sa confiance, il ne m'avait pas encore
remis sa fortune. Notre conversation, dont je vous fais
grâce, est restée dans mon souvenir comme une des luttes
les plus dangereuses que j'ai subies. La comtesse, douée
par la nature des qualités nécessaires pour exercer d'irré-
sistibles séductions, se montra tour à tour souple, fière,
caressante, confiante; elle alla même jusqu'à tenter d'allumer ma curiosité, d'éveiller l'amour dans mon cœur
afin de me dominer : elle échoua. Quand je pris congé
d'elle, je surpris dans ses yeux une expression de haine et
de fureur qui me fit trembler. Nous nous séparâmes
ennemis. Elle aurait voulu pouvoir m'anéantir, et moi je
me sentais de la pitié pour elle, sentiment qui, pour
certains caractères, équivaut à la plus cruelle injure. Ce
sentiment perça dans les dernières considérations que je
lui présentai. Je lui laissai, je crois, une profonde terreur
dans l'âme en lui déclarant que, de quelque manière
qu'elle pût s'y prendre, elle serait nécessairement ruinée.
"Si je voyais M. le comte, au moins le bien de vos
enfants… — Je serais à votre merci", dit-elle en m'interrompant par un geste de dégoût. Une fois les questions
posées entre nous d'une manière si franche, je résolus de
sauver cette famille de la misère qui l'attendait. Déterminé à commettre des illégalités judiciaires, si elles
étaient nécessaires pour parvenir à mon but, voici quels
furent mes préparatifs. Je fis poursuivre M. le comte de
Restaud pour une somme due fictivement à Gobseck, et
j'obtins des condamnations. La comtesse cacha nécessairement cette procédure, mais j'acquérais ainsi le droit
de faire apposer les scellés à la mort du comte. Je cor-
rompis alors un des gens de la maison, et j'obtins de lui la
promesse qu'au moment même où son maître serait sur le
point d'expirer, il viendrait me prévenir, fût-ce au milieu
de la nuit, afin que je pusse intervenir tout à coup,
effrayer la comtesse en la menaçant d'une subite apposi-
tion de scellés, et sauver ainsi les contre-lettres. J'appris
plus tard que cette femme étudiait le code en entendant

les plaintes de son mari mourant. Quels effroyables tableaux ne présenteraient pas les âmes de ceux qui environnent les lits funèbres, si l'on pouvait en peindre les idées? Et toujours la fortune est le mobile des intrigues qui s'élaborent, des plans qui se forment, des trames qui s'ourdissent! Laissons maintenant de côté ces détails assez fastidieux de leur nature, mais qui ont pu vous permettre de deviner les douleurs de cette femme, celles de son mari, et qui vous dévoilent les secrets de quelques intérieurs semblables à celui-ci. Depuis deux mois le comte de Restaud, résigné à son sort, demeurait couché, seul, dans sa chambre. Une maladie mortelle avait lentement affaibli son corps et son esprit. En proie à ces fantaisies de malade dont la bizarrerie semble inexplicable, il s'opposait à ce qu'on appropriât son appartement, il se refusait à toute espèce de soin, et même à ce qu'on fît son lit. Cette extrême apathie s'était empreinte autour de lui : les meubles de sa chambre restaient en désordre. La poussière, les toiles d'araignées couvraient les objets les plus délicats. Jadis riche et recherché dans ses goûts, il se complaisait alors dans le triste spectacle que lui offrait cette pièce où la cheminée, le secrétaire et les chaises étaient encombrés des objets que nécessite une maladie : des fioles vides ou pleines, presque toutes sales; du linge épars, des assiettes brisées, une bassinoire ouverte devant le feu, une baignoire encore pleine d'eau minérale. Le sentiment de la destruction était exprimé dans chaque détail de ce chaos disgracieux. La mort apparaissait dans les choses avant d'envahir la personne. Le comte avait horreur du jour, les persiennes des fenêtres étaient fermées, et l'obscurité ajoutait encore à la sombre physionomie de ce triste lieu. Le malade avait considérablement maigri. Ses yeux, où la vie semblait s'être réfugiée, étaient restés brillants. La blancheur livide de son visage avait quelque chose d'horrible, que rehaussait encore la longueur extraordinaire de ses cheveux qu'il n'avait jamais voulu laisser couper, et qui descendaient en longues mèches plates le long de ses joues. Il ressemblait aux fanatiques habitants du désert. Le chagrin éteignait tous les sentiments humains en cet homme à peine âgé de cinquante ans, que tout Paris avait connu si brillant et si heureux. Au commencement du mois de décembre de l'année 1824, un matin, il regarda son fils Ernest qui était assis au pied de son lit, et qui le contemplait douloureusement. ''Souffrez-vous? lui avait demandé le jeune vicomte. — Non! dit-il avec un effrayant sourire, tout est *ici et autour du cœur* [66]*!* '' Et après avoir montré sa tête, il pressa ses doigts décharnés sur sa poitrine creuse, par un geste qui fit pleurer Ernest. ''Pourquoi donc ne vois-je pas venir M. Derville? demanda-t-il à son valet de chambre qu'il croyait lui être très attaché, mais qui était tout à fait dans les intérêts de la comtesse. Comment, Maurice, s'écria le moribond qui se mit sur son séant et parut avoir recouvré toute sa présence d'esprit, voici sept ou huit fois que je vous envoie chez mon avoué, depuis quinze jours, et il n'est pas venu? Croyez-vous que l'on puisse se jouer de moi? Allez le chercher sur-le-champ, à l'instant, et ramenez-le. Si vous n'exécutez pas mes ordres, je me lèverai moi-même et j'irai …'' ''Madame, dit le valet de chambre en sortant, vous avez entendu M. le comte, que dois-je faire? — Vous feindrez d'aller chez l'avoué, et vous reviendrez dire à monsieur que son homme d'affaires est allé à quarante lieues d'ici pour un procès important. Vous ajouterez qu'on l'attend à la fin de la semaine.'' ''Les malades s'abusent toujours sur leur sort, pensa la comtesse, et il attendra le retour de cet homme.'' Le médecin avait déclaré la veille qu'il était difficile que le comte passât la journée. Quand, deux heures après, le valet de chambre vint faire à son maître cette réponse désespérante, le moribond parut très agité. ''Mon Dieu! mon Dieu! répéta-t-il à plusieurs reprises, je n'ai confiance qu'en vous.'' Il regarda son fils pendant longtemps, et lui dit enfin d'une voix affaiblie: ''Ernest, mon enfant, tu es bien jeune; mais tu as bon cœur et tu comprends sans doute la sainteté d'une promesse faite à un mourant, à un père. Te sens-tu capable de garder un secret, de l'ensevelir en toi-même de manière à ce que ta mère elle-même ne s'en doute pas? Aujourd'hui, mon fils, il ne reste que toi dans cette maison à qui je puisse me fier. Tu ne trahiras pas ma confiance? — Non, mon père. — Eh bien, Ernest, je te remettrai, dans quelques moments, un paquet cacheté qui appartient à M. Derville, tu le conserveras de manière à ce que personne ne sache que tu le possèdes, tu t'échapperas de l'hôtel et tu le jetteras à la petite poste qui est au bout de la rue. — Oui, mon père. — Je puis compter sur toi? — Oui, mon père. — Viens m'embrasser. Tu me rends ainsi la mort moins amère, mon cher enfant. Dans six ou sept années, tu comprendras l'importance de ce secret, et alors, tu seras bien récompensé de ton adresse et de ta fidélité, alors tu sauras combien je t'aime. Laisse-moi seul un moment et empêche qui que ce soit d'entrer ici. '' Ernest sortit, et vit sa mère debout dans le salon. ''Ernest, lui dit-elle, viens ici. '' Elle s'assit en prenant son fils entre ses deux genoux, et le pressant avec force sur son cœur, elle l'embrassa. ''Ernest, ton père vient de te parler. — Oui, maman. — Que t'a-t-il dit? — Je ne puis pas le répéter, maman. — Oh! mon cher enfant, s'écria la comtesse en l'embrassant avec enthousiasme, combien de plaisir me fait ta discrétion! Ne jamais mentir et rester fidèle à sa parole sont deux principes qu'il ne faut jamais oublier. — Oh! que tu es belle, maman! Tu n'as jamais menti, toi! j'en suis bien sûr. — Quelquefois, mon cher Ernest, j'ai menti. Oui, j'ai manqué à ma parole en des circonstances devant lesquelles cèdent toutes les lois. Écoute, mon Ernest, tu es assez grand, assez raisonnable pour t'apercevoir que ton père me repousse, ne veut pas de mes soins, et cela n'est pas naturel, car tu sais combien je l'aime. — Oui, maman. — Mon pauvre enfant, dit la comtesse en pleurant, ce malheur est le résultat d'insinuations perfides. De méchantes gens ont cherché à me séparer de ton père, dans le but de satisfaire leur avidité. Ils veulent nous priver de notre fortune et se l'approprier. Si ton père était bien portant, la division qui existe entre nous cesserait bientôt, il m'écouterait; et comme il est bon, aimant, il reconnaîtrait son erreur; mais sa raison s'est altérée, et les préventions qu'il avait contre moi sont devenues une idée fixe, une espèce de folie, l'effet de sa maladie. La prédilection que ton père a pour toi est une nouvelle preuve du dérangement de ses facultés. Tu ne

t'es jamais aperçu qu'avant sa maladie il aimât moins
Pauline et Georges que toi. Tout est caprice chez lui. La
tendresse qu'il te porte pourrait lui suggérer l'idée de te
donner des ordres à exécuter. Si tu ne veux pas ruiner ta
famille, mon cher ange, et ne pas voir ta mère mendiant
son pain un jour comme une pauvresse, il faut tout lui
dire... — Ah! ah!'' s'écria le comte, qui ayant ouvert la
porte, se montra tout à coup presque nu, déjà même aussi
sec, aussi décharné qu'un squelette. Ce cri sourd produisit un effet terrible sur la comtesse, qui resta immobile et
comme frappée de stupeur. Son mari était si frêle et si
pâle, qu'il semblait sortir de la tombe. ''Vous avez
abreuvé ma vie de chagrins, et vous voulez troubler ma
mort, pervertir la raison de mon fils, en faire un homme
vicieux'', cria-t-il d'une voix rauque. La comtesse alla se
jeter au pied de ce mourant que les dernières émotions de
la vie rendaient presque hideux et y versa un torrent de
larmes. ''Grâce! grâce! s'écria-t-elle. — Avez-vous eu
de la pitié pour moi? demanda-t-il. Je vous ai laissé
dévorer votre fortune, voulez-vous maintenant dévorer la
mienne, ruiner mon fils! — Eh bien, oui, pas de pitié
pour moi, soyez inflexible, dit-elle, mais les enfants!
Condamnez votre veuve à vivre dans un couvent, j'obéi-
rai; je ferai, pour expier mes fautes envers vous, tout ce
qu'il vous plaira de m'ordonner; mais que les enfants
soient heureux! Oh! les enfants! les enfants! — Je n'ai
qu'un enfant, répondit le comte en tendant, par un geste
désespéré, son bras décharné vers son fils. — Pardon!
repentie, repentie!...'' criait la comtesse en embrassant
les pieds humides de son mari. Les sanglots l'empêchaient de parler et des mots vagues, incohérents sortaient de son gosier brûlant. ''Après ce que vous disiez à
Ernest, vous osez parler de repentir! dit le moribond qui
renversa la comtesse en agitant le pied. Vous me glacez!
ajouta-t-il avec une indifférence qui eut quelque chose
d'effrayant. Vous avez été mauvaise fille, vous avez été
mauvaise femme, vous serez mauvaise mère.'' La malheureuse femme tomba évanouie. Le mourant regagna
son lit, s'y coucha, et perdit connaissance quelques heures après. Les prêtres vinrent lui administrer les sacre-

ments. Il était minuit quand il expira. La scène du matin
avait épuisé le reste de ses forces. J'arrivai à minuit avec
le papa Gobseck. A la faveur du désordre qui régnait,
nous nous introduisîmes jusque dans le petit salon qui
précédait la chambre mortuaire, et où nous trouvâmes les
trois enfants en pleurs, entre deux prêtres qui devaient
passer la nuit près du corps. Ernest vint à moi et me dit
que sa mère voulait être seule dans la chambre du comte.
"N'y entrez pas, dit-il avec une expression admirable
dans l'accent et le geste, elle y prie!" Gobseck se mit à
rire, de ce rire muet qui lui était particulier. Je me sentais
trop ému par le sentiment qui éclatait sur la jeune figure
d'Ernest pour partager l'ironie de l'avare. Quand l'enfant
vit que nous marchions vers la porte, il alla s'y coller en
criant : "Maman, voilà des messieurs noirs qui te cher-
chent!" Gobseck enleva l'enfant comme si c'eût été une
plume, et ouvrit la porte. Quel spectacle s'offrit à nos
regards! Un affeux désordre régnait dans cette chambre.
Échevelée par le désespoir, les yeux étincelants, la comtesse demeura debout, interdite, au milieu de hardes, de
papiers, de chiffons bouleversés. Confusion horrible à
voir en présence de ce mort. A peine le comte était-il
expiré, que sa femme avait forcé tous les tiroirs et le
secrétaire, autour d'elle le tapis était couvert de débris,
quelques meubles et plusieurs portefeuilles avaient été
brisés, tout portait l'empreinte de ses mains hardies. Si
d'abord ses recherches avaient été vaines, son attitude et
son agitation me firent supposer qu'elle avait fini par
découvrir les mystérieux papiers. Je jetai un coup d'œil
sur le lit, et avec l'instinct que nous donne l'habitude des
affaires, je devinai ce qui s'était passé. Le cadavre du
comte se trouvait dans la ruelle du lit, presque en travers,
le nez tourné vers les matelas, dédaigneusement jeté
comme une des enveloppes de papier qui étaient à terre ;
car lui aussi n'était plus qu'une enveloppe. Ses membres
raidis et inflexibles lui donnaient quelque chose de gro-
tesquement horrible. Le mourant avait sans doute caché
la contre-lettre sous son oreiller, comme pour la préserver
de toute atteinte jusqu'à sa mort. La comtesse avait deviné la pensée de son mari, qui d'ailleurs semblait être

écrite dans le dernier geste, dans la convulsion des doigts crochus. L'oreiller avait été jeté en bas du lit, le pied de la comtesse y était encore imprimé ; à ses pieds, devant elle, je vis un papier cacheté en plusieurs endroits aux armes du comte, je le ramassai vivement et j'y lus une suscription indiquant que le contenu devait m'être remis. Je regardai fixement la comtesse avec la perspicace sévérité d'un juge qui interroge un coupable. La flamme du foyer dévorait les papiers. En nous entendant venir, la comtesse les y avait lancés en croyant, à la lecture des premières dispositions que j'avais provoquées en faveur de ses enfants, anéantir un testament qui les privait de leur fortune. Une conscience bourrelée et l'effroi involontaire inspiré par un crime à ceux qui le commettent lui avaient ôté l'usage de la réflexion. En se voyant surprise, elle voyait peut-être l'échafaud et sentait le fer rouge du bourreau. Cette femme attendait nos premiers mots en haletant, et nous regardait avec des yeux hagards. "Ah ! madame, dis-je en retirant de la cheminée un fragment que le feu n'avait pas atteint, vous avez ruiné vos enfants ! ces papiers étaient leurs titres de propriété." Sa bouche se remua, comme si elle allait avoir une attaque de paralysie. "Hé ! hé !" s'écria Gobseck dont l'exclamation nous fit l'effet du grincement produit par un flambeau de cuivre quand on le pousse sur un marbre. Après une pause, le vieillard me dit d'un ton calme : "Voudriez-vous donc faire croire à Mme la comtesse que je ne suis pas le légitime propriétaire des biens que m'a vendus M. le comte ? Cette maison m'appartient depuis un moment." Un coup de massue appliqué soudain sur ma tête m'aurait moins causé de douleur et de surprise. La comtesse remarqua le regard indécis que je jetai sur l'usurier. "Monsieur, monsieur ! lui dit-elle sans trouver d'autres paroles. — Vous avez un fidéicommis ? lui demandai-je. — Possible. — Abuseriez-vous donc du crime commis par madame ? — Juste." Je sortis, laissant la comtesse assise auprès du lit de son mari et pleurant à chaudes larmes. Gobsek me suivit. Quand nous nous trouvâmes dans la rue, je me séparai de lui ; mais il vint à moi, me lança un de ces regards profonds par lesquels il

sonde les cœurs, et me dit de sa voix flûtée qui prit des
tons aigus : "Tu te mêles de me juger ?" Depuis ce
temps-là, nous nous sommes peu vus. Gobseck a loué
l'hôtel du comte, il va passer les étés dans les terres, fait
le seigneur, construit les fermes, répare les moulins, les
chemins, et plante des arbres [67]. Un jour je le rencontrai
dans une allée aux Tuileries. "La comtesse mène une vie
héroïque, lui dis-je. Elle s'est consacrée à l'éducation de
ses enfants qu'elle a parfaitement élevés. L'aîné est un
charmant sujet... — Possible. — Mais, repris-je, ne de-
vriez-vous pas aider Ernest ? — Aider Ernest ! s'écria
Gobseck, non, non. Le malheur est notre plus grand
maître, le malheur lui apprendra la valeur de l'argent,
celle des hommes et celle des femmes. Qu'il navigue sur
la mer parisienne ! quand il sera devenu bon pilote, nous
lui donnerons un bâtiment. " Je le quittai sans vouloir
m'expliquer le sens de ses paroles. Quoique M. de Restaud, auquel sa mère a donné de la répugnance pour moi,
soit bien éloigné de me prendre pour conseil, je suis allé
la semaine dernière chez Gobseck pour l'instruire de
l'amour qu'Ernest porte à Mlle Camille en le pressant
d'accomplir son mandat, puisque le jeune comte arrive à
sa majorité [68]. Le vieil escompteur était depuis longtemps
au lit et souffrait de la maladie qui devait l'emporter. Il
ajourna sa réponse au moment où il pourrait se lever et
s'occuper d'affaires, il ne voulait sans doute se défaire de
rien tant qu'il aurait un souffle de vie ; sa réponse dilatoire
n'avait pas d'autres motifs. En le trouvant beaucoup plus
malade qu'il ne croyait l'être, je restai près de lui pendant
assez de temps pour reconnaître les progrès d'une passion
que l'âge avait convertie en une sorte de folie. Afin de
n'avoir personne dans la maison qu'il habitait, il s'en
était fait le principal locataire et il en laissait toutes les
chambres inoccupées. Il n'y avait rien de changé dans
celle où il demeurait. Les meubles, que je connaissais si
bien depuis seize ans, semblaient avoir été conservés sous
verre, tant ils étaient exactement les mêmes. Sa vieille et
fidèle portière, mariée à un invalide qui gardait la loge
quand elle montait auprès du maître, était toujours sa
ménagère, sa femme de confiance, l'introducteur de qui-

conque le venait voir, et remplissait auprès de lui les
fonctions de garde-malade. Malgré son état de faiblesse,
Gobseck recevait encore lui-même ses pratiques, ses revenus, et avait si bien simplifié ses affaires qu'il lui
suffisait de faire faire quelques commissions par son
invalide pour les gérer au dehors. Lors du traité par lequel
la France reconnut la république d'Haïti [69], les connaissances que possédait Gobseck sur l'état des anciennes
fortunes à Saint-Domingue et sur les colons ou les ayant
cause auxquels étaient dévolues les indemnités le firent
nommer membre de la commission instituée pour liquider
leurs droits et répartir les versements dus par Haïti. Le
génie de Gobseck lui fit inventer une agence pour es-
compter les créances des colons ou de leurs héritiers, sous
les noms de Werbrust et Gigonnet avec lesquels il parta-
geait les bénéfices sans avoir besoin d'avancer son argent, car ses lumières avaient constitué sa mise de fonds.
Cette agence était comme une distillerie où s'exprimaient
les créances des ignorants, des incrédules, ou de ceux
dont les droits pouvaient être contestés. Comme liquida-
teur, Gobseck savait parlementer avec les gros proprié-
taires qui, soit pour faire évaluer leurs droits à un taux
élevé, soit pour les faire promptement admettre, lui of-
fraient des présents proportionnés à l'importance de leurs
fortunes. Ainsi les cadeaux constituaient une espèce d'escompte sur les sommes dont il lui était impossible de se
rendre maître ; puis son agence lui livrait à vil prix les
petites, les douteuses, et celles des gens qui préféraient
un paiement immédiat, quelque minime qu'il fût, aux
chances des versements incertains de la république. Gobseck fut donc l'insatiable boa de cette grande affaire.
Chaque matin il recevait ses tributs et les lorgnait comme
eût fait le ministre d'un nabab avant de se décider à signer
une grâce. Gobseck prenait tout, depuis la bourriche du
pauvre diable jusqu'aux livres de bougie des gens scru-
puleux, depuis la vaisselle des riches jusqu'aux tabatières
d'or des spéculateurs. Personne ne savait ce que deve-
naient ces présents faits au vieil usurier. Tout entrait chez
lui, rien n'en sortait. "Foi d'honnête femme, me disait la
portière, vieille connaissance à moi, je crois qu'il avale

tout sans que cela le rende plus gras, car il est sec et
maigre comme l'oiseau de mon horloge." Enfin, lundi
dernier, Gobseck m'envoya chercher par l'invalide, qui
me dit en entrant dans mon cabinet : " Venez vite, monsieur Derville, le patron va rendre ses derniers comptes ; il
a jauni comme un citron, il est impatient de vous parler,
la mort le travaille, et son dernier hoquet lui grouille dans
le gosier." Quand j'entrai dans la chambre du moribond,
je le surpris à genoux devant sa cheminée où, s'il n'y
avait pas de feu, il se trouvait un énorme monceau de
cendres. Gobseck s'y était traîné de son lit, mais les
forces pour revenir se coucher lui manquaient, aussi bien
que la voix pour se plaindre. "Mon vieil ami, lui dis-je
en le relevant et l'aidant à regagner son lit, vous aviez
froid, comment ne faites-vous pas de feu ? — Je n'ai
point froid, dit-il, pas de feu ! pas de feu ! Je vais je ne
sais où, garçon, reprit-il en me jetant un dernier regard
blanc et sans chaleur, mais je m'en vais d'ici ! J'ai la
carphologie [70], dit-il en se servant d'un terme qui annonçait combien son intelligence était encore nette et précise.
J'ai cru voir ma chambre pleine d'or vivant et je me suis
levé pour en prendre. A qui tout le mien ira-t-il ? Je ne le
donne pas au gouvernement, j'ai fait un testament, trou-
ve-le, Grotius. La Belle Hollandaise avait une fille que
j'ai vue je ne sais où, dans la rue Vivienne, un soir. Je
crois qu'elle est surnommée *La Torpille* [71], elle est jolie
comme un amour, cherche-la, Grotius ! Tu es mon exé-
cuteur testamentaire, prends ce que tu voudras, mange : il
y a des pâtés de foie gras, des balles de café, des sucres,
des cuillers d'or. Donne le service d'Odiot [72] à ta femme.
Mais à qui les diamants ? Prises-tu, garçon ? j'ai des
tabacs, vends-les à Hambourg, ils gagnent *un demi*. Enfin
j'ai de tout et il faut tout quitter ! Allons, papa Gobseck,
se dit-il, pas de faiblesse, sois toi-même." Il se dressa sur
son séant, sa figure se dessina nettement sur son oreiller
comme si elle eût été de bronze, il étendit son bras sec et
sa main osseuse sur sa couverture qu'il serra comme pour
se retenir, il regarda son foyer, froid autant que l'était son
œil métallique, et il mourut avec toute sa raison, en
offrant à la portière, à l'invalide et à moi, l'image de ces

vieux Romains attentifs que Lethière a peints derrière les
Consuls, dans son tableau de la mort des enfants de
Brutus [73]. "A-t-il du toupet, le vieux lascar !" me dit
l'invalide dans son langage soldatesque. Moi j'écoutais
encore la fantastique énumération que le moribond avait
faite de ses richesses, et mon regard qui avait suivi le sien
restait sur le monceau de cendres dont la grosseur me
frappa. Je pris les pincettes, et quand je les y plongeai, je
frappai sur un amas d'or et d'argent, composé sans doute
des recettes faites pendant sa maladie et que sa faiblesse
l'avait empêché de cacher ou que sa défiance ne lui avait
pas permis d'envoyer à la Banque. "Courez chez le juge
de paix, dis-je au vieil invalide, afin que les scellés soient
promptement apposés ici !" Frappé des dernières paroles
de Gobseck, et de ce que m'avait récemment dit la portière, je pris les clefs des chambres situées au premier et
au second étage pour les aller visiter. Dans la première
pièce que j'ouvris, j'eus l'explication de discours que je
croyais insensés, en voyant les effets d'une avarice à
laquelle il n'était plus resté que cet instinct illogique dont
tant d'exemples nous sont offerts par les avares de province. Dans la chambre voisine de celle où Gobseck était
expiré, se trouvaient des pâtés pourris, une foule de
comestibles de tout genre et même des coquillages, des
poissons qui avaient de la barbe et dont les diverses
puanteurs faillirent m'asphyxier. Partout fourmillaient
des vers et des insectes. Ces présents récemment faits
étaient mêlés à des boîtes de toutes formes, à des caisses
de thé, à des balles de café. Sur la cheminée, dans une
soupière d'argent étaient des avis d'arrivage de marchandises consignées en son nom au Havre, balles de coton,
boucauts [74] de sucre, tonneaux de rhum, cafés, indigos,
tabacs, tout un bazar de denrées coloniales ! Cette pièce
était encombrée de meubles, d'argenterie, de lampes, de
tableaux, de vases, de livres, de belles gravures roulées,
sans cadres, et de curiosités. Peut-être cette immense
quantité de valeurs ne provenait pas entièrement de cadeaux et constituait des gages qui lui étaient restés faute
de paiement. Je vis des écrins armoriés ou chiffrés, des
services en beau linge, des armes précieuses, mais sans

étiquettes. En ouvrant un livre qui me semblait avoir été déplacé, j'y trouvai des billets de mille francs. Je me promis de bien visiter les moindres choses, de sonder les planchers, les plafonds, les corniches et les murs afin de trouver tout cet or dont était si passionnément avide ce Hollandais digne du pinceau de Rembrandt. Je n'ai jamais vu, dans le cours de ma vie judiciaire, pareils effets d'avarice et d'originalité. Quand je revins dans sa chambre, je trouvai sur son bureau la raison du pêle-mêle progressif et de l'entassement de ces richesses. Il y avait sous un serre-papier une correspondance entre Gobseck et les marchands auxquels il vendait sans doute habituellement ses présents. Or, soit que ces gens eussent été victimes de l'habileté de Gobseck, soit que Gobseck voulût un trop grand prix de ses denrées ou de ses valeurs fabriquées, chaque marché se trouvait en suspens. Il n'avait pas vendu les comestibles à Chevet[75], parce que Chevet ne voulait les reprendre qu'à trente pour cent de perte. Gobseck chicanait pour quelques francs de différence, et pendant la discussion les marchandises s'avariaient. Pour son argenterie, il refusait de payer les frais de la livraison. Pour ses cafés, il ne voulait pas garantir les déchets. Enfin chaque objet donnait lieu à des contestations qui dénotaient en Gobseck les premiers symptômes de cet enfantillage, de cet entêtement incompréhensible auxquels arrivent tous les vieillards chez lesquels une passion forte survit à l'intelligence. Je me dis, comme il se l'était dit à lui-même : " A qui toutes ces richesses iront-elles ?... " En pensant au bizarre renseignement qu'il m'avait fourni sur sa seule héritière, je me vois obligé de fouiller toutes les maisons suspectes de Paris pour y jeter à quelque mauvaise femme une immense fortune. Avant tout, sachez que, par des actes en bonne forme, le comte Ernest de Restaud sera sous peu de jours mis en possession d'une fortune qui lui permet d'épouser Mlle Camille, tout en constituant à la comtesse de Restaud sa mère, à son frère et à sa sœur, des dots et des parts suffisantes.

— Eh bien, cher monsieur Derville, nous y penserons, répondit Mme de Grandlieu. M. Ernest doit être bien riche pour faire accepter sa mère par une famille comme la nôtre. Songez que mon fils sera quelque jour duc de Grandlieu, il réunira la fortune des deux maisons de Grandlieu [76], je lui veux un beau-frère à son goût.

— Mais, dit le comte de Born, Restaud *porte de gueules à la traverse d'argent accompagnée de quatre écussons d'or chargés chacun d'une croix de sable*, et c'est un très vieux blason !

— C'est vrai, dit la vicomtesse, d'ailleurs Camille pourra ne pas voir sa belle-mère qui a fait mentir la devise RES TUTA [77] !

— Mme de Beauséant recevait Mme de Restaud, dit le vieil oncle.

— Oh ! dans ses raouts [78] », répliqua la vicomtesse.

Paris, janvier 1830.

UNE DOUBLE FAMILLE

A MADAME LA COMTESSE
LOUISE DE TÜRHEIM [1],

Comme une marque du souvenir et de l'affectueux respect de son humble serviteur,

DE BALZAC.

La rue du Tourniquet-Saint-Jean, naguère une des rues les plus tortueuses et les plus obscures du vieux quartier qui entoure l'Hôtel de Ville, serpentait le long des petits jardins de la Préfecture de Paris et venait aboutir dans la rue du Martroi, précisément à l'angle d'un vieux mur maintenant abattu. En cet endroit se voyait le tourniquet auquel cette rue a dû son nom, et qui ne fut détruit qu'en 1823, lorsque la ville de Paris fit construire, sur l'emplacement d'un jardinet dépendant de l'Hôtel de Ville, une salle de bal pour la fête donnée au duc d'Angoulême à son retour d'Espagne. La partie la plus large de la rue du Tourniquet était à son débouché dans la rue de la Tixeranderie, où elle n'avait que cinq pieds de largeur [2]. Aussi, par les temps pluvieux, des eaux noirâtres baignaient-elles promptement le pied des vieilles maisons qui bordaient cette rue, en entraînant les ordures déposées par chaque ménage au coin des bornes. Les tombereaux ne pouvant point passer par-là, les habitants comptaient sur les orages pour nettoyer leur rue toujours boueuse, et comment aurait-elle été propre ? lorsqu'en été le soleil darde en aplomb ses rayons sur Paris, une nappe d'or,

aussi tranchante que la lame d'un sabre, illuminait mo-
mentanément les ténèbres de cette rue sans pouvoir sécher l'humidité permanente qui régnait depuis le rez-de-
chaussée jusqu'au premier étage de ces maisons noires et
silencieuses. Les habitants, qui au mois de juin allu-
maient leurs lampes à cinq heures du soir, ne les étei-
gnaient jamais en hiver. Encore aujourd'hui, si quelque
courageux piéton veut aller du Marais sur les quais, en
prenant, au bout de la rue du Chaume, les rues de
l'Homme-Armé, des Billettes et des Deux-Portes [3] qui
mènent à celle du Tourniquet-Saint-Jean, il croira n'avoir
marché que sous des caves. Presque toutes les rues de
l'ancien Paris, dont les chroniques ont tant vanté la
splendeur, ressemblaient à ce dédale humide et sombre
où les antiquaires peuvent encore admirer quelques sin-
gularités historiques. Ainsi, quand la maison qui occupait
le coin formé par les rues du Tourniquet et de la Tixeranderie subsistait, les observateurs y remarquaient les vestiges de deux gros anneaux de fer scellés dans le mur, un
reste de ces chaînes que le quartenier [4] faisait jadis tendre
tous les soirs pour la sûreté publique. Cette maison,
remarquable par son antiquité, avait été bâtie avec des
précautions qui attestaient l'insalubrité de ces anciens
logis, car pour assainir le rez-de-chaussée, on avait élevé
les berceaux de la cave à deux pieds environ au-dessus du
sol, ce qui obligeait à monter trois marches pour entrer
dans la maison. Le chambranle de la porte bâtarde décrivait un cintre plein, dont la clef était ornée d'une tête de
femme et d'arabesques rongées par le temps. Trois fenêtres, dont les appuis se trouvaient à hauteur d'homme,
appartenaient à un petit appartement situé dans la partie
de ce rez-de-chaussée qui donnait sur la rue du Tourniquet d'où il tirait son jour. Ces croisées dégradées étaient
défendues par de gros barreaux en fer très espacés et
finissant par une saillie ronde semblable à celle qui termine les grilles des boulangers. Si pendant la journée
quelque passant curieux jetait les yeux sur les deux
chambres dont se composait cet appartement, il lui était
impossible d'y rien voir, car pour découvrir dans la seconde chambre deux lits en serge verte réunis sous la

boiserie d'une vieille alcôve, il fallait le soleil du mois de
juillet; mais le soir, vers les trois heures, une fois la
chandelle allumée, on pouvait apercevoir, à travers la
fenêtre de la première pièce, une vieille femme assise sur
une escabelle au coin d'une cheminée où elle attisait un
réchaud sur lequel mijotait un de ces ragoûts semblables à
ceux que savent faire les portières. Quelques rares ustensiles de cuisine ou de ménage accrochés au fond de cette
salle se dessinaient dans le clair-obscur. A cette heure,
une vieille table, posée sur un X, mais dénuée de linge,
était garnie de quelques couverts d'étain et du plat cuisiné
par la vieille. Trois méchantes chaises meublaient cette
pièce, qui servait à la fois de cuisine et de salle à manger.
Au-dessus de la cheminée s'élevaient un fragment de
miroir, un briquet, trois verres, des allumettes et un grand
pot blanc tout ébréché. Le carreau de la chambre, les
ustensiles, la cheminée, tout plaisait néanmoins par l'esprit d'ordre et d'économie que respirait cet asile sombre
et froid. Le visage pâle et ridé de la vieille femme était en
harmonie avec l'obscurité de la rue et la rouille de la
maison. A la voir au repos, sur sa chaise, on eût dit
qu'elle tenait à cette maison comme un colimaçon tient à
sa coquille brune; sa figure, où je ne sais quelle vague
expression de malice perçait à travers une bonhomie
affectée, était couronnée par un bonnet de tulle rond et
plat qui cachait assez mal des cheveux blancs; ses grands
yeux gris étaient aussi calmes que la rue, et les rides
nombreuses de son visage pouvaient se comparer aux
crevasses des murs. Soit qu'elle fût née dans la misère,
soit qu'elle fût déchue d'une splendeur passée, elle paraissait résignée depuis longtemps à sa triste existence.
Depuis le lever du soleil jusqu'au soir, excepté les moments où elle préparait les repas et ceux où chargée d'un
panier elle s'absentait pour aller chercher les provisions,
cette vieille femme demeurait dans l'autre chambre devant la dernière croisée, en face d'une jeune fille. A toute
heure du jour les passants apercevaient cette jeune ouvrière, assise dans un vieux fauteuil de velours rouge, le
cou penché sur un métier à broder, travaillant avec ardeur. Sa mère avait un tambour vert sur les genoux et

s'occupait à faire du tulle; mais ses doigts remuaient
péniblement les bobines; sa vue était affaiblie, car son
nez sexagénaire portait une paire de ces antiques lunettes
qui tiennent sur le bout des narines par la force avec
laquelle elles les compriment. A la nuit, ces deux laborieuses créatures plaçaient entre elles une lampe dont la
lumière, passant à travers deux globes de verre remplis
d'eau, jetait sur leur ouvrage une forte lueur qui faisait
voir à l'une les fils les plus déliés fournis par les bobines
de son tambour, et à l'autre les dessins les plus délicats
tracés sur l'étoffe à broder. La courbure des barreaux
avait permis à la jeune fille de mettre sur l'appui de la
fenêtre une longue caisse en bois pleine de terre où
végétaient des pois de senteur, des capucines, un petit
chèvrefeuille malingre et des volubilis dont les tiges dé-
biles grimpaient aux barreaux. Ces plantes presque étio-
lées produisaient de pâles fleurs, harmonie de plus qui
mêlait je ne sais quoi de triste et de doux dans le tableau
présenté par cette croisée, dont la baie encadrait bien ces
deux figures. A l'aspect fortuit de cet intérieur, le passant
le plus égoïste emportait une image complète de la vie
que mène à Paris la classe ouvrière [5], car la brodeuse ne
paraissait vivre que de son aiguille. Bien des gens n'attei-
gnaient pas le tourniquet sans s'être demandé comment
une jeune fille pouvait conserver des couleurs en vivant
dans cette cave. Un étudiant passait-il par là pour gagner
le pays latin, sa vive imagination lui faisait comparer
cette vie obscure et végétative à celle du lierre qui tapisse
de froides murailles, ou à celle de ces paysans voués au
travail, et qui naissent, labourent, meurent ignorés du
monde qu'ils ont nourri. Un rentier se disait après avoir
examiné la maison avec l'œil d'un propriétaire : « Que
deviendront ces deux femmes si la broderie vient à n'être
plus de mode ? » Parmi les gens qu'une place à l'Hôtel de
Ville ou au Palais forçait à passer par cette rue à des
heures fixes, soit pour se rendre à leurs affaires, soit pour
retourner dans leurs quartiers respectifs, peut-être se
trouvait-il quelque cœur charitable. Peut-être un homme
veuf ou un Adonis de quarante ans, à force de sonder les
replis de cette vie malheureuse, comptait-il sur la détresse

de la mère et de la fille pour posséder à bon marché
l'innocente ouvrière dont les mains agiles et potelées, le
cou frais et la peau blanche, attrait dû sans doute à
l'habitation de cette rue sans soleil, excitaient son admiration. Peut-être aussi quelque honnête employé à douze
cents francs d'appointements, témoin journalier de l'ardeur que cette jeune fille portait au travail, estimateur de
ses mœurs pures, attendait-il de l'avancement pour unir
une vie obscure à une vie obscure, un labeur obstiné à un
autre, apportant au moins et un bras d'homme pour soutenir cette existence, et un paisible amour, décoloré
comme les fleurs de la croisée. De vagues espérances
animaient les yeux ternes et gris de la vieille mère. Le
matin, après le plus modeste de tous les déjeuners, elle
revenait prendre son tambour, plutôt par maintien que par
obligation, car elle posait ses lunettes sur une petite
travailleuse de bois rouge, aussi vieille qu'elle, et passait
en revue, de huit heures et demie à dix heures environ, les
gens habitués à traverser la rue : elle recueillait leurs
regards, faisait des observations sur leurs démarches, sur
leurs toilettes, sur leurs physionomies, et semblait leur
marchander sa fille, tant ses yeux babillards essayaient
d'établir entre eux de sympathiques affections, par un
manège digne des coulisses. On devinait facilement que
cette revue était pour elle un spectacle, et peut-être son
seul plaisir. La fille levait rarement la tête ; la pudeur, ou
peut-être le sentiment pénible de sa détresse, semblait
retenir sa figure attachée sur le métier ; aussi, pour qu'elle
montrât aux passants sa mine chiffonnée, sa mère devait-
elle avoir poussé quelque exclamation de surprise. L'employé vêtu d'une redingote neuve, ou l'habitué qui se
produisait avec une femme à son bras, pouvaient alors
voir le nez légèrement retroussé de l'ouvrière, sa petite
bouche rose, et ses yeux gris toujours pétillants de vie,
malgré ses accablantes fatigues ; ses laborieuses insom-
nies ne se trahissaient guère que par un cercle plus ou
moins blanc dessiné sous chacun de ses yeux, sur la peau
fraîche de ses pommettes. La pauvre enfant semblait être
née pour l'amour et la gaieté, pour l'amour qui avait peint
au-dessus de ses paupières bridées deux arcs parfaits, et

qui lui avait donné une si ample forêt de cheveux châtains
qu'elle aurait pu se trouver sous sa chevelure comme sous
un pavillon impénétrable à l'œil d'un amant; pour la
gaieté qui agitait ses deux narines mobiles, qui formait
deux fossettes dans ses joues fraîches et lui faisait si
promptement oublier ses peines; pour la gaieté, cette
fleur de l'espérance qui lui prêtait la force d'apercevoir
sans frémir l'aride chemin de sa vie. La tête de la jeune
fille était toujours soigneusement peignée. Suivant l'habitude des ouvrières de Paris, sa toilette lui semblait finie
quand elle avait lissé ses cheveux et retroussé en deux
arcs le petit bouquet qui se jouait de chaque côté des
tempes et tranchait sur la blancheur de sa peau. La naissance de sa chevelure avait tant de grâce, la ligne de
bistre nettement dessinée sur son cou donnait une si
charmante idée de sa jeunesse et de ses attraits, que
l'observateur, en la voyant penchée sur son ouvrage, sans
que le bruit lui fît relever la tête, devait l'accuser de
coquetterie. De si séduisantes promesses excitaient la
curiosité de plus d'un jeune homme qui se retournait en
vain dans l'espérance de voir ce modeste visage.

« Caroline, nous avons un habitué de plus, et aucun de
nos anciens ne le vaut. »

Ces paroles, prononcées à voix basse par la mère, dans
une matinée du mois d'août 1815, avaient vaincu l'indifférence de la jeune ouvrière qui regarda vainement
dans la rue : l'inconnu était déjà loin.

« Par où s'est-il envolé ? demanda-t-elle.

— Il reviendra sans doute à quatre heures, je le verrai
venir, et t'avertirai en te poussant le pied. Je suis sûre
qu'il repassera, voici trois jours qu'il prend par notre rue;
mais il est inexact dans ses heures : le premier jour il est
arrivé à six heures, avant-hier à quatre, et hier à trois. Je
me souviens de l'avoir vu autrefois de temps à autre.
C'est quelque employé de la préfecture qui aura changé
d'appartement dans le Marais. Tiens, ajouta-t-elle après
avoir jeté un coup d'œil dans la rue, notre monsieur à
l'habit marron a pris perruque, comme cela le change ! »

Le monsieur à l'habit marron devait être celui des
habitués qui fermait la procession quotidienne, car la

vieille mère remit ses lunettes, reprit son ouvrage en
poussant un soupir et jeta sur sa fille un si singulier
regard, qu'il eût été difficile à Lavater[6] lui-même de
l'analyser : l'admiration, la reconnaissance, une sorte
d'espérance pour un meilleur avenir, s'y mêlaient à l'orgueil de posséder une fille si jolie. Le soir, sur les quatre
heures, la vieille poussa le pied de Caroline, qui leva le
nez assez à temps pour voir le nouvel acteur dont le
passage périodique allait animer la scène. Grand, mince,
pâle et vêtu de noir, cet homme d'environ quarante ans
avait quelque chose de solennel dans la démarche et le
maintien ; quand son œil fauve et perçant rencontra le
regard terni de la vieille, il la fit trembler, elle lui crut le
don ou l'habitude de lire au fond des cœurs, et son abord
devait être aussi glacial que l'était l'air de cette rue. Le
teint terreux et verdâtre de ce terrible visage était-il le
résultat de travaux excessifs, ou produit par une frêle
santé ? Ce problème fut résolu par la vieille mère de vingt
manières différentes ; mais le lendemain Caroline devina
tout d'abord sur ce front facile à se rider les traces d'une
longue souffrance d'âme. Légèrement creusées, les joues
de l'inconnu gardaient l'empreinte du sceau avec lequel
le malheur marque ses sujets, comme pour leur laisser la
consolation de se reconnaître d'un œil fraternel et de
s'unir pour lui résister. La chaleur était en ce moment si
forte, et la distraction du monsieur si grande, qu'il n'avait
pas remis son chapeau en traversant cette rue malsaine.
Caroline put alors remarquer l'apparence de sévérité que
les cheveux relevés en brosse au-dessus du front répan-
daient sur cette figure. Si le regard de la jeune fille
s'anima d'abord d'une curiosité tout innocente, il prit une
douce expression de sympathie à mesure que le passant
s'éloignait, semblable au dernier parent qui ferme un
convoi. L'impression vive, mais sans charme, ressentie
par Caroline à l'aspect de cet homme, ne ressemblait à
aucune des sensations que les autres habitués lui avaient
fait éprouver : pour la première fois, sa compassion
s'exerçait sur un autre que sur elle-même et sur sa mère ;
elle ne répondit rien aux conjectures bizarres qui fourni-
rent un aliment à l'agaçante loquacité de la vieille, et tira

silencieusement sa longue aiguille dessus et dessous le
tulle tendu; elle regrettait de ne pas avoir assez vu
l'étranger, et attendit le lendemain pour porter sur lui un
jugement définitif. Pour la première fois aussi, l'un des
habitués de la rue lui suggérait autant de réflexions.
Ordinairement, elle n'opposait qu'un sourire triste aux
suppositions de sa mère qui espérait trouver dans chaque
passant un protecteur pour sa fille. Si de semblables idées
imprudemment présentées n'éveillèrent aucune mauvaise
pensée, il fallait attribuer l'insouciance de Caroline à ce
travail obstiné malheureusement nécessaire qui consu-
mait les forces de sa précieuse jeunesse, et devait infailliblement altérer un jour la limpidité de ses yeux, ou ravir à
ses joues blanches les tendres couleurs qui les nuançaient
encore. Pendant deux grands mois environ, *le monsieur
noir,* tel fut son surnom, eut une allure très capricieuse : il
ne passait pas toujours par la rue du Tourniquet, la vieille
le voyait souvent le soir sans l'avoir aperçu le matin, il ne
revenait pas à des heures aussi fixes que les autres employés qui servaient de pendule à Mme Crochard [7], enfin,
excepté la première rencontre où son regard avait inspiré
une sorte de crainte à la vieille mère, jamais ses yeux ne
parurent faire attention au tableau pittoresque que présentaient ces deux gnomes femelles. A l'exception de
deux grandes portes et de la boutique obscure d'un fer-
railleur, il n'existait à cette époque, dans la rue du Tourniquet, que des fenêtres grillées qui éclairaient par des
jours de souffrance les escaliers de quelques maisons
voisines; le peu de curiosité du passant ne pouvait donc
pas se justifier par de dangereuses rivalités; aussi
Mme Crochard était-elle piquée de voir son *monsieur
noir* toujours gravement préoccupé, tenant les yeux bais-
sés vers la terre ou levés en avant, comme s'il eût voulu
lire l'avenir dans le brouillard du Tourniquet. Néanmoins, un matin, vers la fin du mois de septembre, la tête
lutine de Caroline Crochard se détacha si brillamment sur
le fond obscur de sa chambre, et se montra si fraîche au
milieu des fleurs tardives et des feuillages flétris entrela-
cés autour des barreaux de la fenêtre; enfin la scène
journalière présenta des oppositions d'ombre et de lu-

mière, de blanc et de rose, si bien mariées à la mousseline
que festonnait la gentille ouvrière, avec les tons bruns et
rouges des fauteuils, que l'inconnu contempla fort attentivement les effets de ce vivant tableau. Fatiguée de
l'indifférence de son monsieur noir, la vieille mère avait,
à la vérité, pris le parti de faire un tel cliquetis avec ses
bobines, que le passant morne et soucieux fût peut-être
contraint par ce bruit insolite à regarder chez elle.
L'étranger échangea seulement avec Caroline un regard,
rapide il est vrai, mais par lequel leurs âmes eurent un
léger contact, et ils conçurent tous deux le pressentiment
qu'ils penseraient l'un à l'autre. Quand le soir, à quatre
heures, l'inconnu revint, Caroline distingua le bruit de
ses pas sur le pavé criard, et quand ils s'examinèrent, il y
eut de part et d'autre une sorte de préméditation : les yeux
du passant furent animés d'un sentiment de bienveillance
qui le fit sourire, et Caroline rougit : la vieille mère les
observa tous deux d'un air satisfait. A compter de cette
mémorable matinée, le monsieur noir traversa deux fois
par jour la rue du Tourniquet, à quelques exceptions près,
que les deux femmes surent remarquer ; elles jugèrent,
d'après l'irrégularité de ses heures de retour, qu'il n'était
ni aussi promptement libre, ni aussi strictement exact
qu'un employé subalterne. Pendant les trois premiers
mois de l'hiver, deux fois par jour, Caroline et le passant
se virent ainsi pendant le temps qu'il mettait à franchir
l'espace de chaussée occupé par la porte et par les trois
fenêtres de la maison. De jour en jour cette rapide entrevue eut un caractère d'intimité bienveillante qui finit par
contracter quelque chose de fraternel. Caroline et l'inconnu parurent d'abord se comprendre ; puis, à force
d'examiner l'un et l'autre leurs visages, ils en prirent une
connaissance approfondie. Ce fut bientôt comme une
visite que le passant devait à Caroline ; si, par hasard, son
monsieur noir passait sans lui apporter le sourire à demi
formé par sa bouche éloquente ou le regard ami de ses
yeux bruns, il lui manquait quelque chose dans sa journée. Elle ressemblait à ces vieillards pour lesquels la
lecture de leur journal est devenue un tel plaisir, que, le
lendemain d'une fête solennelle, ils s'en vont tout dérou-

tés demandant, autant par mégarde que par impatience, la
feuille à l'aide de laquelle ils trompent un moment le vide
de leur existence. Mais ces fugitives apparitions avaient,
autant pour l'inconnu que pour Caroline, l'intérêt d'une
causerie familière entre deux amis. La jeune fille ne
pouvait pas plus dérober à l'œil intelligent de son silencieux ami une tristesse, une inquiétude, un malaise que
celui-ci ne pouvait cacher à Caroline une préoccupation.
— « Il a eu du chagrin hier ! » était une pensée qui naissait
souvent au cœur de l'ouvrière en contemplant la figure
altérée du monsieur noir. — « Oh ! il a beaucoup tra-
vaillé ! » était une exclamation due à d'autres nuances que
Caroline savait distinguer. L'inconnu devinait aussi que
la jeune fille avait passé son dimanche à finir la robe au
dessin de laquelle il s'intéressait ; il voyait, aux approches
des termes de loyer, cette jolie figure assombrie par
l'inquiétude, et il devinait quand Caroline avait veillé ;
mais il avait surtout remarqué comment les pensées tristes
qui défloraient les traits gais et délicats de cette jeune tête
se dissipèrent à mesure que leur connaissance avait
vieilli. Lorsque l'hiver vint sécher les tiges, les feuillages
du jardin qui fleurissait la fenêtre, et que la fenêtre se
ferma, l'inconnu ne vit pas sans un sourire doucement
malicieux la clarté extraordinaire de la vitre à la hauteur
de la tête de Caroline. La parcimonie du feu, quelques
traces d'une rougeur qui couperosait la figure des deux
femmes lui dénoncèrent l'indigence du petit ménage ;
mais si quelque douloureuse compassion se peignit alors
dans ses yeux, Caroline lui opposa fièrement une gaieté
feinte. Cependant les sentiments éclos au fond de leurs
cœurs y restaient ensevelis, sans qu'aucun événement
leur en apprît l'un à l'autre la force et l'étendue, ils ne
connaissaient même pas le son de leurs voix. Ces deux
amis muets se gardaient, comme d'un malheur, de s'engager dans une plus intime union. Chacun d'eux semblait
craindre d'apporter à l'autre une infortune plus pesante
que celle dont le partage le tentait. Était-ce cette pudeur
d'amitié qui les arrêtait ainsi ? Était-ce cette appréhension
de l'égoïsme ou cette méfiance atroce qui séparent tous
les habitants réunis dans les murs d'une nombreuse cité ?

La voix secrète de leur conscience les avertissait-elle d'un
péril prochain ? Il serait impossible d'expliquer le sentiment qui les rendait aussi ennemis qu'amis, aussi indifférents l'un à l'autre qu'ils étaient attachés, aussi unis par
l'instinct que séparés par le fait. Peut-être chacun d'eux
voulait-il conserver ses illusions. On eût dit parfois que le
monsieur noir craignait d'entendre sortir quelques paroles
grossières de ces lèvres aussi fraîches, aussi pures qu'une
fleur, et que Caroline ne se croyait pas digne de cet être
mystérieux en qui tout révélait le pouvoir et la fortune.
Quant à Mme Crochard, cette tendre mère, presque mé-
contente de l'indécision dans laquelle restait sa fille,
montrait une mine boudeuse à son monsieur noir à qui
elle avait jusque-là toujours souri d'un air aussi complai-
sant que servile. Jamais elle ne s'était plainte si amère-
ment à sa fille d'être encore à son âge obligée de faire la
cuisine ; à aucune époque ses rhumatismes et son catarrhe
ne lui avaient arraché autant de gémissements ; enfin, elle
ne sut pas faire, pendant cet hiver, le nombre d'aunes de
tulle sur lequel Caroline avait compté jusqu'alors. Dans
ces circonstances et vers la fin du mois de décembre, à
l'époque où le pain était le plus cher, et où l'on ressentait
déjà le commencement de cette cherté des grains qui
rendit l'année 1816 si cruelle aux pauvres gens [8], le
passant remarqua sur le visage de la jeune fille, dont le
nom lui était inconnu, les traces affreuses d'une pensée
secrète que ses sourires bienveillants ne dissipèrent pas.
Bientôt il reconnut, dans les yeux de Caroline, les flétris-
sants indices d'un travail nocturne. Dans une des dernières nuits de ce mois, le passant revint, contrairement à ses
habitudes, vers une heure du matin par la rue du Tourniquet-Saint-Jean. Le silence de la nuit lui permit d'entendre de loin, avant d'arriver à la maison de Caroline, la
voix pleurarde de la vieille mère et celle plus douloureuse
de la jeune ouvrière, dont les éclats retentissaient mêlés
aux sifflements d'une pluie de neige ; il tâcha d'arriver à
pas lents ; puis, au risque de se faire arrêter, il se tapit
devant la croisée pour écouter la mère et la fille en les
examinant par le plus grand des trous qui découpaient les
rideaux de mousseline jaunie, et les rendaient semblables

à ces grandes feuilles de chou mangées en rond par des
chenilles. Le curieux passant vit un papier timbré sur la
table qui séparait les deux métiers et sur laquelle était
posée la lampe entre les deux globes pleins d'eau. Il
reconnut facilement une assignation. Mme Crochard
pleurait, et la voix de Caroline avait un son guttural qui
en altérait le timbre doux et caressant.

« Pourquoi tant te désoler, ma mère ? M. Molineux [9] ne
vendra pas nos meubles et ne nous chassera pas avant que
j'aie terminé cette robe ; encore deux nuits, et j'irai la
porter chez Mme Roguin [10].

— Et si elle te fait attendre comme toujours ? mais le
prix de ta robe paiera-t-il aussi le boulanger ? »

Le spectateur de cette scène possédait une telle habitude de lire sur les visages, qu'il crut entrevoir autant de
fausseté dans la douleur de la mère que de vérité dans le
chagrin de la fille ; il disparut aussitôt, et revint quelques
instants après. Quand il regarda par le trou de la mousseline, la mère était couchée ; penchée sur son métier, la
jeune ouvrière travaillait avec une infatigable activité ; sur
la table, à côté de l'assignation, se trouvait un morceau de
pain triangulairement coupé, posé sans doute là pour la
nourrir pendant la nuit, tout en lui rappelant la récompense de son courage. Le monsieur noir frissonna d'at-
tendrissement et de douleur, il jeta sa bourse à travers une
vitre fêlée de manière à la faire tomber aux pieds de la
jeune fille ; puis, sans jouir de sa surprise, il s'évada le
cœur palpitant, les joues en feu. Le lendemain, le triste et
sauvage inconnu passa en affectant un air préoccupé,
mais il ne put échapper à la reconnaissance de Caroline
qui avait ouvert la fenêtre et s'amusait à bêcher avec un
couteau la caisse carrée couverte de neige, prétexte dont
la maladresse ingénieuse annonçait à son bienfaiteur
qu'elle ne voulait pas, cette fois, le voir à travers les
vitres. La brodeuse fit, les yeux pleins de larmes, un
signe de tête à son protecteur comme pour lui dire : « Je ne
puis vous payer qu'avec le cœur. » Mais le monsieur noir
parut ne rien comprendre à l'expression de cette reconnaissance vraie. Le soir, quand il repassa, Caroline, qui
s'occupait à recoller une feuille de papier sur la vitre

brisée, put lui sourire en montrant comme une promesse l'émail de ses dents brillantes. Le monsieur noir prit dès lors un autre chemin et ne se montra plus dans la rue du Tourniquet.

Dans les premiers jours du mois de mai suivant, un samedi matin que Caroline apercevait, entre les deux lignes noires des maisons, une faible portion d'un ciel sans nuages, et pendant qu'elle arrosait avec un verre d'eau le pied de son chèvrefeuille, elle dit à sa mère : « Maman, il faut aller demain nous promener à Montmorency ! » A peine cette phrase fut-elle prononcée d'un air joyeux, que le monsieur noir vint à passer, plus triste et plus accablé que jamais ; le chaste et caressant regard que Caroline lui jeta pouvait passer pour une invitation. Aussi, le lendemain, quand Mme Crochard, vêtue d'une redingote de mérinos brun rouge, d'un chapeau de soie et d'un châle à grandes raies imitant le cachemire, se présenta pour choisir un coucou [11] au coin de la rue du Faubourg-Saint-Denis et de la rue d'Enghien [12], y trouva-t-elle son inconnu, planté sur ses pieds comme un homme qui attend sa femme. Un sourire de plaisir dérida la figure de l'étranger quand il aperçut Caroline dont le petit pied était chaussé de guêtres en prunelle couleur puce, dont la robe blanche, emportée par un vent perfide pour les femmes mal faites, dessinait des formes attrayantes, et dont la figure, ombragée par un chapeau de paille de riz doublée en satin rose, était comme illuminée d'un reflet céleste ; sa large ceinture de couleur puce faisait valoir une taille à tenir entre les deux mains ; ses cheveux, partagés en deux bandeaux de bistre sur un front blanc comme de la neige, lui donnaient un air de candeur que rien ne démentait. Le plaisir semblait rendre Caroline aussi légère que la paille de son chapeau ; mais il y eut en elle une espérance qui éclipsa tout à coup sa parure et sa beauté quand elle vit le monsieur noir. Celui-ci, qui semblait irrésolu, fut peut-être décidé à servir de compagnon de voyage à l'ouvrière par la subite révélation du bonheur que causait sa présence. Il loua, pour aller à Saint-Leu-Taverny, un cabriolet dont le cheval paraissait assez bon ; il offrit à Mme Crochard et à sa fille d'y prendre place. La mère accepta sans se faire prier; mais au moment où la voiture se trouva sur la route de Saint-Denis, elle s'avisa d'avoir des scrupules et hasarda quelques civilités sur la gêne que deux femmes allaient causer à leur compagnon.

« Monsieur voulait peut-être se rendre seul à Saint-Leu ? » dit-elle avec une fausse bonhomie. Mais elle ne tarda pas à se plaindre de la chaleur, et surtout de son catarrhe, qui, disait-elle, ne lui avait pas permis de fermer l'œil une seule fois pendant la nuit; aussi, à peine la voiture eut-elle atteint Saint-Denis, que Mme Crochard parut endormie; quelques-uns de ses ronflements semblèrent suspects au monsieur noir, qui fronça les sourcils en regardant la vieille femme d'un air singulièrement soupçonneux.

« Oh! elle dort, dit naïvement Caroline, elle n'a pas cessé de tousser depuis hier soir. Elle doit être bien fatiguée. »

Pour toute réponse, le compagnon de voyage jeta sur la jeune fille un rusé sourire comme pour lui dire : « Innocente créature, tu ne connais pas ta mère ! » Cependant, malgré sa défiance, et quand la voiture roula sur la terre dans cette longue avenue de peupliers qui conduit à Eaubonne, le monsieur noir crut Mme Crochard réellement endormie; peut-être aussi ne voulait-il plus examiner jusqu'à quel point ce sommeil était feint ou véritable. Soit que la beauté du ciel, l'air pur de la campagne et ces parfums enivrants répandus par les premières pousses des peupliers, par les fleurs du saule et par celles des épines blanches eussent disposé son cœur à s'épanouir comme s'épanouissait la nature; soit qu'une plus longue contrainte lui devînt importune, ou que les yeux pétillants de Caroline eussent répondu à l'inquiétude des siens, le monsieur noir entreprit avec elle une conversation aussi vague que les balancements des arbres sous l'effort de la brise, aussi vagabonde que les détours du papillon dans l'air bleu, aussi peu raisonnée que la voix doucement mélodieuse des champs, mais empreinte comme la nature d'un mystérieux amour. A cette époque, la campagne n'est-elle pas frémissante comme une fiancée qui a revêtu

sa robe d'hyménée, et ne convie-t-elle pas au plaisir les
âmes les plus froides? Quitter les rues ténébreuses du
Marais, pour la première fois depuis le dernier automne,
et se trouver au sein de l'harmonieuse et pittoresque
vallée de Montmorency; la traverser au matin, en ayant
devant les yeux l'infini de ses horizons, et pouvoir reporter, de là, son regard sur des yeux qui peignent aussi
l'infini en exprimant l'amour, quels cœurs resteraient
glacés, quelles lèvres garderaient un secret? L'inconnu
trouva Caroline plus gaie que spirituelle, plus aimante
qu'instruite; mais, si son rire accusait de la folâtrerie, ses
paroles promettaient un sentiment vrai. Quand, aux in-
terrogations sagaces de son compagnon, la jeune fille
répondait par une effusion de cœur que les classes infé-
rieures prodiguent sans y mettre de réticences comme les
gens du grand monde, la figure du monsieur noir s'ani-
mait et semblait renaître; sa physionomie perdait par
degrés la tristesse qui en contractait les traits; puis, de
teinte en teinte, elle prit un air de jeunesse et un caractère
de beauté qui rendirent Caroline heureuse et fière. La
jolie brodeuse devina que son protecteur, sevré depuis
longtemps de tendresse et d'amour, ne croyait plus au
dévouement d'une femme. Enfin, une saillie inattendue
du léger babil de Caroline enleva le dernier voile qui ôtait
à la figure de l'inconnu sa jeunesse réelle et son caractère
primitif, il sembla faire un éternel divorce avec des idées
importunes, et déploya la vivacité d'âme que cachait la
solennité de sa figure. La causerie devint insensiblement
si familière, qu'au moment où la voiture s'arrêta aux
premières maisons du long village de Saint-Leu, Caroline
nommait l'inconnu M. Roger [13]. Pour la première fois
seulement, la vieille mère se réveilla.

« Caroline, elle aura tout entendu », dit Roger d'une
voix soupçonneuse à l'oreille de la jeune fille.

Caroline répondit par un ravissant sourire d'incrédulité
qui dissipa le nuage sombre que la crainte d'un calcul
chez la mère avait répandu sur le front de cet homme
défiant. Sans s'étonner de rien, Mme Crochard approuva
tout, suivit sa fille et M. Roger dans le parc de Saint-Leu,
où les deux jeunes gens étaient convenus d'aller pour

visiter les riantes prairies et les bosquets embaumés que le
goût de la reine Hortense a rendus si célèbres [14].

« Mon Dieu, combien cela est beau ! » s'écria Caroline
lorsque, montée sur la croupe verte où commence la forêt
de Montmorency, elle aperçut à ses pieds l'immense
vallée qui déroulait ses sinuosités semées de villages, les
horizons bleuâtres de ses collines, ses clochers, ses prairies, ses champs, et dont le murmure vint expirer à
l'oreille de la jeune fille comme un bruissement de la
mer. Les trois voyageurs côtoyèrent les bords d'une ri-
vière factice, et arrivèrent à cette vallée suisse dont le
chalet reçut plus d'une fois la reine Hortense et Napoléon [15]. Quand Caroline se fut assise avec un saint respect
sur le banc de bois moussu où s'étaient reposés des rois,
des princesses et l'Empereur, Mme Crochard manifesta
le désir de voir de plus près un pont suspendu entre deux
rochers qui s'apercevait au loin, et se dirigea vers cette
curiosité champêtre en laissant son enfant sous la garde
de M. Roger, mais en lui disant qu'elle ne les perdrait pas
de vue.

« Eh quoi, pauvre petite, s'écria Roger, vous n'avez
jamais désiré la fortune et les jouissances du luxe ? Vous
ne souhaitez pas quelquefois de porter les belles robes
que vous brodez ?

— Je vous mentirais, monsieur Roger, si je vous disais que je ne pense pas au bonheur dont jouissent les
riches. Ah ! oui, je songe souvent, quand je m'endors
surtout, au plaisir que j'aurais de voir ma pauvre mère ne
pas être obligée d'aller par le mauvais temps chercher nos
petites provisions, à son âge. Je voudrais que le matin une
femme de ménage lui apportât, pendant qu'elle est encore
au lit, son café bien sucré avec du sucre blanc. Elle aime
à lire des romans, la pauvre bonne femme, eh bien, je
préférerais lui voir user ses yeux à sa lecture favorite,
plutôt qu'à remuer des bobines depuis le matin jusqu'au
soir. Il lui faudrait aussi un peu de bon vin. Enfin je
voudrais la savoir heureuse, elle est si bonne !

— Elle vous a donc bien prouvé sa bonté ?

— Oh ! oui », répliqua la jeune fille d'un son de voix
profond. Puis après un assez court moment de silence

pendant lequel les deux jeunes gens regardèrent Mme Crochard qui, parvenue au milieu du pont rustique, les menaçait du doigt, Caroline reprit : « Oh ! oui, elle me l'a prouvé. Combien ne m'a-t-elle pas soignée quand j'étais petite ! Elle a vendu ses derniers couverts d'argent pour me mettre en apprentissage chez la vieille fille qui m'a appris à broder. Et mon pauvre père ! combien de mal n'a-t-elle pas eu pour lui faire passer heureusement ses derniers moments ! » A cette idée la jeune fille tressaillit et se fit un voile de ses deux mains. « Ah ! bah, ne pensons jamais aux malheurs passés », dit-elle en essayant de reprendre un air enjoué. Elle rougit en s'apercevant que Roger s'était attendri, mais elle n'osa le regarder.

« Que faisait donc votre père ? demanda-t-il.

— Mon père était danseur à l'Opéra avant la révolution, dit-elle de l'air le plus naturel du monde, et ma mère chantait dans les chœurs. Mon père, qui commandait les évolutions sur le théâtre, se trouva par hasard à la prise de la Bastille. Il fut reconnu par quelques-uns des assaillants, qui lui demandèrent s'il ne dirigerait pas bien une attaque réelle, lui qui en commandait de feintes au théâtre. Mon père était brave, il accepta, conduisit les insurgés, et fut récompensé par le grade de capitaine dans l'armée de Sambre-et-Meuse, où il se comporta de manière à monter rapidement en grade, il devint colonel ; mais il fut si grièvement blessé à Lutzen qu'il est revenu mourir à Paris, après un an de maladie [16]. Les Bourbons sont arrivés, ma mère n'a pu obtenir de pension, et nous sommes retombées dans une si grande misère, qu'il a fallu travailler pour vivre. Depuis quelque temps la bonne femme est devenue maladive ; aussi jamais ne l'ai-je vue si peu résignée ; elle se plaint ; et je le conçois, elle a goûté les douceurs d'une vie heureuse. Quant à moi, qui ne saurais regretter des délices que je n'ai pas connues, je ne demande qu'une seule chose au Ciel...

— Quoi ? dit vivement Roger qui semblait rêveur.

— Que les femmes portent toujours des tulles brodés pour que l'ouvrage ne manque jamais. »

La franchise de ces aveux intéressa le jeune homme,

qui regarda d'un œil moins hostile Mme Crochard quand elle revint vers eux d'un pas lent.

« Hé bien, mes enfants, avez-vous bien jasé, leur demanda-t-elle d'un air tout à la fois indulgent et railleur. Quand on pense, monsieur Roger, que le *petit caporal* s'est assis là où vous êtes, reprit-elle après un moment de silence ! — Pauvre homme ! ajouta-t-elle, mon mari l'aimait-il ! Ah ! Crochard a aussi bien fait de mourir, car il n'aurait pas enduré de le savoir là où *ils* l'ont mis. »

Roger posa un doigt sur ses lèvres, et la bonne vieille, hochant la tête, dit d'un air sérieux : « Suffit, on aura la bouche close et la langue morte. Mais, ajouta-t-elle en ouvrant les bords de son corsage et montrant une croix et son ruban rouge suspendus à son cou par une faveur noire, *ils* ne m'empêcheront pas de porter ce que l'*autre* a donné à mon pauvre Crochard, et je me ferai certes enterrer avec [17]... »

En entendant des paroles qui passaient alors pour séditieuses, Roger interrompit la vieille mère en se levant brusquement, et ils retournèrent au village à travers les allées du parc. Le jeune homme s'absenta pendant quelques instants pour aller commander un repas chez le meilleur traiteur de Taverny ; puis il revint chercher les deux femmes, et les y conduisit en les faisant passer par les sentiers de la forêt. Le dîner fut gai. Roger n'était déjà plus cette ombre sinistre qui passait naguère rue du Tourniquet, il ressemblait moins au *monsieur noir* qu'à un jeune homme confiant, prêt à s'abandonner au courant de la vie, comme ces deux femmes insouciantes et laborieuses qui, le lendemain peut-être, manqueraient de pain ; il paraissait être sous l'influence des joies du premier âge, son sourire avait quelque chose de caressant et d'enfantin. Quand, sur les cinq heures, le joyeux dîner fut terminé par quelques verres de vin de Champagne, Roger proposa le premier d'aller sous les châtaigniers au bal du village, où Caroline et lui dansèrent ensemble : leurs mains se pressèrent avec intelligence, leurs cœurs battirent animés d'une même espérance ; et sous le ciel bleu, aux rayons obliques et rouges du couchant, leurs regards arrivèrent à un éclat qui pour eux faisait pâlir celui du ciel. Étrange puissance d'une idée et d'un désir! Rien ne semblait impossible à ces deux êtres. Dans ces moments magiques où le plaisir jette ses reflets jusque sur l'avenir, l'âme ne prévoit que du bonheur. Cette jolie journée avait déjà créé pour tous deux des souvenirs auxquels ils ne pouvaient rien comparer dans le passé de leur existence. La source serait-elle donc plus gracieuse que le fleuve, le désir serait-il plus ravissant que la jouissance, et ce qu'on espère plus attrayant que tout ce qu'on possède?

« Voilà donc la journée déjà finie! »

A cette exclamation échappée à l'inconnu au moment où cessa la danse, Caroline le regarda d'un air compatissant en voyant sur sa figure une légère teinte de tristesse.

« Pourquoi ne seriez-vous pas aussi content à Paris qu'ici? dit-elle. Le bonheur n'est-il qu'à Saint-Leu? Il me semble maintenant que je ne puis être malheureuse nulle part. »

Roger tressaillit à ces paroles dictées par ce doux abandon qui entraîne toujours les femmes plus loin qu'elles ne veulent aller, de même que la pruderie leur donne souvent plus de cruauté qu'elles n'en ont. Pour la première fois, depuis le regard qui avait en quelque sorte commencé leur amitié, Caroline et Roger eurent une même pensée; s'ils ne l'exprimèrent pas, ils la sentirent au même moment par une mutuelle impression semblable à celle d'un bienfaisant foyer qui les aurait consolés des atteintes de l'hiver; puis, comme s'ils eussent craint leur silence, ils se rendirent alors à l'endroit où la voiture les attendait; mais avant d'y monter, ils se prirent fraternellement par la main, et coururent dans une allée sombre devant Mme Crochard. Quand ils ne virent plus le blanc bonnet de tulle qui leur indiquait la vieille mère comme un point à travers les feuilles: « Caroline! » dit Roger d'une voix troublée et le cœur palpitant. La jeune fille confuse recula de quelques pas en comprenant les désirs que cette interrogation révélait; néanmoins, elle tendit sa main qui fut baisée avec ardeur et qu'elle retira vivement, car en se levant sur la pointe des pieds, elle avait aperçu sa mère. Mme Crochard fit semblant de ne rien voir,

comme si, par un souvenir de ses anciens rôles, elle eût
dû ne figurer là qu'en *a parte*.

L'aventure de ces deux jeunes gens ne se continua pas
rue du Tourniquet. Pour retrouver Caroline et Roger, il
est nécessaire de se transporter au milieu du Paris moderne où il existe [18], dans les maisons nouvellement bâ-
ties, de ces appartements qui semblent faits exprès pour
que de nouveaux mariés y passent leur lune de miel : les
peintures et les papiers y sont jeunes comme les époux, et
la décoration en est dans sa fleur comme leur amour ; tout
y est en harmonie avec de jeunes idées, avec de bouillants
désirs. Au milieu de la rue Taitbout [19], dans une maison
dont la pierre de taille était encore blanche, dont les
colonnes du vestibule et de la porte n'avaient encore
aucune souillure et dont les murs reluisaient de cette
peinture coquette que nos premières relations avec l'Angleterre mettaient à la mode, se trouvait, au second étage,
un petit appartement arrangé par l'architecte comme s'il
en eût deviné la destination. Une simple et fraîche antichambre, revêtue en stuc à hauteur d'appui, donnait entrée dans un salon et dans une petite salle à manger. Le
salon communiquait à une jolie chambre à coucher à
laquelle attenait une salle de bains. Les cheminées y
étaient toutes garnies de hautes glaces encadrées avec
recherche. Les portes avaient pour ornements des arabesques de bon goût, et les corniches étaient d'un style pur.
Un amateur aurait reconnu là, mieux qu'ailleurs, cette
science de distribution et de décor qui distingue les œuvres de nos architectes modernes. Caroline habitait depuis un mois environ cet appartement meublé par un de
ces tapissiers que guident les artistes. La description
succincte de la pièce la plus importante suffira pour
donner une idée des merveilles que cet appartement offrit
aux yeux de Caroline amenée par Roger. Des tentures en
étoffe grise, égayées par des agréments en soie verte,
décoraient les murs de la chambre à coucher. Les meubles, couverts en casimir clair, présentaient les formes
gracieuses et légères ordonnées par le dernier caprice de
la mode : une commode en bois indigène, incrustée de
filets bruns, gardait les trésors de la parure ; un secrétaire

pareil servait à écrire de doux billets sur un papier par-
fumé ; le lit, drapé à l'antique, ne pouvait inspirer que des
idées de volupté par la mollesse de ses mousselines élé-
gamment jetées ; les rideaux, de soie grise à franges
vertes, étaient toujours étendus de manière à intercepter
le jour ; une pendule de bronze représentait l'Amour
couronnant Psyché ; enfin, un tapis à dessins gothiques
imprimés sur un fond rougeâtre faisait ressortir les acces-
soires de ce lieu plein de délices. En face d'une psyché se
trouvait une petite toilette, devant laquelle l'ex-brodeuse
s'impatientait de la science de Plaisir, un illustre coiffeur [20].

    « Espérez-vous finir ma coiffure aujourd'hui ? dit-elle.

    — Madame a les cheveux si longs et si épais », répon-
dit Plaisir.

    Caroline ne put s'empêcher de sourire. La flatterie de
l'artiste avait sans doute réveillé dans son cœur le souvenir des louanges passionnées que lui adressait son ami sur
la beauté d'une chevelure qu'il idolâtrait. Le coiffeur
parti, la femme de chambre vint tenir conseil avec elle sur
la toilette qui plairait le plus à Roger. On était alors au
commencement de septembre 1816, il faisait froid : une
robe de grenadine verte garnie en chinchilla fut choisie.
Aussitôt sa toilette terminée, Caroline s'élança vers le
salon, y ouvrit une croisée par où l'on sortait sur l'élégant
balcon qui décorait la façade et se croisa les bras dans une
attitude charmante, non pour s'offrir à l'admiration des
passants et les voir tournant la tête vers elle, mais pour
regarder le boulevard au bout de la rue Taitbout. Cette
échappée de vue, que l'on comparerait volontiers au trou
pratiqué pour les acteurs dans un rideau de théâtre, lui
permettait de distinguer une multitude de voitures élégantes et une foule de monde emportées avec la rapidité
des ombres chinoises. Ignorant si Roger viendrait à pied
ou en voiture, l'ancienne ouvrière de la rue du Tourniquet
examina tour à tour les piétons et les tilburys, voitures
légères récemment importées en France par les Anglais.
Des expressions de mutinerie et d'amour passaient sur sa
jeune figure quand, après un quart d'heure d'attente, son
œil perçant ou son cœur ne lui avaient pas encore indiqué

celui qu'elle savait devoir venir. Quel mépris, quelle
insouciance se peignaient sur son beau visage pour toutes
les créatures qui s'agitaient comme des fourmis sous ses
pieds! ses yeux gais, pétillants de malice, étincelaient.
Toute à sa passion, elle évitait les hommages avec autant
de soin que les plus fières en mettent à les recueillir
pendant leurs promenades à Paris, et ne s'inquiétait certes
guère si le souvenir de sa blanche figure penchée ou de
son petit pied qui dépassait le balcon, si la piquante image
de ses yeux animés et de son nez voluptueusement retroussé, s'effaceraient ou non le lendemain du cœur des
passants qui l'admiraient: elle ne voyait qu'une figure et
n'avait qu'une idée. Quand la tête mouchetée d'un certain
cheval bai-brun vint à dépasser la haute ligne tracée dans
l'espace par les maisons, Caroline tressaillit et se haussa
sur la pointe des pieds pour tâcher de reconnaître les
guides blanches et la couleur du tilbury. C'était *lui!*
Roger tourne l'angle de la rue, voit le balcon, fouette son
cheval qui s'élance et arrive à cette porte bronzée à
laquelle il est aussi habitué que son maître. La porte de
l'appartement fut ouverte d'avance par la femme de
chambre, qui avait entendu le cri de joie jeté par sa
maîtresse. Roger se précipite vers le salon, presse Caroline dans ses bras, et l'embrasse avec cette effusion de
sentiment que provoquent toujours les réunions peu fréquentes de deux êtres qui s'aiment; il l'entraîne, ou plutôt
ils marchent par une volonté unanime, quoique enlacés
dans les bras l'un de l'autre, vers cette chambre discrète
et embaumée; une causeuse les reçut devant le foyer, et
ils se contemplèrent un moment en silence, en n'exprimant leur bonheur que par les vives étreintes de leurs
mains, en se communiquant leurs pensées par un long
regard.

«Oui, c'est lui, dit-elle enfin; oui, c'est toi. Sais-tu
que voici trois grands jours que je ne t'ai vu, un siècle!
Mais qu'as-tu? tu as du chagrin.

— Ma pauvre Caroline...

— Oh! voilà, ma pauvre Caroline...

— Non, ne ris pas, mon ange; nous ne pouvons pas
aller ce soir à Feydeau [21]. »

Caroline fit une petite mine boudeuse, mais qui se dissipa tout à coup.

« Je suis une sotte ! Comment puis-je penser au spectacle quand je te vois ? Te voir, n'est-ce pas le seul spectacle que j'aime ? s'écria-t-elle en passant ses doigts dans les cheveux de Roger.

— Je suis obligé d'aller chez le procureur général, nous avons en ce moment une affaire épineuse. Il m'a rencontré dans la grande salle ; et comme c'est moi qui porte la parole, il m'a engagé à venir dîner avec lui ; mais, ma chérie, tu peux aller à Feydeau avec ta mère, je vous y rejoindrai si la conférence finit de bonne heure.

— Aller au spectacle sans toi, s'écria-t-elle avec une expression d'étonnement, ressentir un plaisir que tu ne partagerais pas !... Oh ! mon Roger, vous mériteriez de ne pas être embrassé, ajouta-t-elle en lui sautant au cou par un mouvement aussi naïf que voluptueux.

— Caroline, je dois rentrer pour m'habiller. Le Marais est loin, et j'ai encore quelques affaires à terminer.

— Monsieur, reprit Caroline en l'interrompant, prenez garde à ces paroles ! Ma mère m'a dit que, quand les hommes commencent à nous parler de leurs affaires, ils ne nous aiment plus.

— Caroline, ne suis-je pas venu ? n'ai-je pas dérobé cette heure à mon impitoyable...

— Chut, dit-elle en mettant un doigt sur la bouche de Roger, chut, ne vois-tu pas que je me moque ! »

En ce moment ils étaient revenus tous les deux dans le salon, Roger y aperçut un meuble apporté le matin même par l'ébéniste : le vieux métier en bois de rose dont le produit nourrissait Caroline et sa mère quand elles habitaient la rue du Tourniquet-Saint-Jean avait été remis à neuf, et une robe de tulle d'un riche dessin y était déjà tendue.

« Eh bien, mon bon ami, ce soir je travaillerai. En brodant, je me croirai encore à ces premiers jours où tu passais devant moi sans mot dire, mais non sans me regarder ; à ces jours où le souvenir de tes regards me tenait éveillée pendant la nuit. O mon cher métier, le plus beau meuble de mon salon, quoiqu'il ne me vienne pas de toi ! — Tu ne sais pas, dit-elle en s'asseyant sur les genoux de Roger qui, ne pouvant résister à ses émotions, était tombé dans un fauteuil... Écoute-moi donc ? je veux donner aux pauvres tout ce que je gagnerai avec ma broderie. Tu m'as faite si riche ! Combien j'aime cette jolie terre de Bellefeuille, moins pour ce qu'elle est que parce que c'est toi qui me l'as donnée. Mais, dis-moi, mon Roger, je voudrais m'appeler Caroline de Belle-feuille, le puis-je ? tu dois le savoir : est-ce légal ou toléré ? »

En voyant une petite moue d'affirmation inspirée à Roger par sa haine pour le nom de Crochard, Caroline sauta légèrement en frappant ses mains l'une contre l'autre.

« Il me semble, s'écria-t-elle, que je t'appartiendrai bien mieux ainsi. Ordinairement une fille renonce à son nom et prend celui de son mari... » Une idée importune qu'elle chassa aussitôt la fit rougir, elle prit Roger par la main, et le mena devant un piano ouvert. « Écoute, dit-elle. Je sais maintenant ma sonate comme un ange. » Et ses doigts couraient déjà sur les touches d'ivoire, quand elle se sentit saisie et enlevée par la taille.

« Caroline, je devrais être loin.

— Tu veux partir ? eh bien, va-t'en », dit-elle en boudant ; mais elle sourit après avoir regardé la pendule, et s'écria joyeusement : « Je t'aurai toujours gardé un quart d'heure de plus.

— Adieu, mademoiselle de Bellefeuille », dit-il avec la douce ironie de l'amour.

Elle prit un baiser, et reconduisit son Roger jusque sur le seuil de la porte : quand le bruit des pas ne retentit plus dans l'escalier, elle courut au balcon pour le voir montant dans le tilbury, pour lui en voir prendre les guides, pour recueillir un dernier regard, entendre le roulement des roues sur le pavé, et pour suivre des yeux le brillant cheval, le chapeau du maître, le galon d'or qui garnissait celui du jockey, enfin pour regarder longtemps encore après que l'angle noir de la rue lui avait dérobé cette vision [22].

Cinq ans après l'installation de Mlle Caroline de Bellefeuille dans la jolie maison de la rue Taitbout, il s'y passa, pour la seconde fois, une de ces scènes domestiques qui resserrent encore les liens d'affection entre deux êtres qui s'aiment. Au milieu du salon bleu, devant la fenêtre qui s'ouvrait sur le balcon, un petit garçon de quatre ans et demi faisait un tapage infernal en fouettant son cheval de carton dont les deux arcs recourbés qui soutenaient les pieds n'allaient pas assez vite à son gré ; sa jolie petite tête à cheveux blonds, retombant en mille boucles sur une collerette brodée, sourit comme une figure d'ange à sa mère quand, du fond d'une bergère, elle lui dit : « Pas tant de bruit, Charles, tu vas réveiller ta petite sœur. » Le curieux enfant descendit alors brusquement de cheval, arriva sur la pointe des pieds comme s'il eût craint le bruit de ses pas sur le tapis, mit un doigt entre ses petites dents, demeura dans une de ces attitudes enfantines qui n'ont tant de grâce que parce que tout en est naturel, et leva le voile de mousseline blanche qui cachait le frais visage d'une petite fille endormie sur les genoux de sa mère.

« Elle dort donc, Eugénie ? dit-il tout étonné. Pourquoi donc qu'elle dort quand nous sommes éveillés ? ajouta-t-il en ouvrant de grands yeux noirs qui flottaient dans un fluide abondant.

— Dieu seul sait cela », répondit Caroline en souriant.

La mère et l'enfant contemplèrent cette petite fille, baptisée le matin même. Alors âgée d'environ vingt-quatre ans, Caroline offrait tous les développements d'une beauté qu'un bonheur sans nuages et des plaisirs constants avaient fait épanouir. En elle la femme était accomplie. Charmée d'obéir aux désirs de son cher Roger, elle avait acquis les connaissances qui lui manquaient, elle touchait assez bien du piano et chantait agréablement. Ignorant les usages d'une société qui l'eût repoussée et où elle ne serait point allée quand même on l'y aurait accueillie, car la femme heureuse ne va pas dans le monde, elle n'avait su ni prendre cette élégance de manières, ni apprendre cette conversation pleine de mots et vide de pensées qui a cours dans les salons ; mais, en revanche, elle conquit laborieusement les connaissances indispensables à une mère dont toute l'ambition consiste à bien élever ses enfants. Ne pas quitter son fils, lui donner dès le berceau ces leçons de tous les moments qui gravent en de jeunes âmes le goût du beau et du bon, le préserver de toute influence mauvaise, remplir à la fois les pénibles fonctions de la bonne et les douces obligations d'une mère, tels furent ses uniques plaisirs. Dès le premier jour, cette discrète et douce créature se résigna si bien à ne point faire un pas hors de la sphère enchantée où pour elle se trouvaient toutes ses joies, qu'après six ans de l'union la plus tendre, elle ne connaissait encore à son ami que le nom de Roger. Placée dans sa chambre à coucher, la gravure du tableau de Psyché arrivant avec sa lampe pour voir l'Amour malgré sa défense lui rappelait les conditions de son bonheur. Pendant ces six années, ses modestes plaisirs ne fatiguèrent jamais par une ambition mal placée le cœur de Roger, vrai trésor de bonté. Jamais elle ne souhaita ni diamants ni parures, et refusa le luxe d'une voiture vingt fois offerte à sa vanité. Attendre sur le balcon la voiture de Roger, aller avec lui au spectacle ou se promener ensemble pendant les beaux jours dans les environs de Paris, l'espérer, le voir, et l'espérer encore, étaient l'histoire de sa vie, pauvre d'événements, mais pleine d'amour. En berçant sur ses genoux par une chanson la fille venue quelques mois avant cette journée, elle se plut à évoquer les souvenirs du temps passé. Elle s'arrêta plus volontiers sur les mois de septembre, époque à laquelle chaque année son Roger l'emmenait à Belle-feuille y passer ces beaux jours qui semblent appartenir à toutes les saisons. La nature est alors aussi prodigue de fleurs que de fruits, les soirées sont tièdes, les matinées sont douces, et l'éclat de l'été succède souvent à la mélancolie de l'automne. Pendant les premiers temps de son amour, Caroline avait attribué l'égalité d'âme et la douceur de caractère dont tant de preuves lui furent données par Roger à la rareté de leurs entrevues toujours désirées et à leur manière de vivre qui ne les mettait pas sans cesse en présence l'un de l'autre, comme le sont deux époux. Elle se souvint alors avec délices que, tourmentée de vaines craintes, elle l'avait épié en tremblant

pendant leur premier séjour à cette petite terre du Gâti-
nais : inutile espionnage d'amour! chacun de ces mois de
bonheur passa comme un songe, au sein d'une félicité qui
ne se démentit jamais. Elle avait toujours vu à ce bon être
un tendre sourire sur les lèvres, sourire qui semblait être
l'écho du sien. A ces tableaux trop vivement évoqués, ses
yeux se mouillèrent de larmes, elle crut ne pas aimer
assez et fut tentée de voir, dans le malheur de sa situation
équivoque, une espèce d'impôt mis par le sort sur son
amour. Enfin, une invincible curiosité lui fit chercher
pour la millième fois les événements qui pouvaient amener un homme aussi aimant que Roger à ne jouir que d'un
bonheur clandestin, illégal. Elle forgea mille romans précisément pour se dispenser d'admettre la véritable raison,
depuis longtemps devinée, mais à laquelle elle essayait de
ne pas croire. Elle se leva, tout en gardant son enfant
endormi dans ses bras, pour aller présider, dans la salle à
manger, à tous les préparatifs du dîner. Ce jour était le
6 mai 1822, anniversaire de la promenade au parc de
Saint-Leu, pendant laquelle sa vie fut décidée ; aussi,
chaque année, ce jour ramenait-il une fête de cœur. Caroline désigna le linge qui devait servir au repas et dirigea
l'arrangement du dessert. Après avoir pris avec bonheur
les soins qui touchaient Roger, elle déposa la petite fille
dans sa jolie barcelonnette [23], vint se placer sur le balcon
et ne tarda pas à voir paraître le cabriolet par lequel son
ami, parvenu à la maturité de l'homme, avait remplacé
l'élégant tilbury des premiers jours. Après avoir essuyé le
premier feu des caresses de Caroline et du petit espiègle
qui l'appelait papa, Roger alla au berceau, contempla le
sommeil de sa fille, la baisa sur le front, et tira de la
poche de son habit un long papier bariolé de lignes
noires.

« Caroline, dit-il, voici la dot de Mlle Eugénie de
Bellefeuille. »

La mère prit avec reconnaissance le titre dotal, une
inscription au grand-livre de la dette publique.

« Pourquoi trois mille francs de rente à Eugénie, quand
tu n'as donné que quinze cents francs à Charles ?

— Charles, mon ange, sera un homme, répondit-il.

Quinze cents francs lui suffiront. Avec ce revenu, un homme courageux est au-dessus de la misère. Si, par hasard, ton fils est un homme nul, je ne veux pas qu'il puisse faire des folies. S'il a de l'ambition, cette modicité de fortune lui inspirera le goût du travail. Eugénie est femme, il lui faut une dot. »

Le père se mit à jouer avec Charles, dont les caressantes démonstrations annonçaient l'indépendance et la liberté de son éducation. Aucune crainte établie entre le père et l'enfant ne détruisait ce charme qui récompense la paternité de ses obligations, et la gaieté de cette petite famille était aussi douce que vraie. Le soir, une lanterne magique étala sur une toile blanche ses pièges et ses mystérieux tableaux, à la grande surprise de Charles. Plus d'une fois les joies célestes de cette innocente créature excitèrent des fous rires sur les lèvres de Caroline et de Roger. Quand, plus tard, le petit garçon fut couché, la petite fille s'éveilla demandant sa limpide nourriture. A la clarté d'une lampe, au coin du foyer, dans cette chambre de paix et de plaisir, Roger s'abandonna donc au bonheur de contempler le tableau suave que lui présentait cet enfant suspendu au sein de Caroline blanche, fraîche comme un lys nouvellement éclos et dont les cheveux retombaient en milliers de boucles brunes qui laissaient à peine voir son cou. La lueur faisait ressortir toutes les grâces de cette jeune mère en multipliant sur elle, autour d'elle, sur ses vêtements et sur l'enfant ces effets pittoresques produits par les combinaisons de l'ombre et de la lumière. Le visage de cette femme calme et silencieuse parut mille fois plus doux que jamais à Roger, qui regarda tendrement ces lèvres chiffonnées et vermeilles d'où jamais encore aucune parole discordante n'était sortie. La même pensée brilla dans les yeux de Caroline, qui examina Roger du coin de l'œil, soit pour jouir de l'effet qu'elle produisait sur lui, soit pour deviner l'avenir de la soirée.

L'inconnu, qui comprit la coquetterie de ce regard fin, dit avec une feinte tristesse : « Il faut que je parte. J'ai une affaire très grave à terminer, et l'on m'attend chez moi. Le devoir avant tout, n'est-ce pas, ma chérie ? »

Caroline l'espionna d'un air à la fois triste et doux, mais avec cette résignation qui ne laisse ignorer aucune des douleurs d'un sacrifice : «Adieu, dit-elle. Va-t-'en ! Si tu restais une heure de plus, je ne te donnerais pas facilement la liberté.

— Mon ange, répondit-il alors en souriant, j'ai trois jours de congé, et suis censé à vingt lieues de Paris.»

Quelques jours après l'anniversaire de ce 6 mai, Mlle de Bellefeuille accourut un matin dans la rue Saint-Louis, au Marais [24], en souhaitant ne pas arriver trop tard dans une maison où elle se rendait ordinairement tous les huit jours. Un exprès venait de lui apprendre que sa mère, Mme Crochard, succombait à une complication de douleurs produites chez elle par ses catarrhes et par ses rhumatismes. Pendant que le cocher de fiacre fouettait ses chevaux d'après une invitation pressante que Caroline fortifia par la promesse d'un ample pourboire, les vieilles femmes timorées desquelles la veuve Crochard s'était fait une société pendant ses derniers jours introduisaient un prêtre dans l'appartement commode et propre occupé par la vieille comparse au second étage de la maison. La servante de Mme Crochard ignorait que la jolie demoiselle chez laquelle sa maîtresse allait souvent dîner fût sa propre fille ; et, l'une des premières, elle sollicita l'intervention d'un confesseur, en espérant que cet ecclésiastique lui serait au moins aussi utile qu'à la malade. Entre deux bostons, ou en se promenant au Jardin Turc [25], les vieilles femmes, avec lesquelles la veuve Crochard caquetait tous les jours, avaient réussi à réveiller dans le cœur glacé de leur amie quelques scrupules sur sa vie passée, quelques idées d'avenir, quelques craintes relatives à l'Enfer, et certaines espérances de pardon fondées sur un sincère retour à la religion. Dans cette solennelle matinée, trois vieilles femmes de la rue Saint-François et de la Vieille-Rue-du-Temple étaient donc venues s'établir dans le salon où Mme Crochard les recevait tous les mardis. A tour de rôle, l'une d'elles quittait son fauteuil pour aller au chevet du lit tenir compagnie à la pauvre vieille, et lui donner de ces faux espoirs avec lesquels on berce les mourants. Cependant, quand la crise leur parut prochaine, lorsque le médecin appelé la veille ne répondit plus de la veuve, les trois dames se consultèrent pour décider s'il fallait avertir Mlle de Bellefeuille. Françoise préalablement entendue, il fut arrêté qu'un commissionnaire partirait pour la rue Taitbout prévenir la jeune parente dont l'influence paraissait si redoutable aux quatre femmes ; mais elles espérèrent que l'Auvergnat ramènerait trop tard cette personne dotée d'une si grande part dans l'affection de Mme Crochard. Cette veuve, évidemment riche d'un millier d'écus de rente, ne fut si bien choyée par le trio femelle que parce que aucune de ces bonnes amies, ni même Françoise, ne lui connaissaient d'héritier. L'opulence dont jouissait Mlle de Bellefeuille, à qui Mme Crochard s'interdisait de donner le doux nom de fille par suite des *us* de l'ancien Opéra, légitimait presque le plan formé par ces quatre femmes de se partager la succession de la mourante.

Bientôt celle des trois sibylles qui tenait la malade en arrêt vint montrer une tête branlante au couple inquiet, et dit : « Il est temps d'envoyer chercher M. l'abbé Fontanon. Encore deux heures, elle n'aura ni sa tête, ni la force d'écrire un mot. »

La vieille servante édentée partit donc, et revint avec un homme vêtu d'une redingote noire. Un front étroit annonçait un petit esprit chez ce prêtre, déjà doué d'une figure commune ; ses joues larges et pendantes, son menton doublé témoignaient d'un bien-être égoïste ; ses cheveux poudrés lui donnaient un air doucereux tant qu'il ne levait pas des yeux bruns, petits, à fleur de tête, et qui n'eussent pas été mal placés sous les sourcils d'un Tartare.

« Monsieur l'abbé, lui disait Françoise, je vous remercie bien de vos avis ; mais aussi, comptez que j'ai eu un fier soin de cette chère femme-là. »

La domestique au pas traînant et à la figure en deuil se tut en voyant que la porte de l'appartement était ouverte, et que la plus insinuante des trois douairières stationnait sur le palier pour être la première à parler au confesseur. Quand l'ecclésiastique eut complaisamment essuyé la triple bordée des discours mielleux et dévots des amies de la veuve, il alla s'asseoir au chevet du lit de Mme Crochard. La décence et une certaine retenue forcèrent les trois dames et la vieille Françoise de demeurer toutes quatre dans le salon à se faire des mines de douleur qu'il n'appartenait qu'à ces faces ridées de jouer avec autant de perfection.

« Ah ! c'est-y malheureux ! s'écria Françoise en poussant un soupir. Voilà pourtant la quatrième maîtresse que j'aurai le chagrin d'enterrer. La première m'a laissé cent francs de viager, la seconde cinquante écus, et la troisième mille écus de comptant. Après trente ans de service, voilà tout ce que je possède ! »

La servante usa de son droit d'aller et venir pour se rendre dans un petit cabinet d'où elle pouvait entendre le prêtre.

« Je vois avec plaisir, disait Fontanon, que vous avez, ma fille, des sentiments de piété ; vous portez sur vous une sainte relique… »

Mme Crochard fit un mouvement vague qui n'annonçait pas qu'elle eût tout son bon sens, car elle montra la croix impériale de la Légion d'honneur. L'ecclésiastique recula d'un pas en voyant la figure de l'Empereur ; puis il se rapprocha bientôt de sa pénitente, qui s'entretint avec lui d'un ton si bas que pendant quelque temps Françoise n'entendit rien.

« Malédiction sur moi ! s'écria tout à coup la vieille, ne m'abandonnez pas. Comment, monsieur l'abbé, vous croyez que j'aurai à répondre de l'âme de ma fille ? »

L'ecclésiastique parlait trop bas et la cloison était trop épaisse pour que Françoise pût tout entendre.

« Hélas ! s'écria la veuve en pleurant, le scélérat ne m'a rien laissé dont je pusse disposer. En prenant ma pauvre Caroline, il m'a séparée d'elle et ne m'a constitué que trois mille livres de rente dont le fonds appartient à ma fille.

— Madame a une fille et n'a que du viager », cria Françoise en accourant au salon.

Les trois vieilles se regardèrent avec un étonnement profond. Celle d'entre elles dont le nez et le menton prêts à se joindre trahissaient une sorte de supériorité d'hypocrisie et de finesse cligna des yeux, et dès que Françoise eut tourné le dos, elle fit à ses deux amies un signe qui voulait dire : « Cette fille est une fine mouche, elle a déjà été couchée sur trois testaments. » Les trois vieilles femmes restèrent donc ; mais l'abbé reparut bientôt, et quand il eut dit un mot, les sorcières dégringolèrent de compagnie les escaliers après lui, laissant Françoise seule avec sa maîtresse. Mme Crochard, dont les souffrances redoublèrent cruellement, eut beau sonner en ce moment sa servante, celle-ci se contentait de crier : « Eh ! on y va ! Tout à l'heure ! » Les portes des armoires et des commodes allaient et venaient comme si Françoise eût cherché quelque billet de loterie égaré. A l'instant où cette crise atteignait à sa dernière période, Mlle de Bellefeuille arriva auprès du lit de sa mère pour lui prodiguer de douces paroles.

« Oh ! ma pauvre mère, combien je suis criminelle ! Tu souffres, et je ne le savais pas, mon cœur ne me le disait pas ! Mais me voici...

— Caroline...

— Quoi ?

— Elles m'ont amené un prêtre.

— Mais un médecin donc, reprit Mlle de Bellefeuille. Françoise, un médecin ! Comment ces dames n'ont-elles pas envoyé chercher le docteur ?

— Elles m'ont amené un prêtre, reprit la vieille en poussant un soupir.

— Comme elle souffre ! et pas une potion calmante, rien sur sa table. »

La mère fit un signe indistinct, mais que l'œil pénétrant de Caroline devina, car elle se tut pour la laisser parler.

« Elles m'ont amené un prêtre... soi-disant pour me confesser. Prends garde à toi, Caroline, lui cria péniblement la vieille comparse par un dernier effort, le prêtre m'a arraché le nom de ton bienfaiteur.

— Et qui a pu te le dire, ma pauvre mère ? »

La vieille expira en essayant de prendre un air malicieux. Si Mlle de Bellefeuille avait pu observer le visage de sa mère, elle eût vu ce que personne ne verra, rire la Mort.

Pour comprendre l'intérêt que cache l'introduction de
cette Scène, il faut en oublier un moment les personnages, pour se prêter au récit d'événements antérieurs, mais
dont le dernier se rattache à la mort de Mme Crochard.
Ces deux parties formeront alors une même histoire qui,
par une loi particulière à la vie parisienne, avait produit
deux actions distinctes.

Vers la fin du mois de novembre 1805, un jeune
avocat, âgé d'environ vingt-six ans, descendait vers trois
heures du matin le grand escalier de l'hôtel où demeurait
l'archichancelier de l'Empire [26]. Arrivé dans la cour, en
costume de bal, par une fine gelée, il ne put s'empêcher
de jeter une douloureuse exclamation où perçait néanmoins cette gaieté qui abandonne rarement un Français,
car il n'aperçut pas de fiacre à travers les grilles de
l'hôtel, et n'entendit dans le lointain aucun de ces bruits
produits par les sabots ou par la voix enrouée des cochers
parisiens. Quelques coups de pied frappés de temps en
temps par les chevaux du Grand Juge [27] que le jeune
homme venait de laisser à la bouillotte [28] de Cambacérès
retentissaient dans la cour de l'hôtel à peine éclairée par
les lanternes de la voiture. Tout à coup, le jeune homme,
amicalement frappé sur l'épaule, se retourna, reconnut le
Grand Juge et le salua. Au moment où le laquais dépliait
le marchepied du carrosse, l'ancien législateur de la
Convention devina l'embarras de l'avocat. «La nuit tous
les chats sont gris, lui dit-il gaiement. Le Grand Juge ne
se compromettra pas en mettant un avocat dans son chemin! Surtout, ajouta-t-il, si cet avocat est le neveu d'un
ancien collègue, l'une des lumières de ce grand Conseil
d'État qui a donné le Code Napoléon à la France.» Le
piéton monta dans la voiture sur un geste du chef suprême
de la justice impériale. «Où demeurez-vous? demanda le
ministre à l'avocat avant que la portière ne fût refermée
par le valet de pied qui attendait l'ordre. — Quai des
Augustins, monseigneur.» Les chevaux partirent, et le
jeune homme se vit en tête à tête avec un ministre auquel
il avait tenté vainement d'adresser la parole avant et après
le somptueux dîner de Cambacérès, car le Grand Juge
l'avait visiblement évité pendant toute la soirée. «Eh

bien, monsieur *de* Granville [29], vous êtes en assez beau chemin ? — Mais, tant que je serai à côté de Votre Excellence... — Je ne plaisante pas, dit le ministre. Votre stage est terminé depuis deux ans, et vos défenses dans le procès Ximeuse et d'Hauteserre [30] vous ont placé bien haut. — J'ai cru jusqu'à aujourd'hui que mon dévouement à ces malheureux émigrés me nuisait. — Vous êtes bien jeune, dit le ministre d'un ton grave. Mais, reprit-il après une pause, vous avez beaucoup plu ce soir à l'archichancelier. Entrez dans la magistrature du parquet, nous manquons de sujets. Le neveu d'un homme à qui Cambacérès et moi nous portons le plus vif intérêt ne doit pas rester avocat faute de protection. Votre oncle nous a aidés à traverser des temps bien orageux, et ces sortes de services ne s'oublient pas. » Le ministre se tut pendant un moment. « Avant peu, reprit-il, j'aurai trois places vacantes au tribunal de première instance et à la Cour impériale de Paris, venez alors me voir, et choisissez celle qui vous conviendra. Jusque-là travaillez, mais ne vous présentez point à mes audiences. D'abord, je suis accablé de travail ; puis vos concurrents devineraient vos intentions et pourraient vous nuire auprès du patron. Cambacérès et moi, en ne vous disant pas un mot ce soir, nous vous avons garanti des dangers de la faveur. »

Au moment où le ministre acheva ces derniers mots, la voiture s'arrêtait sur le quai des Augustins, le jeune avocat remercia son généreux protecteur avec une effusion de cœur assez vive des deux places qu'il lui avait accordées, et se mit à frapper rudement à la porte, car la bise sifflait avec rigueur sur ses mollets. Enfin un vieux portier tira le cordon, et quand l'avocat passa devant la loge : « Monsieur Granville, il y a une lettre pour vous », cria-t-il d'une voix enrouée. Le jeune homme prit la lettre, et tâcha, malgré le froid, d'en lire l'écriture à la lueur d'un pâle réverbère dont la mèche était sur le point d'expirer. « C'est de mon père ! » s'écria-t-il en prenant son bougeoir que le portier finit par allumer. Et il monta rapidement dans son appartement pour y lire la lettre suivante :

« Prends le courrier, et si tu peux arriver promptement

ici, ta fortune est faite. Mlle Angélique Bontems[31] a perdu sa sœur, la voilà fille unique, et nous savons qu'elle ne te hait pas. Maintenant, Mme Bontems peut lui laisser à peu près quarante mille francs de rentes, outre ce qu'elle lui donnera en dot. J'ai préparé les voies. Nos amis s'étonneront de voir d'anciens nobles s'allier à la famille Bontems. Le père Bontems a été un bonnet rouge foncé qui possédait force biens nationaux achetés à vil prix. Mais d'abord il n'a eu que des prés de moines qui ne reviendront jamais; puis, si tu as déjà dérogé en te faisant avocat, je ne vois pas pourquoi nous reculerions devant une autre concession aux idées actuelles. La petite aura trois cent mille francs, je t'en donne cent, le bien de ta mère doit valoir cinquante mille écus ou à peu près, je te vois donc en position, mon cher fils, si tu veux te jeter dans la magistrature, de devenir sénateur tout comme un autre. Mon beau-frère le conseiller d'État ne te donnera pas un coup de main pour cela, par exemple; mais, comme il n'est pas marié, sa succession te reviendra un jour : si tu n'étais pas sénateur de ton chef, tu aurais donc sa survivance. De là tu seras juché assez haut pour voir venir les événements. Adieu, je t'embrasse. »

Le jeune de Granville se coucha donc en faisant mille projets plus beaux les uns que les autres. Puissamment protégé par l'archichancelier, par le Grand Juge et par son oncle maternel, l'un des rédacteurs du Code, il allait débuter dans un poste envié, devant la première Cour de l'Empire, et se voyait membre de ce parquet où Napoléon choisissait les hauts fonctionnaires de son Empire. Il se présentait de plus une fortune assez brillante pour l'aider à soutenir son rang, auquel n'aurait pas suffi le chétif revenu de cinq mille francs que lui donnait une terre recueillie par lui dans la succession de sa mère. Pour compléter ses rêves d'ambition par le bonheur, il évoqua la figure naïve de Mlle Angélique Bontems, la compagne des jeux de son enfance. Tant qu'il n'eut pas l'âge de raison, son père et sa mère ne s'opposèrent point à son intimité avec la jolie fille de leur voisin de campagne; mais quand, pendant les courtes apparitions que les va-cances lui laissaient faire à Bayeux, ses parents, entichés

de noblesse, s'aperçurent de son amitié pour la jeune
fille, ils lui défendirent de penser à elle. Depuis dix ans,
Granville n'avait donc pu voir que par moments celle
qu'il nommait sa *petite femme*. Dans ces moments, déro-
bés à l'active surveillance de leurs familles, à peine
échangèrent-ils de vagues paroles en passant l'un devant
l'autre dans l'église ou dans la rue. Leurs plus beaux
jours furent ceux où, réunis par l'une de ces fêtes cham-
pêtres nommées en Normandie des *assemblées,* ils
s'examinèrent furtivement et en perspective. Pendant ses
dernières vacances, Granville vit deux fois Angélique, et
le regard baissé, l'attitude triste de sa petite femme lui
firent juger qu'elle était courbée sous quelque despotisme
inconnu. Arrivé dès sept heures du matin au bureau des
Messageries de la rue Notre-Dame-des-Victoires, le
jeune avocat trouva heureusement une place dans la voiture qui partait à cette heure pour la ville de Caen [32].

L'avocat stagiaire ne revit pas sans une émotion profonde les clochers de la cathédrale de Bayeux. Aucune
espérance de sa vie n'ayant encore été trompée, son cœur
s'ouvrait aux beaux sentiments qui agitent de jeunes
âmes [33]. Après le trop long banquet d'allégresse pour
lequel il était attendu par son père et par quelques amis,
l'impatient jeune homme fut conduit vers une certaine
maison située rue Teinture, et bien connue de lui. Le
cœur lui battit avec force quand son père, que l'on continuait d'appeler à Bayeux le comte de Granville, frappa
rudement à une porte cochère dont la peinture verte tombait par écailles. Il était environ quatre heures du soir.
Une jeune servante, coiffée d'un bonnet de coton, salua
les deux messieurs par une courte révérence, et répondit
que ces dames allaient bientôt revenir de vêpres. Le
comte et son fils entrèrent dans une salle basse servant de
salon, et semblable au parloir d'un couvent. Des lambris
en noyer poli assombrissaient cette pièce, autour de laquelle quelques chaises en tapisserie et d'antiques fauteuils étaient symétriquement rangés. La cheminée en
pierre n'avait pour tout ornement qu'une glace verdâtre,
de chaque côté de laquelle sortaient les branches contournées de ces anciens candélabres fabriqués à l'époque de la

paix d'Utrecht[34]. Sur la boiserie en face de cette cheminée, le jeune Granville aperçut un énorme crucifix
d'ébène et d'ivoire entouré de buis bénit. Quoique éclairée par trois croisées qui tiraient leur jour d'un jardin de
province dont les carrés symétriques étaient dessinés par
de longues raies de buis, la pièce en recevait si peu de
jour, qu'à peine voyait-on sur la muraille parallèle à ces
croisées trois tableaux d'église dus à quelque savant pinceau, et achetés sans doute pendant la révolution par le
vieux Bontems, qui, en sa qualité de chef du district,
n'oublia jamais ses intérêts. Depuis le plancher soigneusement ciré jusqu'aux rideaux de toile à carreaux verts,
tout brillait d'une propreté monastique. Involontairement
le cœur du jeune homme se serra dans cette silencieuse
retraite où vivait Angélique. La continuelle habitation des
brillants salons de Paris et le tourbillon des fêtes avaient
facilement effacé les existences sombres et paisibles de la
province dans le souvenir de Granville, aussi le contraste
fut-il pour lui si subit, qu'il éprouva une sorte de frémis-
sement intérieur. Sortir d'une assemblée chez Cambacérès où la vie se montrait si ample, où les esprits avaient de
l'étendue, où la gloire impériale se reflétait vivement, et
tomber tout à coup dans un cercle d'idées mesquines,
n'était-ce pas être transporté de l'Italie au Groenland ?
« Vivre ici, ce n'est pas vivre », se dit-il en examinant ce
salon de méthodiste. Le vieux comte, qui s'aperçut de
l'étonnement de son fils, alla le prendre par la main,
l'entraîna devant une croisée d'où venait encore un peu
de jour, et pendant que la servante allumait les vieilles
bougies des flambeaux, il essaya de dissiper les nuages
que cet aspect amassait sur son front.

« Écoute, mon enfant, lui dit-il, la veuve du père Bontems est furieusement dévote. Quand le diable devint
vieux... tu sais[35] ! Je vois que l'air du bureau te fait faire
la grimace. Eh bien, voici la vérité. La vieille femme est
assiégée par les prêtres, ils lui ont persuadé qu'il était
toujours temps de gagner le ciel, et pour être plus sûre
d'avoir saint Pierre et ses clefs, elle les achète. Elle va à
la messe tous les jours, entend tous les offices, communie
tous les dimanches que Dieu fait, et s'amuse à restaurer

les chapelles. Elle a donné à la cathédrale tant d'ornements, d'aubes, de chapes ; elle a chamarré le dais de tant
de plumes, qu'à la procession de la dernière Fête-Dieu il
y avait une foule comme à une pendaison pour voir les
prêtres magnifiquement habillés et leurs ustensiles dorés
à neuf. Aussi, cette maison est-elle une vraie terre sainte.
C'est moi qui ai empêché la vieille folle de donner ces
trois tableaux à l'église, un Dominiquin, un Corrège et un
André del Sarto qui valent beaucoup d'argent.

— Mais Angélique, demanda vivement le jeune
homme.

— Si tu ne l'épouses pas, Angélique est perdue, dit le
comte. Nos bons apôtres lui ont conseillé de vivre vierge
et martyre. J'ai eu toutes les peines du monde à réveiller
son petit cœur en lui parlant de toi, quand je l'ai vue fille
unique ; mais tu comprends aisément qu'une fois mariée,
tu l'emmèneras à Paris. Là, les fêtes, le mariage, la
comédie et l'entraînement de la vie parisienne lui feront
facilement oublier les confessionnaux, les jeûnes, les
cilices et les messes dont se nourrissent exclusivement
ces créatures.

— Mais les cinquante mille livres de rentes provenues
des biens ecclésiastiques ne retourneront-elles pas...

— Nous y voilà, s'écria le comte d'un air fin. En
considération du mariage, car la vanité de Mme Bontems
n'a pas été peu chatouillée par l'idée d'enter les Bontems
sur l'arbre généalogique des Granville, la susdite mère
donne sa fortune en toute propriété à la petite, en ne s'en
réservant que l'usufruit. Aussi le sacerdoce s'oppose-t-il
à ton mariage ; mais j'ai fait publier les bans, tout est prêt,
et en huit jours tu seras hors des griffes de la mère ou de
ses abbés. Tu posséderas la plus jolie fille de Bayeux, une
petite commère qui ne te donnera pas de chagrin, parce
que ça aura des principes. Elle a été mortifiée, comme ils
disent dans leur jargon, par les jeûnes, par les prières, et,
ajouta-t-il à voix basse, par sa mère. »

Un coup frappé discrètement à la porte imposa silence
au comte qui crut voir entrer les deux dames. Un petit
domestique à l'air affairé se montra ; mais, intimidé par
l'aspect des deux personnages, il fit un signe à la bonne

qui vint près de lui. Vêtu d'un gilet de drap bleu à petites basques qui flottaient sur ses hanches et d'un pantalon rayé bleu et blanc, ce garçon avait les cheveux coupés en rond ; sa figure ressemblait à celle d'un enfant de chœur, tant elle peignait cette componction forcée que contractent tous les habitants d'une maison dévote.

« Mademoiselle Gatienne, savez-vous où sont les livres pour l'office de la Vierge ? Les dames de la congrégation du Sacré-Cœur font ce soir une procession dans l'église. »

Gatienne alla chercher les livres.

« Y en a-t-il encore pour longtemps, mon petit milicien [36], demanda le comte.

— Oh ! pour une demi-heure au plus.

— Allons voir ça, il y a de jolies femmes, dit le père à son fils. D'ailleurs, une visite à la cathédrale ne peut pas nous nuire. »

Le jeune avocat suivit son père d'un air irrésolu.

« Qu'as-tu donc ? lui demanda le comte.

— J'ai, mon père, j'ai... que j'ai raison.

— Tu n'as encore rien dit.

— Oui, mais j'ai pensé que vous avez conservé dix mille livres de rente de votre ancienne fortune, vous me les laisserez le plus tard possible, je le désire ; mais si vous me donnez cent mille francs pour faire un sot mariage, vous me permettrez de ne vous en demander que cinquante mille pour éviter un malheur et jouir, tout en restant garçon, d'une fortune égale à celle que pourrait m'apporter votre demoiselle Bontems.

— Es-tu fou ?

— Non, mon père. Voici le fait. Le Grand Juge m'a promis avant-hier une place au parquet de Paris. Cinquante mille francs, joints à ce que je possède et aux appointements de ma place, me feront un revenu de douze mille francs. J'aurai certes, alors, des chances de fortune mille fois préférables à celles d'une alliance aussi pauvre de bonheur qu'elle est riche en biens.

— On voit bien, répondit le père en souriant, que tu n'as pas vécu dans l'ancien régime. Est-ce que nous sommes jamais embarrassés d'une femme, nous autres !...

— Mais, mon père, aujourd'hui le mariage est devenu...

— Ah çà! dit le comte en interrompant son fils, tout ce que mes vieux camarades d'émigration me chantent est donc bien vrai? La révolution nous a donc légué des mœurs sans gaieté, elle a donc empesté les jeunes gens de principes équivoques? Tout comme mon beau-frère le jacobin, tu vas me parler de nation, de morale publique, de désintéressement. O mon Dieu! sans les sœurs de l'Empereur, que deviendrions-nous [37]? »

Ce vieillard encore vert, que les paysans de ses terres appelaient toujours le seigneur de Granville, acheva ces paroles en entrant sous les voûtes de la cathédrale. Nonobstant la sainteté des lieux, il fredonna, tout en prenant de l'eau bénite, un air de l'opéra de *Rose et Colas* [38], et guida son fils le long des galeries latérales de la nef, en s'arrêtant à chaque pilier pour examiner dans l'église les rangées de têtes qui s'y trouvaient alignées comme le sont des soldats à la parade. L'office particulier du Sacré-Cœur allait commencer. Les dames affiliées à cette congrégation étant placées près du chœur, le comte et son fils se dirigèrent vers cette portion de la nef, et s'adossèrent à l'un des piliers les plus obscurs, d'où ils purent apercevoir la masse entière de ces têtes qui ressemblaient à une prairie émaillée de fleurs. Tout à coup, à deux pas du jeune Granville, une voix plus douce qu'il ne semblait possible à créature humaine de la posséder détonna comme le premier rossignol qui chante après l'hiver. Quoique accompagnée de mille voix de femmes et par les sons de l'orgue, cette voix remua ses nerfs comme s'ils eussent été attaqués par les notes trop riches et trop vives de l'harmonica [39]. Le Parisien se retourna, vit une jeune personne dont la figure était, par suite de l'inclination de sa tête, entièrement ensevelie sous un large chapeau d'étoffe blanche, et pensa que d'elle seule venait cette claire mélodie; il crut reconnaître Angélique, malgré la pelisse de mérinos brun qui l'enveloppait, et poussa le bras de son père.

« Oui, c'est elle », dit le comte après avoir regardé dans la direction que lui indiquait son fils. Le vieux seigneur

montra par un geste le visage pâle d'une vieille femme
dont les yeux fortement bordés d'un cercle noir avaient
déjà vu les étrangers sans que son regard faux eût paru
quitter le livre de prières qu'elle tenait. Angélique leva la
tête vers l'autel, comme pour aspirer les parfums pénétrants de l'encens dont les nuages arrivaient jusqu'aux
deux femmes. A la lueur mystérieuse répandue dans ce
sombre vaisseau par les cierges, la lampe de la nef et
quelques bougies allumées aux piliers, le jeune homme
aperçut alors une figure qui ébranla ses résolutions. Un
chapeau de moire blanche encadrait exactement un visage
d'une admirable régularité, par l'ovale que décrivait le
ruban de satin noué sous un petit menton à fossette. Sur
un front étroit, mais très mignon, des cheveux couleur
d'or pâle se séparaient en deux bandeaux et retombaient
autour des joues comme l'ombre d'un feuillage sur une
touffe de fleurs. Les deux arcs des sourcils étaient dessinés avec cette correction que l'on admire dans les belles
figures chinoises. Le nez, presque aquilin, possédait une
fermeté rare dans ses contours, et les deux lèvres ressemblaient à deux lignes roses tracées avec amour par un
pinceau délicat. Les yeux, d'un bleu pâle, exprimaient la
candeur. Si Granville remarqua dans ce visage une sorte
de rigidité silencieuse, il put l'attribuer aux sentiments de
dévotion qui animaient alors Angélique. Les saintes paroles de la prière passaient entre deux rangées de perles,
d'où le froid permettait de voir sortir comme un nuage de
parfums. Involontairement le jeune homme essaya de se
pencher pour respirer cette haleine divine. Ce mouvement
attira l'attention de la jeune fille, et son regard fixe élevé
vers l'autel se tourna sur Granville, que l'obscurité ne lui
laissa voir qu'indistinctement, mais en qui elle reconnut
le compagnon de son enfance : un souvenir plus puissant
que la prière vint donner un éclat surnaturel à son visage,
elle rougit. L'avocat tressaillit de joie en voyant les espérances de l'autre vie vaincues par les espérances de
l'amour et la gloire du sanctuaire éclipsée par des souvenirs terrestres ; mais son triomphe dura peu : Angélique
abaissa son voile, prit une contenance calme, et se remit à
chanter sans que le timbre de sa voix accusât la plus

légère émotion. Granville se trouva sous la tyrannie d'un seul désir et toutes ses idées de prudence s'évanouirent. Quand l'office fut terminé, son impatience était déjà devenue si grande que, sans laisser les deux dames retourner seules chez elles, il vint aussitôt saluer sa petite femme. Une reconnaissance timide de part et d'autre se fit sous le porche de la cathédrale en présence des fidèles. Mme Bontems trembla d'orgueil en prenant le bras du comte de Granville, qui, forcé de le lui offrir devant tant de monde, sut fort mauvais gré à son fils d'une impatience si peu décente. Pendant environ quinze jours qui s'écoulèrent entre la présentation officielle du jeune vicomte de Granville comme prétendu de Mlle Bontems et le jour solennel de son mariage, il vint assidûment trouver son amie dans le sombre parloir, auquel il s'accoutuma. Ses longues visites eurent pour but d'épier le caractère d'Angélique, car sa prudence s'était heureusement réveillée le lendemain de son entrevue. Il surprit presque toujours sa future assise devant une petite table en bois de Sainte-Lucie [40], et occupée à marquer elle-même le linge qui devait composer son trousseau. Angélique ne parla jamais la première de religion. Si le jeune avocat se plaisait à jouer avec le riche chapelet contenu dans un petit sac en velours vert, s'il contemplait en riant la relique qui accompagne toujours cet instrument de dévotion, Angélique lui prenait doucement le chapelet des mains en lui jetant un regard suppliant, et, sans mot dire, le remettait dans le sac qu'elle serrait aussitôt. Si parfois Granville se hasardait malicieusement à déclamer contre certaines pratiques de la religion, la jolie Normande l'écoutait en lui opposant le sourire de la conviction. « Il ne faut rien croire, ou croire tout ce que l'Église enseigne, répondait-elle. Voudriez-vous pour la mère de vos enfants d'une fille sans religion ? non. Quel homme oserait être juge entre les incrédules et Dieu ? Eh bien, comment puis-je blâmer ce que l'Église admet ? » Angélique semblait animée par une si onctueuse charité, le jeune avocat lui voyait tourner sur lui des regards si pénétrés, qu'il fut parfois tenté d'embrasser la religion de sa prétendue ; la conviction profonde où elle était de marcher

dans le vrai sentier réveilla dans le cœur du futur magistrat des doutes qu'elle essayait d'exploiter. Granville
commit alors l'énorme faute de prendre les prestiges du
désir pour ceux de l'amour. Angélique fut si heureuse de
concilier la voix de son cœur et celle du devoir en s'aban-
donnant à une inclination conçue dès son enfance, que
l'avocat trompé ne put savoir laquelle de ces deux voix
était la plus forte. Les jeunes gens ne sont-ils pas tous
disposés à se fier aux promesses d'un joli visage, à
conclure de la beauté de l'âme par celle des traits ? un
sentiment indéfinissable les porte à croire que la perfection morale concorde toujours à la perfection physique. Si
la religion n'eût pas permis à Angélique de se livrer à ses
sentiments, ils se seraient bientôt séchés dans son cœur
comme une plante arrosée d'un acide mortel. Un amoureux aimé pouvait-il reconnaître un fanatisme si bien
caché ? Telle fut l'histoire des sentiments du jeune Granville pendant cette quinzaine dévorée comme un livre
dont le dénouement intéresse. Angélique attentivement
épiée lui parut être la plus douce de toutes les femmes, et
il se surprit même à rendre grâce à Mme Bontems, qui,
en lui inculquant si fortement des principes religieux,
l'avait en quelque sorte façonnée aux peines de la vie. Au
jour choisi pour la signature du fatal contrat, Mme Bontems fit solennellement jurer à son gendre de respecter les
pratiques religieuses de sa fille, de lui donner une entière
liberté de conscience, de la laisser communier, aller à
l'église, à confesse, autant qu'elle le voudrait, et de ne
jamais la contrarier dans le choix de ses directeurs. En ce
moment solennel, Angélique contempla son futur d'un air
si pur et si candide que Granville n'hésita pas à prêter le
serment demandé. Un sourire effleura les lèvres de l'abbé
Fontanon, homme pâle qui dirigeait les consciences de la
maison. Par un léger mouvement de tête, Mlle Bontems
promit à son ami de ne jamais abuser de cette liberté de
conscience. Quant au vieux comte, il siffla tout bas l'air
de : *Va-t'en voir s'ils viennent* [41].

Après quelques jours accordés aux *retours de noce* si
fameux en province, Granville et sa femme revinrent à
Paris où le jeune avocat fut appelé par sa nomination aux

fonctions d'avocat général près la Cour impériale de la
Seine. Quand les deux époux y cherchèrent un appartement, Angélique employa l'influence que la lune de miel
prête à toutes les femmes pour déterminer Granville à
prendre un grand appartement situé au rez-de-chaussée
d'un hôtel qui faisait le coin de la Vieille-Rue-du-Temple
et de la rue Neuve-Saint-François. La principale raison de
son choix fut que cette maison se trouvait à deux pas de la
rue d'Orléans où il y avait une église, et voisine d'une
petite chapelle, sise rue·Saint-Louis. « Il est d'une bonne
ménagère de faire des provisions », lui répondit son mari
en riant. Angélique lui fit observer avec justesse que le
quartier du Marais avoisine le Palais de Justice, et que les
magistrats qu'ils venaient de visiter y demeuraient. Un
jardin assez vaste donnait, pour un jeune ménage, du prix
à l'appartement : les enfants, *si le Ciel leur en envoyait*,
pourraient y prendre l'air, la cour était spacieuse, les
écuries étaient belles. L'avocat général désirait habiter un
hôtel de la Chaussée-d'Antin [42], où tout est jeune et
vivant, où les modes apparaissent dans leur nouveauté,
où la population des boulevards est élégante, d'où il y a
moins de chemin à faire pour gagner les spectacles et
rencontrer des distractions ; mais il fut obligé de céder aux
patelineries d'une jeune femme qui réclamait une première grâce, et pour lui complaire il s'enterra dans le
Marais. Les fonctions de Granville nécessitèrent un travail d'autant plus assidu qu'il fut nouveau pour lui, il
s'occupa donc avant tout de l'ameublement de son cabinet et de l'emménagement de sa bibliothèque ; il s'installa
promptement dans une pièce bientôt encombrée de dos-
siers, et laissa sa jeune femme diriger la décoration de la
maison. Il jeta d'autant plus volontiers Angélique dans
l'embarras des premières acquisitions de ménage, source
de tant de plaisirs et de souvenirs pour les jeunes femmes,
qu'il fut honteux de la priver de sa présence plus souvent
que ne le voulaient les lois de la lune de miel. Une fois au
fait de son travail, l'avocat général permit à sa femme de
le tirer hors de son cabinet et de l'emmener pour lui
montrer l'effet des ameublements et des décorations qu'il
n'avait encore vus qu'en détail ou par parties.

S'il est vrai, d'après un adage, qu'on puisse juger une femme en voyant la porte de sa maison, les appartements doivent traduire son esprit avec encore plus de fidélité. Soit que Mme de Granville eût accordé sa confiance à des tapissiers sans goût, soit qu'elle eût inscrit son propre caractère dans un monde de choses ordonné par elle, le jeune magistrat fut surpris de la sécheresse et de la froide solennité qui régnaient dans ses appartements : il n'y aperçut rien de gracieux, tout y était discord, rien ne récréait les yeux. L'esprit de rectitude et de petitesse empreint dans le parloir de Bayeux revivait dans son hôtel sous de larges lambris circulairement creusés et ornés de ces arabesques dont les longs filets contournés sont de si mauvais goût. Dans le désir d'excuser sa femme, le jeune homme revint sur ses pas, examina de nouveau la longue antichambre haute d'étage par laquelle on entrait dans l'appartement. La couleur des boiseries demandée au peintre par sa femme était trop sombre, et le velours d'un vert très foncé qui couvrait les banquettes ajoutait au sérieux de cette pièce, peu importante il est vrai, mais qui donne toujours l'idée d'une maison, de même qu'on juge l'esprit d'un homme sur sa première phrase. Une antichambre est une espèce de préface qui doit tout annoncer, mais ne rien promettre. Le jeune substitut se demanda si sa femme avait pu choisir la lampe à lanterne antique qui se trouvait au milieu de cette salle nue, pavée d'un marbre blanc et noir, décorée d'un papier où étaient simulées des assises de pierres sillonnées çà et là de mousse verte. Un riche mais vieux baromètre était accroché au milieu d'une des parois comme pour en mieux faire sentir le vide. A cet aspect, le jeune homme regarda sa femme, il la vit si contente des galons rouges qui bordaient les rideaux de percale, si contente du baromètre et de la statue décente, ornement d'un grand poêle gothique, qu'il n'eut pas le barbare courage de détruire de si fortes illusions. Au lieu de condamner sa femme, Granville se condamna lui-même, il s'accusa d'avoir manqué à son premier devoir, qui lui commandait de guider à Paris les premiers pas d'une jeune fille élevée à Bayeux. Sur cet échantillon, qui ne devinerait pas la décoration des autres pièces ? Que pouvait-on attendre d'une jeune femme qui prenait l'alarme en voyant les jambes nues d'une caria-tide, qui repoussait avec vivacité un candélabre, un flam-beau, un meuble, dès qu'elle y apercevait la nudité d'un torse égyptien ? A cette époque, l'école de David arrivait à l'apogée de sa gloire, tout se ressentait en France de la correction de son dessin et de son amour pour les formes antiques, qui fit en quelque sorte de sa peinture une sculpture coloriée. Aucune de toutes les inventions du luxe impérial n'obtint droit de bourgeoisie chez Mme de Granville. L'immense salon carré de son hôtel conserva le blanc et l'or fanés qui l'ornaient au temps de Louis XV, et où l'architecte avait prodigué les grilles en losanges et ces insupportables festons dus à la stérile fécondité des crayons de cette époque. Si l'harmonie eût régné du moins, si les meubles eussent fait affecter à l'acajou moderne les formes contournées mises à la mode par le goût corrompu de Boucher, la maison d'Angélique n'aurait offert que le plaisant contraste de jeunes gens vivant au dix-neuvième siècle comme s'ils eussent ap-partenu au dix-huitième ; mais une foule de choses y produisaient des antithèses ridicules. Les consoles, les pendules, les flambeaux représentaient ces attributs guerriers que les triomphes de l'Empire rendirent si chers à Paris. Ces casques grecs, ces épées romaines croisées, les boucliers dus à l'enthousiasme militaire et qui déco-rèrent alors les meubles les plus pacifiques, ne s'accor-daient guère avec les délicates et prolixes arabesques, délices de Mme de Pompadour. La dévotion porte à je ne sais quelle humilité fatigante qui n'exclut pas l'orgueil. Soit modestie, soit penchant, Mme de Granville semblait avoir horreur des couleurs douces et claires. Peut-être aussi pensa-t-elle que la pourpre et le brun convenaient à la dignité du magistrat. Mais comment une jeune fille accoutumée à une vie austère aurait-elle pu concevoir ces voluptueux divans qui inspirent de mauvaises pensées, ces boudoirs élégants et perfides où s'ébauchent les pé-chés ? Le pauvre magistrat fut désolé. Au ton d'approba-tion par lequel il souscrivit aux éloges que sa femme se donnait elle-même, elle s'aperçut que rien ne plaisait à son mari; elle manifesta tant de chagrin de n'avoir pas réussi, que l'amoureux Granville vit une preuve d'amour dans cette peine profonde, au lieu d'y voir une blessure faite à l'amour-propre. Une jeune fille subitement arrachée à la médiocrité des idées de province, inhabile aux coquetteries, à l'élégance de la vie parisienne, pouvait-elle donc mieux faire? Le magistrat préféra croire que les choix de sa femme avaient été dominés par les fournisseurs, plutôt que de s'avouer la vérité. Moins amoureux, il eût senti que les marchands, si prompts à deviner l'esprit de leurs chalands, avaient béni le Ciel de leur avoir envoyé une jeune dévote sans goût, pour les aider à se débarrasser des choses passées de mode. Il consola donc sa jolie Normande.

« Le bonheur, ma chère Angélique, ne nous vient pas d'un meuble plus ou moins élégant, il dépend de la douceur, de la complaisance et de l'amour d'une femme.

— Mais c'est mon devoir de vous aimer, et jamais devoir ne me plaira tant à accomplir », reprit doucement Angélique.

La nature a mis dans le cœur de la femme un tel désir de plaire, un tel besoin d'amour, que, même chez une jeune dévote, les idées d'avenir et de salut doivent succomber sous les premières joies de l'hyménée. Aussi, depuis le mois d'avril, époque à laquelle ils s'étaient mariés, jusqu'au commencement de l'hiver, les deux époux vécurent-ils dans une parfaite union. L'amour et le travail ont la vertu de rendre un homme assez indifférent aux choses extérieures. Obligé de passer au Palais la moitié de la journée, appelé à débattre les graves intérêts de la vie ou de la fortune des hommes, Granville put moins qu'un autre apercevoir certaines choses dans l'intérieur de son ménage. Si, le vendredi, sa table se trouva servie en maigre, si par hasard il demanda sans l'obtenir un plat de viande, sa femme, à qui l'Évangile interdisait tout mensonge, sut néanmoins, par de petites ruses permises dans l'intérêt de la religion, rejeter son dessein prémédité sur son étourderie ou sur le dénuement des marchés; elle se justifia souvent aux dépens du cuisinier et alla quelquefois jusqu'à le gronder. A cette époque les

jeunes magistrats n'observaient pas comme aujourd'hui
les jeûnes, les quatre-temps et les veilles de fêtes [43], ainsi
Granville ne remarqua point d'abord la périodicité de ces
repas maigres que sa femme eut d'ailleurs le soin perfide
de rendre très délicats au moyen de sarcelles, de poules
d'eau, de pâtés au poisson dont les chairs amphibies ou
l'assaisonnement trompaient le goût. Le magistrat vécut
donc très orthodoxement sans le savoir et fit son salut
incognito. Les jours ordinaires, il ignorait si sa femme
allait ou non à la messe ; les dimanches, par une condes-
cendance assez naturelle, il l'accompagnait à l'église,
comme pour lui tenir compte de ce qu'elle lui sacrifiait
quelquefois les vêpres ; il ne put tout d'abord reconnaître
la rigidité des mœurs religieuses de sa femme. Les spectacles étant insupportables en été à cause des chaleurs,
Granville n'eut pas même l'occasion d'une pièce à succès
pour proposer à sa femme de la mener à la comédie ; ainsi
la grave question du théâtre ne fut pas agitée. Enfin, dans
les premiers moments d'un mariage auquel un homme a
été déterminé par la beauté d'une jeune fille, il lui est
difficile de se montrer exigeant dans ses plaisirs. La
jeunesse est plus gourmande que friande, et d'ailleurs la
possession seule est un charme. Comment reconnaî-
trait-on la froideur, la dignité ou la réserve d'une femme
quand on lui prête l'exaltation que l'on sent, quand elle se
colore du feu dont on est animé ? Il faut arriver à une
certaine tranquillité conjugale pour voir qu'une dévote
attend l'amour les bras croisés. Granville se crut donc
assez heureux jusqu'au moment où un événement funeste
vint influer sur les destinées de son mariage. Au mois de
novembre 1808, le chanoine de la cathédrale de Bayeux,
qui jadis dirigeait les consciences de Mme Bontems et de
sa fille, vint à Paris, amené par l'ambition de parvenir à
l'une des cures de la capitale, poste qu'il envisageait
peut-être comme le marchepied d'un évêché. En ressai-
sissant son ancien empire sur son ouaille, il frémit de la
trouver déjà si changée par l'air de Paris et voulut la
ramener dans son froid bercail. Effrayée par les remontrances de l'ex-chanoine, homme de trente-huit ans environ, qui apportait au milieu du clergé de Paris, si

tolérant et si éclairé, cette âpreté du catholicisme provincial, cette inflexible bigoterie dont les exigences multipliées sont autant de liens pour les âmes timorées, Mme de Granville fit pénitence et revint à son jansénisme. Il serait fatigant de peindre avec exactitude les incidents qui amenèrent insensiblement le malheur au sein de ce ménage, il suffira peut-être de raconter les principaux faits sans les ranger scrupuleusement par époque et par ordre. Cependant, la première mésintelligence de ces jeunes époux fut assez frappante. Quand Granville conduisit sa femme dans le monde, elle ne refusa pas d'aller aux réunions graves, aux dîners, aux concerts, aux assemblées des magistrats placés au-dessus de son mari par la hiérarchie judiciaire ; mais elle sut, pendant quelque temps, prétexter des migraines toutes les fois qu'il s'agissait d'un bal. Un jour, Granville, impatienté de ces indispositions de commande, supprima la lettre qui annonçait un bal chez un conseiller d'État, il trompa sa femme par une invitation verbale, et dans une soirée où sa santé n'avait rien d'équivoque, il la produisit au milieu d'une fête magnifique.

« Ma chère, lui dit-il au retour en lui voyant un air triste qui l'offensa, votre condition de femme, le rang que vous occupez dans le monde et la fortune dont vous jouissez vous imposent des obligations qu'aucune loi divine ne saurait abroger. N'êtes-vous pas la gloire de votre mari ? Vous devez donc venir au bal quand j'y vais, et y paraître convenablement.

— Mais, mon ami, qu'avait donc ma toilette de si malheureux ?

— Il s'agit de votre air, ma chère. Quand un jeune homme vous parle et vous aborde, vous devenez si sérieuse, qu'un plaisant pourrait croire à la fragilité de votre vertu. Vous semblez craindre qu'un sourire ne vous compromette. Vous aviez vraiment l'air de demander à Dieu le pardon des péchés qui pouvaient se commettre autour de vous. Le monde, mon cher ange, n'est pas un couvent. Mais puisque tu parles de toilette, je t'avouerai que c'est aussi un devoir pour toi de suivre les modes et les usages du monde.

— Voudriez-vous que je montrasse mes formes comme ces femmes effrontées qui se décollettent de manière à laisser plonger des regards impudiques sur leurs épaules nues, sur...

— Il y a de la différence, ma chère, dit le substitut en l'interrompant, entre découvrir tout le buste et donner de la grâce à son corsage. Vous avez un triple rang de ruches de tulle qui vous enveloppent le cou jusqu'au menton. Il semble que vous ayez sollicité votre couturière d'ôter toute forme gracieuse à vos épaules et aux contours de votre sein avec autant de soin qu'une coquette en met à obtenir de la sienne des robes qui dessinent les formes les plus secrètes. Votre buste est enseveli sous des plis si nombreux que tout le monde se moquait de votre réserve affectée. Vous souffririez si je vous répétais les discours saugrenus que l'on a tenus sur vous.

— Ceux à qui ces obscénités plaisent ne seront pas chargés du poids de nos fautes, répondit sèchement la jeune femme.

— Vous n'avez pas dansé, demanda Granville.

— Je ne danserai jamais, répliqua-t-elle.

— Si je vous disais que vous devez danser, reprit vivement le magistrat. Oui, vous devez suivre les modes, porter des fleurs dans vos cheveux, mettre des diamants. Songez donc, ma belle, que les gens riches, et nous le sommes, sont obligés d'entretenir le luxe dans un État! Ne vaut-il pas mieux faire prospérer les manufactures que de répandre son argent en aumônes par les mains du clergé?

— Vous parlez en homme d'État, dit Angélique.

— Et vous en homme d'Église», répondit-il vivement.

La discussion devint très aigre. Mme de Granville mit dans ses réponses, toujours douces et prononcées d'un son de voix aussi clair que celui d'une sonnette d'église, un entêtement qui trahissait une influence sacerdotale. Quand, en réclamant les droits que lui constituait la promesse de Granville, elle dit que son confesseur lui défendait spécialement d'aller au bal, le magistrat essaya de lui prouver que ce prêtre outrepassait les règlements de l'Église. Cette dispute odieuse, théologique, fut renouvelée avec beaucoup plus de violence et d'aigreur de part et d'autre quand Granville voulut mener sa femme au spectacle. Enfin, le magistrat, dans le seul but de battre en brèche la pernicieuse influence exercée sur sa femme par l'ex-chanoine, engagea la querelle de manière à ce que Mme de Granville, mise au défi, écrivît en cour de Rome sur la question de savoir si une femme pouvait, sans compromettre son salut, se décolleter, aller au bal et au spectacle pour complaire à son mari. La réponse du vénérable Pie VII ne tarda pas, elle condamnait hautement la résistance de la femme, et blâmait le confesseur. Cette lettre, véritable catéchisme conjugal, semblait avoir été dictée par la voix tendre de Fénelon, dont la grâce et la douceur y respiraient. « Une femme est bien partout où la conduit son époux. Si elle commet des péchés par son ordre, ce ne sera pas à elle à en répondre un jour. » Ces deux passages de l'homélie du pape le firent accuser d'irréligion par Mme de Granville et par son confesseur. Mais avant que le bref n'arrivât, le substitut s'aperçut de la stricte observance des lois ecclésiastiques que sa femme lui imposait les jours maigres, et il ordonna à ses gens de lui servir du gras pendant toute l'année. Quelque déplaisir que cet ordre causât à sa femme, Granville, qui du gras et du maigre se souciait fort peu, le maintint avec une fermeté virile. La plus faible créature pensante n'est-elle pas blessée dans ce qu'elle a de plus cher quand elle accomplit par l'instigation d'une autre volonté que la sienne une chose qu'elle eût naturellement faite ? De toutes les tyrannies, la plus odieuse est celle qui ôte perpétuellement à l'âme le mérite de ses actions et de ses pensées : on abdique sans avoir régné. La parole la plus douce à prononcer, le sentiment le plus doux à exprimer, expirent quand nous les croyons commandés. Bientôt le jeune magistrat en arriva à renoncer à recevoir ses amis, à donner une fête ou un dîner : sa maison semblait s'être couverte d'un crêpe. Une maison dont la maîtresse est dévote prend un aspect tout particulier. Les domestiques, toujours placés sous la surveillance de la femme, ne sont choisis que parmi ces personnes soi-disant pieuses qui ont

des figures à elles. De même que le garçon le plus jovial
entré dans la gendarmerie aura le visage gendarme, de
même les gens qui s'adonnent aux pratiques de la dévotion contractent un caractère de physionomie uniforme ;
l'habitude de baisser les yeux, de garder une attitude de
componction, les revêt d'une livrée hypocrite que les
fourbes savent prendre à merveille. Puis, les dévotes
forment une sorte de république, elles se connaissent
toutes ; les domestiques, qu'elles se recommandent les
unes aux autres, sont comme une race à part conservée
par elles à l'instar de ces amateurs de chevaux qui n'en
admettent pas un dans leurs écuries dont l'extrait de
naissance ne soit en règle. Plus les prétendus impies
viennent à examiner une maison dévote, plus ils recon-
naissent alors que tout y est empreint de je ne sais quelle
disgrâce : ils y trouvent tout à la fois une apparence
d'avarice ou de mystère comme chez les usuriers, et cette
humidité parfumée d'encens qui refroidit l'atmosphère
des chapelles. Cette régularité mesquine, cette pauvreté
d'idées que tout trahit, ne s'exprime que par un seul mot,
et ce mot est *bigoterie*. Dans ces sinistres et implacables
maisons, la bigoterie se peint dans les meubles, dans les
gravures, dans les tableaux : le parler y est bigot, le
silence est bigot et les figures sont bigotes. La transfor-
mation des choses et des hommes en bigoterie est un
mystère inexplicable, mais le fait est là. Chacun peut
avoir observé que les bigots ne marchent pas, ne s'asseyent pas, ne parlent pas comme marchent, s'asseyent et
parlent les gens du monde ; chez eux l'on est gêné, chez
eux l'on ne rit pas, chez eux la raideur, la symétrie
règnent en tout, depuis le bonnet de la maîtresse de la
maison jusqu'à sa pelote aux épingles ; les regards n'y
sont pas francs, les gens y semblent des ombres, et la
dame du logis paraît assise sur un trône de glace. Un
matin, le pauvre Granville remarqua avec douleur et
tristesse tous les symptômes de la bigoterie dans sa maison. Il se rencontre de par le monde certaines sociétés où
les mêmes effets existent sans être produits par les mêmes
causes. L'ennui trace autour de ces maisons malheureu-
ses un cercle d'airain qui renferme l'horreur du désert et

l'infini du vide. Un ménage n'est pas alors un tombeau,
mais quelque chose de pire, un couvent. Au sein de cette
sphère glaciale, le magistrat considéra sa femme sans
passion : il remarqua, non sans une vive peine, l'étroitesse d'idées que trahissait la manière dont les cheveux
étaient implantés sur le front bas et légèrement creusé ; il
aperçut dans la régularité si parfaite des traits du visage je
ne sais quoi d'arrêté, de rigide qui lui rendit bientôt
haïssable la feinte douceur par laquelle il fut séduit. Il
devina qu'un jour ces lèvres minces pourraient lui dire,
un malheur arrivant : « C'est pour ton bien, mon ami. » La
figure de Mme de Granville prit une teinte blafarde, une
expression sérieuse qui tuait la joie chez ceux qui l'ap-
prochaient. Ce changement fut-il opéré par les habitudes
ascétiques d'une dévotion qui n'est pas plus la piété que
l'avarice n'est l'économie, était-il produit par la sécheresse naturelle aux âmes bigotes ? il serait difficile de
prononcer : la beauté sans expression est peut-être une
imposture. L'imperturbable sourire que la jeune femme
fit contracter à son visage en regardant Granville paraissait être chez elle une formule jésuitique de bonheur par
laquelle elle croyait satisfaire à toutes les exigences du
mariage ; sa charité blessait, sa beauté sans passion semblait une monstruosité à ceux qui la connaissaient, et la
plus douce de ses paroles impatientait ; elle n'obéissait
pas à des sentiments, mais à des devoirs. Il est des défauts
qui, chez une femme, peuvent céder aux leçons fortes
données par l'expérience ou par un mari, mais rien ne
peut combattre la tyrannie des fausses idées religieuses.
Une éternité bienheureuse à conquérir, mise en balance
avec un plaisir mondain, triomphe de tout et fait tout
supporter. N'est-ce pas l'égoïsme divinisé, le *moi* par-
delà le tombeau ? Aussi le pape fut-il condamné au tribunal de l'infaillible chanoine et de la jeune dévote. Ne pas
avoir tort est un des sentiments qui remplacent tous les
autres chez ces âmes despotiques. Depuis quelque temps,
il s'était établi un secret combat entre les idées des deux
époux, et le jeune magistrat se fatigua bientôt d'une lutte
qui ne devait jamais cesser. Quel homme, quel caractère
résiste à la vue d'un visage amoureusement hypocrite, et

à une remontrance catégorique opposée aux moindres
volontés ? Quel parti prendre contre une femme qui se sert
de votre passion pour protéger son insensibilité, qui semble résolue à rester doucement inexorable, se prépare à
jouer le rôle de victime avec délices, et regarde un mari
comme un instrument de Dieu, comme un mal dont les
flagellations lui évitent celles du Purgatoire ? Quelles sont
les peintures par lesquelles on pourrait donner l'idée de
ces femmes qui font haïr la vertu en outrant les plus doux
préceptes d'une religion que saint Jean résumait par :
Aimez-vous les uns les autres ? Existait-il dans un magasin de modes un seul chapeau condamné à rester en
étalage ou à partir pour les îles, Granville était sûr de voir
sa femme s'en parer ; s'il se fabriquait une étoffe d'une
couleur ou d'un dessin malheureux, elle s'en affublait.
Ces pauvres dévotes sont désespérantes dans leur toilette.
Le manque de goût est un des défauts qui sont insépara-
bles de la fausse dévotion. Ainsi, dans cette intime existence qui veut le plus d'expansion, Granville fut sans
compagne : il alla seul dans le monde, dans les fêtes, au
spectacle. Rien chez lui ne sympathisait avec lui. Un
grand crucifix placé entre le lit de sa femme et le sien était
là comme le symbole de sa destinée. Ne représente-t-il
pas une divinité mise à mort, un homme-dieu tué dans
toute la beauté de la vie et de la jeunesse ? L'ivoire de
cette croix avait moins de froideur qu'Angélique cruci-
fiant son mari au nom de la vertu. Ce fut entre leurs deux
lits que naquit le malheur : cette jeune femme ne voyait là
que des devoirs dans les plaisirs de l'hyménée. Là, par un
mercredi des cendres, se leva l'observance des jeûnes,
pâle et livide figure qui d'une voix brève ordonna un
carême complet, sans que Granville jugeât convenable
d'écrire cette fois au pape, afin d'avoir l'avis du consis-
toire sur la manière d'observer le carême, les quatre-
temps et les veilles de grandes fêtes. Le malheur du jeune
magistrat fut immense, il ne pouvait même pas se plaindre, qu'avait-il à dire ? il possédait une femme jeune,
jolie, attachée à ses devoirs, vertueuse, le modèle de
toutes les vertus ! elle accouchait chaque année d'un enfant, les nourrissait tous elle-même et les élevait dans les

meilleurs principes. La charitable Angélique fut promue ange. Les vieilles femmes qui composaient la société au sein de laquelle elle vivait (car à cette époque les jeunes femmes ne s'étaient pas encore avisées de se lancer par ton dans la haute dévotion), admirèrent toutes le dévouement de Mme de Granville, et la regardèrent, sinon comme une vierge, au moins comme une martyre. Elles accusèrent, non pas les scrupules de la femme, mais la barbarie procréatrice du mari. Insensiblement, Granville, accablé de travail, sevré de plaisirs et fatigué du monde où il errait solitaire, tomba vers trente-deux ans dans le plus affreux marasme. La vie lui fut odieuse. Ayant une trop haute idée des obligations que lui imposait sa place pour donner l'exemple d'une vie irrégulière, il essaya de s'étourdir par le travail, et entreprit alors un grand ouvrage sur le droit. Mais il ne jouit pas longtemps de cette tranquillité monastique sur laquelle il comptait. Lorsque la divine Angélique le vit désertant les fêtes du monde et travaillant chez lui avec une sorte de régularité, elle essaya de le convertir. Un véritable chagrin pour elle était de savoir à son mari des opinions peu chrétiennes, elle pleurait quelquefois en pensant que si son époux venait à périr, il mourrait dans l'impénitence finale, sans que jamais elle pût espérer de l'arracher aux flammes éternelles de l'Enfer. Granville fut donc en butte aux petites idées, aux raisonnements vides, aux étroites pensées par lesquels sa femme, qui croyait avoir remporté une première victoire, voulut essayer d'en obtenir une seconde en le ramenant dans le giron de l'Église. Ce fut là le dernier coup. Quoi de plus affligeant que ces luttes sourdes où l'entêtement des dévotes voulait l'emporter sur la dialectique d'un magistrat? Quoi de plus effrayant à peindre que ces aigres pointilleries auxquelles les gens passionnés préfèrent des coups de poignard? Granville déserta sa maison, où tout lui devenait insupportable : ses enfants, courbés sous le despotisme froid de leur mère, n'osaient suivre leur père au spectacle, et Granville ne pouvait leur procurer aucun plaisir sans leur attirer des punitions de leur terrible mère. Cet homme si aimant fut amené à une indifférence, à un égoïsme pire que la mort.

Il sauva du moins ses fils de cet enfer en les mettant de
bonne heure au collège, et se réservant le droit de les
diriger. Il intervenait rarement entre la mère et les filles;
mais il résolut de les marier aussitôt qu'elles atteindraient
l'âge de nubilité. S'il eût voulu prendre un parti violent,
rien ne l'aurait justifié : sa femme, appuyée par un formidable cortège de douairières, l'aurait fait condamner par
la terre entière. Granville n'eut donc d'autre ressource
que de vivre dans un isolement complet; mais courbé
sous la tyrannie du malheur, ses traits flétris par le chagrin et par les travaux lui déplaisaient à lui-même. Enfin,
ses liaisons, son commerce avec les femmes du monde,
auprès desquelles il désespéra de trouver des consola-
tions, il les redoutait.

L'histoire didactique de ce triste ménage n'offrit, pendant les quinze années qui s'écoulèrent de 1806 à 1821,
aucune scène digne d'être rapportée. Mme de Granville
resta exactement la même du moment où elle perdit le
cœur de son mari que pendant les jours où elle se disait
heureuse. Elle fit des neuvaines pour prier Dieu et les
saints de l'éclairer sur les défauts qui déplaisaient à son
époux et de lui enseigner les moyens de ramener la brebis
égarée; mais plus ses prières avaient de ferveur, moins
Granville paraissait au logis. Depuis cinq ans environ,
l'avocat général, à qui la Restauration donna de hautes
fonctions dans la magistrature, s'était logé à l'entresol de
son hôtel, pour éviter de vivre avec la comtesse de Granville. Chaque matin il se passait une scène qui, s'il faut en
croire les médisances du monde, se répète au sein de plus
d'un ménage, où elle est produite par certaines incompa-
tibilités d'humeur, par des maladies morales ou physi-
ques, ou par des travers qui conduisent bien des mariages
aux malheurs retracés dans cette histoire. Sur les huit
heures du matin, une femme de chambre, assez semblable à une religieuse, venait sonner à l'appartement du
comte de Granville. Introduite dans le salon qui précédait
le cabinet du magistrat, elle redisait au valet de chambre,
et toujours du même ton, le message de la veille. « Madame fait demander à monsieur le comte s'il a bien passé
la nuit, et si elle aura le plaisir de déjeuner avec lui.

— Monsieur, répondait le valet de chambre après être allé parler à son maître, présente ses hommages à madame la comtesse, et la prie d'agréer ses excuses; une affaire importante l'oblige à se rendre au Palais. » Un instant après, la femme de chambre se présentait de nouveau, et demandait de la part de Madame si elle aurait le bonheur de voir monsieur le comte avant son départ. «Il est parti», répondait le valet, tandis que souvent le cabriolet était encore dans la cour. Ce dialogue par ambassadeur devint un cérémonial quotidien. Le valet de chambre de Granville, qui, favori de son maître, causa plus d'une querelle dans le ménage par son irréligion et par le relâchement de ses mœurs, se rendait même quelquefois par forme dans le cabinet où son maître n'était pas, et revenait faire les réponses d'usage. L'épouse affligée guettait toujours le retour de son mari, se mettait sur le perron afin de se trouver sur son passage et arriver devant lui comme un remords. La taquinerie vétilleuse qui anime les caractères monastiques faisait le fond de celui de Mme de Granville, qui, alors âgée de trente-cinq ans, paraissait en avoir quarante. Quand, obligé par le décorum, Granville adressait la parole à sa femme ou restait à dîner au logis, heureuse de lui imposer sa présence, ses discours aigres-doux et l'insupportable ennui de sa société bigote, elle essayait alors de le mettre en faute devant ses gens et ses charitables amies. La présidence d'une Cour royale fut offerte au comte de Granville, en ce moment très bien en cour, il pria le ministère de le laisser à Paris. Ce refus, dont les raisons ne furent connues que du garde des Sceaux, suggéra les plus bizarres conjectures aux intimes amies et au confesseur de la comtesse. Granville, riche de cent mille livres de rente, appartenait à l'une des meilleures maisons de la Normandie; sa nomination à une présidence était un échelon pour arriver à la pairie; d'où venait ce peu d'ambition? d'où venait l'abandon de son grand ouvrage sur le droit? d'où venait cette dissipation qui, depuis près de six années, l'avait rendu étranger à sa maison, à sa famille, à ses travaux, à tout ce qui devait lui être cher? Le confesseur de la comtesse, qui pour parvenir à un évêché comptait

autant sur l'appui des maisons où il régnait que sur les
services rendus à une congrégation [44] de laquelle il fut
l'un des plus ardents propagateurs, se trouva désappointé
par le refus de Granville et tâcha de le calomnier par des
suppositions : si monsieur le comte avait tant de répugnance pour la province, peut-être s'effrayait-il de la
nécessité où il serait d'y mener une conduite régulière ?
forcé de donner l'exemple des bonnes mœurs, il vivrait
avec la comtesse, de laquelle une passion illicite pouvait
seule l'éloigner ? une femme aussi pure que Mme de
Granville reconnaîtrait-elle jamais les dérangements sur-
venus dans la conduite de son mari ?... Les bonnes amies
transformèrent en vérités ces paroles qui malheureusement n'étaient pas des hypothèses, et Mme de Granville
fut frappée comme d'un coup de foudre. Sans idées sur
les mœurs du grand monde, ignorant l'amour et ses folies, Angélique était si loin de penser que le mariage pût
comporter des incidents différents de ceux qui lui aliénè-
rent le cœur de Granville qu'elle le crut incapable de
fautes qui pour toutes les femmes sont des crimes. Quand
le comte ne réclama plus rien d'elle, elle avait imaginé
que le calme dont il paraissait jouir était dans la nature ;
enfin, comme elle lui avait donné tout ce que son cœur
pouvait renfermer d'affection pour un homme, et que les
conjectures de son confesseur ruinaient complètement les
illusions dont elle s'était nourrie jusqu'en ce moment,
elle prit la défense de son mari, mais sans pouvoir détruire un soupçon si habilement glissé dans son âme. Ces
appréhensions causèrent de tels ravages dans sa faible tête
qu'elle en tomba malade, et devint la proie d'une fièvre
lente. Ces événements se passaient pendant le carême de
l'année 1822, elle ne voulut pas consentir à cesser ses
austérités, et arriva lentement à un état de consomption
qui fit trembler pour ses jours. Les regards indifférents de
Granville la tuaient. Les soins et les attentions du magistrat ressemblaient à ceux qu'un neveu s'efforce de prodiguer à un vieil oncle. Quoique la comtesse eût renoncé à
son système de taquinerie et de remontrances et qu'elle
essayât d'accueillir son mari par de douces paroles, l'aigreur de la dévote perçait et détruisait souvent par un mot

l'ouvrage d'une semaine. Vers la fin du mois de mai, les
chaudes haleines du printemps, un régime plus nourris-
sant que celui du carême rendirent quelques forces à
Mme de Granville. Un matin, au retour de la messe, elle
vint s'asseoir dans son petit jardin sur un banc de pierre
où les caresses du soleil lui rappelèrent les premiers jours
de son mariage, elle embrassa sa vie d'un coup d'œil afin
de voir en quoi elle avait pu manquer à ses devoirs de
mère et d'épouse. L'abbé Fontanon apparut alors dans
une agitation difficile à décrire.

« Vous serait-il arrivé quelque malheur, mon père ? lui
demanda-t-elle avec une filiale sollicitude.

— Ah ! je voudrais, répondit le prêtre normand, que
toutes les infortunes dont vous afflige la main de Dieu me
fussent départies ; mais, ma respectable amie, c'est des
épreuves auxquelles il faut savoir vous soumettre.

— Eh ! peut-il m'arriver des châtiments plus grands
que ceux par lesquels sa providence m'accable en se
servant de mon mari comme d'un instrument de colère ?

— Préparez-vous, ma fille, à plus de mal encore que
nous n'en supposions jadis avec vos pieuses amies.

— Je dois alors remercier Dieu, répondit la comtesse,
de ce qu'il daigne se servir de vous pour me transmettre
ses volontés, plaçant ainsi, comme toujours, les trésors
de sa miséricorde auprès des fléaux de sa colère, comme
jadis en bannissant Agar [45] il lui découvrait une source
dans le désert.

— Il a mesuré vos peines à la force de votre résignation et au poids de vos fautes.

— Parlez, je suis prête à tout entendre. » A ces mots,
la comtesse leva les yeux au ciel, et ajouta : « Parlez,
monsieur Fontanon.

— Depuis sept ans, M. de Granville commet le péché
d'adultère avec une concubine de laquelle il a deux enfants, et il a dissipé pour ce ménage adultérin plus de cinq
cent mille francs qui devraient appartenir à sa famille
légitime.

— Il faudrait que je le visse de mes propres yeux, dit
la comtesse.

— Gardez-vous-en bien, s'écria l'abbé. Vous devez

pardonner, ma fille, et attendre, dans la prière, que Dieu éclaire votre époux, à moins d'employer contre lui les moyens que vous offrent les lois humaines. »

La longue conversation que l'abbé Fontanon eut alors avec sa pénitente produisit un changement violent dans la comtesse ; elle le congédia, se montra la figure presque colorée à ses gens, qui furent effrayés de son activité de folle : elle commanda d'atteler ses chevaux, les décommanda, changea d'avis vingt fois dans la même heure ; mais enfin, comme si elle eût pris une grande résolution, elle partit sur les trois heures, laissant sa maison étonnée d'une si subite révolution.

« Monsieur doit-il revenir dîner, avait-elle demandé au valet de chambre à qui elle ne parlait jamais.

— Non, madame.

— L'avez-vous conduit au Palais ce matin ?

— Oui, madame.

— N'est-ce pas aujourd'hui lundi ?

— Oui, madame.

— On va donc maintenant au Palais le lundi. »

« Que le diable t'emporte ! » s'écria le valet en voyant partir sa maîtresse, qui dit au cocher : « Rue Taitbout. »

Mlle de Bellefeuille pleurait ; auprès d'elle, Roger tenait une des mains de son amie entre les siennes, gardait le silence, et regardait tour à tour le petit Charles qui, ne comprenant rien au deuil de sa mère, restait muet en la voyant pleurer, et le berceau où dormait Eugénie, et le visage de Caroline sur lequel la tristesse ressemblait à une pluie tombant à travers les rayons d'un joyeux soleil.

« Eh bien, oui, mon ange, dit Roger après un long silence, voilà le grand secret, je suis marié. Mais un jour, je l'espère, nous ne ferons qu'une même famille. Ma femme est depuis le mois de mars dans un état désespéré : je ne souhaite pas sa mort ; mais, s'il plaît à Dieu de l'appeler à lui, je crois qu'elle sera plus heureuse dans le Paradis qu'au milieu d'un monde dont les peines ni les plaisirs ne l'affectent.

— Combien je hais cette femme ! Comment a-t-elle pu te rendre malheureux ? Cependant c'est à ce malheur que je dois ma félicité. »

Ses larmes se séchèrent tout à coup.

« Caroline, espérons, s'écria Roger en prenant un baiser. Ne t'effraie pas de ce qu'a pu dire cet abbé. Quoique ce confesseur de ma femme soit un homme redoutable par son influence dans la Congrégation, s'il essayait de troubler notre bonheur, je saurais prendre un parti...

— Que ferais-tu ?

— Nous irions en Italie, je fuirais... »

Un cri, jeté dans le salon voisin, fit à la fois frissonner Roger et trembler Mlle de Bellefeuille, qui se précipitèrent dans le salon et y trouvèrent la comtesse évanouie. Quand Mme de Granville reprit ses sens, elle soupira profondément en se voyant entre le comte et sa rivale, qu'elle repoussa par un geste involontaire plein de mépris.

Mlle de Bellefeuille se leva pour se retirer.

« Vous êtes chez vous, madame, restez », dit Granville en arrêtant Caroline par le bras.

Le magistrat saisit sa femme mourante, la porta jusqu'à sa voiture, et y monta près d'elle.

« Qui donc a pu vous amener à désirer ma mort, à me fuir, demanda la comtesse d'une voix faible en contemplant son mari avec autant d'indignation que de douleur. N'étais-je pas jeune, vous m'avez trouvée belle, qu'avez-vous à me reprocher ? Vous ai-je trompé, n'ai-je pas été une épouse vertueuse et sage ? Mon cœur n'a conservé que votre image, mes oreilles n'ont entendu que votre voix. A quel devoir ai-je manqué, que vous ai-je refusé ?

— Le bonheur, répondit le comte d'une voix ferme. Vous le savez, madame, il est deux manières de servir Dieu. Certains chrétiens s'imaginent qu'en entrant à des heures fixes dans une église pour y dire des *Pater noster*, en y entendant régulièrement la messe et s'abstenant de tout péché, ils gagneront le Ciel ; ceux-là, madame, vont en Enfer, ils n'ont point aimé Dieu pour lui-même, ils ne l'ont point adoré comme il veut l'être, ils ne lui ont fait aucun sacrifice. Quoique doux en apparence, ils sont durs à leur prochain ; ils voient la règle, la lettre, et non l'esprit. Voilà comme vous en avez agi avec votre époux terrestre. Vous avez sacrifié mon bonheur à votre salut, vous étiez en prières quand j'arrivais à vous le cœur joyeux, vous pleuriez quand vous deviez égayer mes travaux, vous n'avez su satisfaire à aucune exigence de mes plaisirs.

— Et s'ils étaient criminels, s'écria la comtesse avec feu, fallait-il donc perdre mon âme pour vous plaire?

— C'eût été un sacrifice qu'une autre plus aimante a eu le courage de me faire, dit froidement Granville.

— O mon Dieu, s'écria-t-elle en pleurant, tu l'entends! Était-il digne des prières et des austérités au milieu desquelles je me suis consumée pour racheter ses fautes et les miennes? A quoi sert la vertu?

— A gagner le Ciel, ma chère. On ne peut être à la fois l'épouse d'un homme et celle de Jésus-Christ, il y aurait bigamie: il faut savoir opter entre un mari et un couvent. Vous avez dépouillé votre âme au profit de l'avenir, de tout l'amour, de tout le dévouement que Dieu vous ordonnait d'avoir pour moi, et vous n'avez gardé au monde que des sentiments de haine...

— Ne vous ai-je donc point aimé? demanda-t-elle.

— Non, madame.

— Qu'est-ce donc que l'amour? demanda involontairement la comtesse.

— L'amour, ma chère, répondit Granville avec une sorte de surprise ironique, vous n'êtes pas en état de le comprendre. Le ciel froid de la Normandie ne peut pas être celui de l'Espagne. Sans doute la question des climats est le secret de notre malheur. Se plier à nos caprices, les deviner, trouver des plaisirs dans une douleur, nous sacrifier l'opinion du monde, l'amour-propre, la religion même, et ne regarder ces offrandes que comme des grains d'encens brûlés en l'honneur de l'idole, voilà l'amour...

— L'amour des filles de l'Opéra, dit la comtesse avec horreur. De tels feux doivent être peu durables, et ne vous laisser bientôt que des cendres ou des charbons, des regrets ou du désespoir. Une épouse, monsieur, doit vous offrir, à mon sens, une amitié vraie, une chaleur égale, et...

— Vous parlez de chaleur comme les nègres parlent

de la glace, répondit le comte avec un sourire sardonique. Songez que la plus humble de toutes les pâquerettes est plus séduisante que la plus orgueilleuse et la plus brillante des épines-roses qui nous attirent au printemps par leurs pénétrants parfums et leurs vives couleurs. D'ailleurs, ajouta-t-il, je vous rends justice. Vous vous êtes si bien tenue dans la ligne du devoir apparent prescrit par la loi que, pour vous démontrer en quoi vous avez failli à mon égard, il faudrait entrer dans certains détails que votre dignité ne saurait supporter, et vous instruire de choses qui vous sembleraient le renversement de toute morale.

— Vous osez parler de morale en sortant de la maison où vous avez dissipé la fortune de vos enfants, dans un lieu de débauche, s'écria la comtesse que les réticences de son mari rendirent furieuse.

— Madame, je vous arrête là, dit le comte avec sang-froid en interrompant sa femme. Si Mlle de Bellefeuille est riche, elle ne l'est aux dépens de personne. Mon oncle était maître de sa fortune, il avait plusieurs héritiers ; de son vivant et par pure amitié pour celle qu'il considérait comme une nièce, il lui a donné sa terre de Bellefeuille. Quant au reste, je le tiens de ses libéralités...

— Cette conduite est digne d'un jacobin, s'écria la pieuse Angélique.

— Madame, vous oubliez que votre père fut un de ces jabobins que vous, femme, condamnez avec si peu de charité, dit sévèrement le comte. Le citoyen Bontems a signé des arrêts de mort dans le temps où mon oncle n'a rendu que des services à la France. »

Mme de Granville se tut. Mais, après un moment de silence, le souvenir de ce qu'elle venait de voir réveillant dans son âme une jalousie que rien ne saurait éteindre dans le cœur d'une femme, elle dit à voix basse et comme si elle se parlait à elle-même : « Peut-on perdre ainsi son âme et celle des autres ! »

— Eh ! madame, reprit le comte fatigué de cette conversation, peut-être est-ce vous qui répondrez un jour de tout ceci. » Cette parole fit trembler la comtesse. « Vous serez sans doute excusée aux yeux du juge indul-

gent qui appréciera nos fautes, dit-il, par la bonne foi
avec laquelle vous avez accompli mon malheur. Je ne
vous hais point, je hais les gens qui ont faussé votre cœur
et votre raison. Vous avez prié pour moi, comme Mlle de
Bellefeuille m'a donné son cœur et m'a comblé d'amour.
Vous deviez être tour à tour et ma maîtresse et la sainte
priant au pied des autels. Rendez-moi cette justice
d'avouer que je ne suis ni pervers ni débauché. Mes
mœurs sont pures. Hélas! au bout de sept années de
douleur, le besoin d'être heureux m'a, par une pente
insensible, conduit à aimer une autre femme que vous, à
me créer une autre famille que la mienne. Ne croyez pas
d'ailleurs que je sois le seul : il existe dans cette ville des
milliers de maris amenés tous par des causes diverses à
cette double existence.

— Grand Dieu! s'écria la comtesse, combien ma croix
est devenue lourde à porter. Si l'époux que tu m'as
imposé dans ta colère ne peut trouver ici-bas de félicité
que par ma mort, rappelle-moi dans ton sein.

— Si vous aviez eu toujours de si admirables sentiments et ce dévouement, nous serions encore heureux, dit
froidement le comte [46].

— Eh bien! reprit Angélique en versant un torrent de
larmes, pardonnez-moi si j'ai pu commettre des fautes!
Oui, monsieur, je suis prête à vous obéir en tout, certaine
que vous ne désirerez rien que de juste et de naturel : je
serai désormais tout ce que vous voudrez que soit une
épouse.

— Madame, si votre intention est de me faire dire que
je ne vous aime plus, j'aurai l'affreux courage de vous
éclairer. Puis-je commander à mon cœur, puis-je effacer
en un instant les souvenirs de quinze années de douleur?
Je n'aime plus. Ces paroles enferment un mystère tout
aussi profond que celui contenu dans le mot j'aime.
L'estime, la considération, les égards s'obtiennent, dis-
paraissent, reviennent; mais quant à l'amour, je me prê-
cherais mille ans que je ne le ferais pas renaître, surtout
pour une femme qui s'est vieillie à plaisir.

— Ah! monsieur le comte, je désire bien sincèrement
que ces paroles ne vous soient pas prononcées un jour par

celle que vous aimez, avec le ton et l'accent que vous y
mettez...

— Voulez-vous porter ce soir une robe à la grecque et
venir à l'Opéra?»

Le frisson que cette demande causa soudain à la comtesse fut une muette réponse.

Dans les premiers jours du mois de décembre 1833 [47],
un homme dont les cheveux entièrement blanchis et la
physionomie semblaient annoncer qu'il était plutôt vieilli
par les chagrins que par les années, car il paraissait avoir
environ soixante ans, passait à minuit par la rue de Gaillon. Arrivé devant une maison de peu d'apparence et
haute de deux étages, il s'arrêta pour y examiner une des
fenêtres élevées en mansarde à des distances égales au
milieu de la toiture. Une faible lueur colorait à peine cette
humble croisée, dont quelques-uns des carreaux avaient
été remplacés par du papier. Le passant regardait cette
clarté vacillante avec l'indéfinissable curiosité des flâneurs parisiens, lorsqu'un jeune homme sortit tout à coup
de la maison. Comme les pâles rayons du réverbère
frappaient la figure du curieux, il ne paraîtra pas étonnant
que, malgré la nuit, le jeune homme s'avançât vers le
passant avec ces précautions dont on use à Paris quand on
craint de se tromper en rencontrant une personne de
connaissance.

«Hé quoi, s'écria-t-il, c'est vous, monsieur le président, seul, à pied, à cette heure, et si loin de la rue
Saint-Lazare! Permettez-moi d'avoir l'honneur de vous
offrir le bras. Le pavé, ce matin, est si glissant que, si
nous ne nous soutenions pas l'un l'autre, dit-il afin de
ménager l'amour-propre du vieillard, il nous serait bien
difficile d'éviter une chute.

— Mais, mon cher monsieur, je n'ai encore que cin-
quante-cinq ans, malheureusement pour moi, répondit le
comte de Granville. Un médecin aussi célèbre que vous
l'êtes doit savoir qu'à cet âge un homme est dans toute sa
force.

— Vous êtes donc alors en bonne fortune, reprit Horace Bianchon [48]. Vous n'avez pas, je pense, l'habitude d'aller à pied dans Paris. Quand on a d'aussi beaux chevaux que les vôtres...

— Mais la plupart du temps, répondit le comte de Granville, quand je ne vais pas dans le monde, je reviens du Palais-Royal ou du cercle des Étrangers à pied.

— Et en portant sans doute sur vous de fortes sommes, s'écria le docteur. N'est-ce pas appeler le poignard des assassins ?

— Je ne crains pas ceux-là, répliqua le comte de Granville d'un air triste et insouciant.

— Mais du moins l'on ne s'arrête pas, reprit le médecin en entraînant le magistrat vers le boulevard. Encore un peu, je croirais que vous voulez me voler votre dernière maladie et mourir d'une autre main que de la mienne.

— Ah ! vous m'avez surpris faisant de l'espionnage, répondit le comte. Soit que je passe à pied ou en voiture et à telle heure que ce puisse être de la nuit, j'aperçois depuis quelque temps à une fenêtre du troisième étage de la maison d'où vous sortez l'ombre d'une personne qui paraît travailler avec un courage héroïque. » A ces mots le comte fit une pause, comme s'il eût senti quelque douleur soudaine. « J'ai pris pour ce grenier, dit-il en continuant, autant d'intérêt qu'un bourgeois de Paris peut en porter à l'achèvement du Palais-Royal [49].

— Hé bien, s'écria vivement Horace en interrompant le comte, je puis vous...

— Ne me dites rien, répliqua Granville en coupant la parole à son médecin. Je ne donnerais pas un centime pour apprendre si l'ombre qui s'agite sur ces rideaux troués est celle d'un homme ou d'une femme, et si l'habitant de ce grenier est heureux ou malheureux ! Si j'ai été surpris de ne plus voir personne travaillant ce soir, si je me suis arrêté, c'était uniquement pour avoir le plaisir de former des conjectures aussi nombreuses et aussi niaises que le sont celles que les flâneurs forment à l'aspect d'une construction subitement abandonnée. Depuis neuf ans, mon jeune... » Le comte parut hésiter à employer une expression ; mais il fit un geste et s'écria : « Non, je

ne vous appellerai pas mon ami, je déteste tout ce qui
peut ressembler à un sentiment. Depuis neuf ans donc, je
ne m'étonne plus que les vieillards se plaisent tant à
cultiver des fleurs, à planter des arbres; les événements
de la vie leur ont appris à ne plus croire aux affections
humaines; et, en peu de jours, je suis devenu vieillard. Je
ne veux plus m'attacher qu'à des animaux qui ne raison-
nent pas, à des plantes, à tout ce qui est extérieur. Je fais
plus de cas des mouvements de la Taglioni [50] que de tous
les sentiments humains. J'abhorre la vie et un monde où
je suis seul. Rien, rien, ajouta le comte avec une expression qui fit tressaillir le jeune homme, non, rien ne
m'émeut et rien ne m'intéresse.

— Vous avez des enfants?

— Mes enfants! reprit-il avec un singulier accent
d'amertume. Eh bien, l'aînée de mes deux filles n'est-elle
pas comtesse de Vandenesse [51]? Quant à l'autre, le mariage de son aînée lui prépare une belle alliance [52]. Quant
à mes deux fils, n'ont-ils pas très bien réussi? le vicomte,
de procureur général à Limoges [53], a passé premier président à Orléans, et le cadet est ici, procureur du Roi. Mes
enfants ont leurs soins, leurs inquiétudes, leurs affaires.
Si, parmi ces cœurs, un seul se fût entièrement consacré à
moi, s'il eût essayé par son affection de combler le vide
que je sens là, dit-il en frappant sur son sein, eh bien,
celui-là aurait manqué sa vie, il me l'aurait sacrifiée. Et
pourquoi, après tout? pour embellir quelques années
qui me restent, y serait-il parvenu, n'aurais-je pas
peut-être regardé ses soins généreux comme une dette?
Mais...» Ici le vieillard se prit à sourire avec une
profonde ironie. «Mais, docteur, ce n'est pas en vain
que nous leur apprenons l'arithmétique, et ils savent
calculer. En ce moment, ils attendent peut-être ma
succession.

— Oh! monsieur le comte, comment cette idée peut-
elle vous venir, à vous si bon, si obligeant, si humain? En
vérité, si je n'étais pas moi-même une preuve vivante de
cette bienfaisance que vous concevez si belle et si large...

— Pour mon plaisir, reprit vivement le comte. Je paie
une sensation comme je paierais demain d'un monceau

d'or la plus puérile des illusions qui me remuaient le
cœur. Je secours mes semblables pour moi, par la même
raison que je vais au jeu; aussi ne compté-je sur la
reconnaissance de personne. Vous-même, je vous verrais
mourir sans sourciller, et je vous demande le même
sentiment pour moi. Ah! jeune homme, les événements
de la vie ont passé sur mon cœur comme les laves du
Vésuve sur Herculanum : la ville existe, morte.

— Ceux qui ont amené à ce point d'insensibilité une
âme aussi chaleureuse et aussi vivante que l'était la vôtre
sont bien coupables.

— N'ajoutez pas un mot, reprit le comte avec un
sentiment d'horreur.

— Vous avez une maladie que vous devriez me permettre de guérir, dit Bianchon d'un son de voix plein
d'émotion.

— Mais connaissez-vous donc un remède à la mort?
s'écria le comte impatienté.

— Hé bien, monsieur le comte, je gage ranimer ce
cœur que vous croyez si froid.

— Valez-vous Talma? demanda ironiquement le premier président.

— Non, monsieur le comte. Mais la nature est aussi
supérieure à Talma que Talma pouvait m'être supérieur.
Écoutez, le grenier qui vous intéresse est habité par une
femme d'une trentaine d'années, et, chez elle, l'amour va
jusqu'au fanatisme; l'objet de son culte est un jeune
homme d'une jolie figure, mais qu'une mauvaise fée a
doué de tous les vices possibles. Ce garçon est joueur, et
je ne sais ce qu'il aime le mieux des femmes ou du vin; il
a fait, à ma connaissance, des bassesses dignes de la
police correctionnelle. Eh bien, cette malheureuse femme
lui a sacrifié une très belle existence, un homme par qui
elle était adorée, de qui elle avait des enfants. Mais
qu'avez-vous, monsieur le comte?

— Rien, continuez.

— Elle lui a laissé dévorer une fortune entière, elle lui
donnerait, je crois, le monde, si elle le tenait; elle travaille nuit et jour; et souvent elle a vu, sans murmurer, ce
monstre qu'elle adore lui ravir jusqu'à l'argent destiné à

payer les vêtements dont manquent ses enfants, jusqu'à leur nourriture du lendemain. Il y a trois jours, elle a vendu ses cheveux, les plus beaux que j'aie jamais vus : il est venu, elle n'avait pas pu cacher assez promptement la pièce d'or, il l'a demandée ; pour un sourire, pour une caresse, elle a livré le prix de quinze jours de vie et de tranquillité. N'est-ce pas à la fois horrible et sublime ? Mais le travail commence à lui creuser les joues. Les cris de ses enfants lui ont déchiré l'âme, elle est tombée malade, elle gémit en ce moment sur un grabat. Ce soir, elle n'avait rien à manger, et ses enfants n'avaient plus la force de crier, ils se taisaient quand je suis arrivé. »

Horace Bianchon s'arrêta. En ce moment le comte de Granville avait, comme malgré lui, plongé la main dans la poche de son gilet.

« Je devine, mon jeune ami, dit le vieillard, comment elle peut vivre encore, si vous la soignez.

— Ah ! la pauvre créature, s'écria le médecin, qui ne la secourrait pas ? Je voudrais être plus riche, car j'espère la guérir de son amour.

— Mais, reprit le comte en retirant de sa poche la main qu'il y avait mise sans que le médecin la vît pleine des billets que son protecteur semblait y avoir cherchés, comment voulez-vous que je m'apitoie sur une misère dont les plaisirs ne me sembleraient pas payés trop cher par toute ma fortune ! Elle sent, elle vit, cette femme ! Louis XV n'aurait-il pas donné tout son royaume pour pouvoir se relever de son cercueil et avoir trois jours de jeunesse et de vie ? N'est-ce pas là l'histoire d'un milliard de morts, d'un milliard de malades, d'un milliard de vieillards ?

— Pauvre Caroline », s'écria le médecin.

En entendant ce nom, le comte de Granville tressaillit, et saisit le bras du médecin, qui crut se sentir serré par les deux lèvres en fer d'un étau.

« Elle se nomme Caroline Crochard, demanda le président d'un son de voix visiblement altéré.

— Vous la connaissez donc ? répondit le docteur avec étonnement.

— Et le misérable se nomme Solvet... Ah ! vous

m'avez tenu parole, s'écria le président, vous avez agité mon cœur par la plus terrible sensation qu'il éprouvera jusqu'à ce qu'il devienne poussière. Cette émotion est encore un présent de l'Enfer, et je sais toujours comment m'acquitter avec lui. »

En ce moment, le comte et le médecin étaient arrivés au coin de la rue de la Chaussée-d'Antin. Un de ces enfants de la nuit qui, le dos chargé d'une hotte en osier et marchant un crochet à la main, ont été plaisamment nommés, pendant la Révolution, membres du comité des recherches, se trouvait auprès de la borne devant laquelle le président venait de s'arrêter. Ce chiffonnier avait une vieille figure digne de celles que Charlet [54] a immortalisées dans ses caricatures de l'école du balayeur.

« Rencontres-tu souvent des billets de mille francs, lui demanda le comte.

— Quelquefois, notre bourgeois.

— Et les rends-tu ?

— C'est selon la récompense promise…

— Voilà mon homme, s'écria le comte en présentant au chiffonnier un billet de mille francs. Prends ceci, lui dit-il, mais songe que je te le donne à la condition de le dépenser au cabaret, de t'y enivrer, de t'y disputer, de battre ta femme, de crever les yeux à tes amis. Cela fera marcher la garde, les chirurgiens, les pharmaciens ; peut-être les gendarmes, les procureurs du roi, les juges et les geôliers. Ne change rien à ce programme, ou le diable saurait tôt ou tard se venger de toi. »

Il faudrait qu'un même homme possédât à la fois les crayons de Charlet et ceux de Callot, les pinceaux de Téniers et de Rembrandt, pour donner une idée vraie de cette scène nocturne.

« Voilà mon compte soldé avec l'Enfer, et j'ai eu du plaisir pour mon argent, dit le comte d'un son de voix profond en montrant au médecin stupéfait la figure indescriptible du chiffonnier béant. Quant à Caroline Crochard, reprit-il, elle peut mourir dans les horreurs de la faim et de la soif, en entendant les cris déchirants de ses fils mourants, en reconnaissant la bassesse de celui qu'elle aime : je ne donnerais pas un denier pour l'empê-

cher de souffrir, et je ne veux plus vous voir par cela seul
que vous l'avez secourue... »

Le comte laissa Bianchon plus immobile qu'une statue,
et disparut en se dirigeant avec la précipitation d'un jeune
homme vers la rue Saint-Lazare, où il atteignit promptement le petit hôtel qu'il habitait et à la porte duquel il vit
non sans surprise une voiture arrêtée.

« Monsieur le procureur du Roi, dit le valet de chambre
à son maître, est arrivé il y a une heure pour parler à
Monsieur, et l'attend dans sa chambre à coucher. »

Granville fit signe à son domestique de se retirer.

« Quel motif assez important vous oblige d'enfreindre
l'ordre que j'ai donné à mes enfants de ne pas venir chez
moi sans y être appelés ? dit le vieillard à son fils en
entrant.

— Mon père, répondit le magistrat d'un son de voix
tremblant et d'un air respectueux, j'ose espérer que vous
me pardonnerez quand vous m'aurez entendu.

— Votre réponse est convenable, dit le comte. As-
seyez-vous. » Il montra un siège au jeune homme. « Mais,
reprit-il, que je marche ou que je reste assis, ne vous
occupez pas de moi.

— Mon père, reprit le baron, ce soir à quatre heures,
un très jeune homme, arrêté chez un de mes amis au
préjudice duquel il a commis un vol assez considérable,
s'est réclamé de vous, il se prétend votre fils.

— Il se nomme, demanda le comte en tremblant.

— Charles Crochard.

— Assez », dit le père en faisant un geste impératif.
Granville se promena dans la chambre, au milieu d'un
profond silence que son fils se garda bien d'interrompre.
« Mon fils... » Ces paroles furent prononcées d'un ton si
doux et si paternel que le jeune magistrat en tressaillit.
« Charles Crochard vous a dit la vérité. Je suis content
que tu sois venu ce soir, mon bon Eugène, ajouta le
vieillard. Voici une somme d'argent assez forte, dit-il en
lui présentant une masse de billets de banque, tu en feras
l'usage que tu jugeras convenable dans cette affaire. Je
me fie à toi, et j'approuve d'avance toutes tes dispositions, soit pour le présent, soit pour l'avenir. Eugène,

mon cher enfant, viens m'embrasser, nous nous voyons peut-être pour la dernière fois. Demain je demande au Roi un congé, je pars pour l'Italie. Si un père ne doit pas compte de sa vie à ses enfants, il doit leur léguer l'expérience que lui a vendue le sort, n'est-ce pas une partie de leur héritage? Quand tu te marieras, reprit le comte en laissant échapper un frissonnement involontaire, n'accomplis pas légèrement cet acte, le plus important de tous ceux auxquels nous oblige la Société. Souviens-toi d'étudier longtemps le caractère de la femme avec laquelle tu dois t'associer; mais consulte-moi, je veux la juger moi-même. Le défaut d'union entre deux époux, par quelque cause qu'il soit produit, amène d'effroyables malheurs: nous sommes, tôt ou tard, punis de n'avoir pas obéi aux lois sociales. Je t'écrirai de Florence à ce sujet: un père, surtout quand il a l'honneur de présider une cour suprême, ne doit pas rougir devant son fils. Adieu. »

Paris, février 1830-janvier 1842.

NOTES DE *GOBSECK*

1. Penhoën et Balzac avaient été camarades au collège de Vendôme entre 1810 et 1813. Penhoën prit part à la campagne d'Algérie puis démissionna de l'armée en 1831 et publia dans *La Revue des Deux Mondes* divers articles sur Ballanche et sur Fichte, ainsi qu'une *Histoire de la philosophie allemande depuis Leibniz jusqu'à Hegel* (1836). En 1849 il fut élu à l'Assemblée législative et rentra dans la vie privée après avoir protesté contre le 2 décembre. Balzac a évoqué amicalement dans *Louis Lambert* son ancien « voisin de dortoir... naguère officier, maintenant écrivain à hautes vues philosophiques » qui « n'a démenti ni sa prédestination, ni le hasard qui réunissait dans la même classe, sur le même banc et sous le même toit, les deux seuls écoliers de Vendôme de qui Vendôme entende parler aujourd'hui. Le récent traducteur de Fichte, l'interprète et l'ami de Ballanche, était occupé déjà, comme je l'étais moi-même, de questions métaphysiques ; il déraisonnait avec moi sur Dieu, sur nous et sur la nature. Il avait alors des prétentions au pyrrhonisme ». (*CH*, t. XI, 1980, p. 602.) P. Citron a suggéré (*Introduction, CH*, t. II, p. 959) que cette dédicace à un philosophe était peut-être une manière d'indiquer la véritable portée de Gobseck.

2. *De viris illustribus urbis Romae : Des hommes illustres de la Ville de Rome,* recueil de textes latins en usage dans les collèges, compilé par Lhomond vers 1775.

3. Chef de la branche cadette de cette grande famille de la *Comédie humaine.* Son mari était mort en 1813, lui laissant deux enfants, Juste et Camille.

4. C'est-à-dire un couvercle en porcelaine fabriqué selon un procédé récemment inventé à Berlin, qui permettait d'obtenir des transparences dans le matériau.

5. Cf. *Le Père Goriot.* Anastasie Goriot était la fille aînée du vermicellier, sœur de Delphine (qui épousera le baron de Nucingen). Mais il est intéressant de constater que ces dernières lignes — à partir d'« une femme mal née » — n'apparaissent que dans l'édition de 1835.

6. Georges et Pauline de Restaud, enfants adultérins de la comtesse et de Maxime de Trailles.

7. Ce nom n'est donné par Balzac qu'à partir de 1835. Jusqu'alors, le texte le désigne simplement comme « l'avoué » (« Émile » sur le manuscrit). Un des modèles du personnage est l'ancien patron de Balzac, l'avoué Guillonnet-Merville, qui inspirera en 1832 le Derville de *La Transaction* (futur *Colonel Chabert*).

8. Le fameux « milliard des émigrés » attribué en 1825 aux familles aristocratiques spoliées par la Révolution (cf. les deux millions reçus par M. de Malivert dans *Armance* de Stendhal).

9. Derville en 1829 a déjà derrière lui tout un passé romanesque : il a été l'avoué du père Goriot, de Mme de Nucingen, de César Birotteau ; il a aidé le colonel Chabert à se faire reconnaître de sa femme. Il se retirera en 1840, après avoir revendu sa charge à Godeschal. Sa fille épousera en 1842 le juge Augustin Bongrand : à cette occasion la vicomtesse de Grandlieu offrira une superbe argenterie. Il avait alors amassé une fortune de 800 000 F.

10. Ici commence l'extrait donné en préoriginale par *La Mode* le 6 mars 1830.

11. Le peintre flamand Quentin Metsys (1465-1530).

12. Fontenelle (1657-1757) avait vécu centenaire, à force de parci-monie dans l'effort : c'est lui qui s'arrêtait de parler pour ne pas pousser sa voix lorsqu'une voiture passait dans la rue.

13. Cette expression, qu'on a retrouvée dans le portrait de Dubois chez Saint-Simon, est déjà appliquée à la grande Nanon dans *Eugénie Grandet*.

14. Héros des romans indiens de Fenimore Cooper : *Les Pionniers* (1823), *Le Dernier des Mohicans* (1826), *La Prairie* (1827).

15. Aujourd'hui rue Cujas, entre la rue Saint-Jacques et le boulevard Saint-Michel.

16. « Mettre en état de propreté, disposer convenablement » (Littré).

17. Au chapitre XXI de *Tristram Shandy*, le père du héros expose longuement ses raisons de croire à l'influence des noms sur la destinée. Balzac a multiplié dans *La Comédie humaine* les références à ce système de « cognomologie ». Cf. *Z. Marcas* : « Je ne voudrais pas prendre sur moi d'affirmer que les noms n'exercent aucune influence sur la destinée. Entre les faits de la vie et le nom des hommes, il est de secrètes et d'inexplicables concordances ou des désaccords visibles qui surprennent ; souvent des corrélations lointaines mais efficaces s'y sont révélées. Notre globe est plein, tout s'y tient. Peut-être reviendra-t-on quelque jour aux Sciences Occultes. » (*CH*, t. VIII, 1977, p. 829-830.) Sur le « cratylisme » balzacien, on lira les bonnes pages de L. Frappier-Mazur, *in L'Expression métaphorique dans la Comédie humaine*, (p. 59-62).

18. A partir d'ici et jusqu'à « il paraissait s'en repentir », il s'agit d'une importante addition de 1835.

19. Première apparition de cette courtisane de Bruges : Sarah Van Gobseck, venue à Paris, ruina Me Roguin, qui l'entretenait, au profit de Maxime de Trailles. Peu de temps après la fuite à l'étranger du notaire, on la retrouva dans une maison close du Palais-Royal, assassinée par un capitaine (cf. *César Birotteau*. Cet épisode a été inspiré à Balzac par un fait divers réel, survenu en 1814).

20. Dans cette liste, Balzac mêle, comme il le fait souvent afin de produire un « effet de réel », des créatures imaginaires (Simeuse, Kergarouët et Portenduère, qu'on retrouve tous deux dans *Ursule Mirouët*) à des personnages historiques : M. de Lally, baron de Tollendal, gouverneur des possessions françaises en Inde (1702-1766) ; M. d'Estaing, futur amiral, qui devait s'illustrer en 1778 au secours de la jeune indépendance américaine, avait combattu vingt ans plus tôt en Inde sous Lally-Tollendal ; le bailli de Suffren (1726-1788), célèbre marin qui lutta contre les Anglais pour défendre les établissements français en Inde (1781-1783) ; lord Cornwallis (1738-1805), gouverneur du Bengale en 1790, battit Tippo-Saeb en 1792, gouverneur général de l'Inde en 1805 (« le premier qui m'ait donné une bonne opinion des Anglais », a dit de lui Napoléon) ; lord Hastings, premier gouverneur général de l'Inde anglaise (1732-1818) ; Tippo-Saeb, le dernier nabab de Mysore (1749-1799), qui lutta toute sa vie contre l'invasion de la puissance anglaise ; en 1813, Jouy avait fait représenter une tragédie dont il était le héros éponyme.

21. Prince de Gwalior, en Inde, battu par les Anglais en 1761.

22. Peuple de l'Inde anglaise.

23. Corsaire marseillais qui tenta de reconquérir les Antilles contre les Espagnols en 1794.

24. Une des îles Vierges, aux Antilles. — On a remarqué que toutes ces aventures lointaines rappellent celles que Balzac vient de prêter deux ans plus tôt à Charles Grandet. M. Bardèche y décèle l'influence des récits maritimes d'Eugène Sue, parus entre 1832 et 1834 ; P. Citron renvoie à d'autres personnages balzaciens : Argow le pirate, Vautrin, le capitaine parisien de *La Femme de trente ans*.

25. Dans la publication de *La Mode*, on lisait ici : « Aussi, je me suis proposé de l'examiner. C'est ce que j'appelle étudier l'anatomie de l'*homo duplex*, de l'homme moral. Je n'aime pas les systèmes, je veux des faits. Maintenant donc, vous connaissez le sujet que je mets sur la table de l'amphithéâtre. » Dans son étude, B. Lalande s'en autorise pour penser que *L'Usurier* était d'abord une petite monographie étoffée par la suite, afin d'entrer dans les *Scènes de la vie privée*, plutôt qu'un fragment détaché de la nouvelle complète. P. Citron, dans son édition, estime au contraire que *L'Usurier* est bien un fragment prépublié d'un texte déjà rédigé au moins en partie (*CH*, t. II, p. 945).

26. « Arrangement par lequel un failli obtient de ses créanciers facilité de payement tant pour la remise d'une partie des créances que pour les délais accordés. » (Littré.)

27. Faire un protêt, c'est-à-dire un « acte par lequel, faute d'accepta-

tion ou de payement d'une lettre de change, d'un billet à ordre ou de tout autre effet de commerce, on déclare que celui qui devait payer sera responsable de tous frais et préjudices. » (Littré.)

28. A partir d'ici, et jusqu'à « je possède le monde sans fatigue », important ajout de l'édition de 1835.

29. P. Barbéris fait remarquer (*Balzac et le mal du siècle,* p. 553) que cette image était déjà dans *Wann-Chlore* (1825) et considère qu'elle devrait être mise au premier rang de ces « métaphores obsédantes » de l'œuvre balzacienne dont l'histoire est à faire.

30. « Il traînera longtemps encore des images et des tournures à faire frémir, qui ont fait les beaux jours du thème "Balzac écrit mal". Citons : « soit que vous restiez au coin de votre cheminée et de votre femme » *(Gobseck).* S'agit-il d'un mot de nature ou d'une maladresse calculée ? On aimerait le croire. L'absurde formule, en tout cas, a traversé toutes les rééditions et subsiste dans le Furne corrigé. » (P. Barbéris, *Le Monde de Balzac,* p. 33.)

31. Comme Stendhal et tous ses contemporains, Balzac attribue à Léonard, qui n'en a pas peint, des *Hérodiades* dues au pinceau de Bernardino Luini.

32. Dans la *Physiologie du mariage,* Balzac avait imaginé un traquenard tendu par un mari à sa femme. Il va trouver son plus fort créancier en lui disant : « Monsieur Josse, vous êtes orfèvre, et la passion que vous avez de vendre les bijoux n'est égalée que par celle d'en être payé. Madame la comtesse vous doit trente mille francs. Si vous voulez les recevoir demain (il faut toujours aller voir l'industriel à une fin de mois), venez chez elle à midi. Son mari sera dans sa chambre ; n'écoutez aucun des signes qu'elle pourra faire pour vous engager à garder le silence. Parlez hardiment. — Je paierai. » La femme terrorisée par cette mise en scène reviendra à son mari. Ici, on est à la fois très près (par la situation) et très loin (par le ton) de la *Physiologie.*

33. Cette phrase de *L'Usurier* contient en germe tous les développements ultérieurs des *Dangers de l'inconduite.*

34. D'*ouvrer :* travailler.

35. Dans le *Dom Juan* de Molière (IV, 3) : M. Dimanche, venu réclamer le règlement de sa créance, repart bredouille, complètement berné par la désinvolture aristocratique de son débiteur.

36. Conventionnel girondin, un des plus grands orateurs que la Révolution ait produits. Il fut guillotiné en 1793.

37. Le nom de cet établissement, à enseigne de « la Justice », prend ici une résonance toute particulière.

38. Balzac semble ici à la fois parler d'expérience et projeter une image idéale de soi !

39. Fin du fragment prépublié dans *La Mode.*

40. Ici commence le manuscrit Lovenjoul.

41. Célèbre juriste (1583-1645), compatriote de Gobseck.

42. Acte par lequel un créancier accorde un délai à son débiteur.

43. Ces trois noms de banquiers-usuriers sont très souvent associés à celui de Gobseck dans *La Comédie humaine*. Ils forment en quelque sorte la «seconde couche de la finance parisienne» (*Les Petits Bourgeois, in CH*, t. VIII, p. 161), ces «crocodiles qui nagent sur la place de Paris et avec lesquels tout homme dont la fortune est à faire ou à défaire doit tôt ou tard se rencontrer». (*Illusions perdues*, GF Flammarion, 1966.)

44. C'est seulement en 1835 que Balzac, mettant en œuvre son système de «personnages reparaissants» dont il a eu l'idée l'année précédente, nomme celui qui sur le manuscrit et dans l'édition originale n'était encore que «le vicomte».

45. C'est seulement sur l'exemplaire dit «Furne corrigé» que ce personnage reçoit son nom.

46. Cabriolet tiré par deux chevaux.

47. A. Michel a montré (*Le Mariage et l'Amour dans l'œuvre romanesque d'Honoré de Balzac*, p. 475) que Balzac emprunte cette expression à Fourier *(Théorie des quatre mouvements)*, chez qui elle sert à désigner les comédiens.

48. Cette expression désignerait tout aussi bien, sinon beaucoup mieux, Lucien de Rubempré.

49. Le comte de Horn fit assassiner le roi Gustave III de Suède en 1795.

50. Ce forçat avait pris le nom de comte de Sainte-Hélène; on le confondit en 1819.

51. Cette scène sera considérablement développée et enrichie dans l'épisode orgiaque de *La Peau de chagrin*.

52. Le dommage.

53. «Jeune homme qui est à la tête de la mode» (Littré).

54. La *Physiologie du mariage* semble anticiper fugitivement cette scène : «L'usurier le plus poli, le plus perfide, ne soupèse pas mieux d'un regard la future valeur métallique d'un fils de famille auquel il fait signer un billet que votre femme n'estime un de vos désirs en sautant de branche en branche comme un écureuil qui se sauve, afin d'augmenter la somme d'argent par la somme d'appétence.» (GF Flammarion, p. 222.)

55. Balzac ajoute ces noms en 1835 pour relier la nouvelle à l'immense réseau de *La Comédie humaine* : *L'Histoire des Treize* (Ronquerolles et de Marsay), *Le Père Goriot* (Franchessini et Ajuda-Pinto), *La Femme de trente ans* et *Le Lys dans la vallée* (Vandenesse).

56. Cette bizarrerie (puisque Gobseck ne s'est pas interrompu) s'explique par le fait que Balzac a omis de rayer ces mots qu'il avait ajoutés pour corriger l'erreur d'un typographe de l'édition originale, qui avait imprimé «— Serviteur!» comme si cette exclamation venait de Maxime.

57. « Groupe de pierres précieuses que les dames portent aux oreil-les » (Littré).

58. Deux villes de l'Inde.

59. Felix Peretti, dès qu'il se vit assuré de son élection au conclave de 1585, sortit de sa place sans attendre la fin du scrutin et, jetant la béquille sur laquelle il faisait semblant de s'appuyer, se redressa et parut droit comme un jeune homme, en s'écriant : « Je suis pape » ; il prit alors le nom de Sixte Quint. Le *papa* Gobseck fait donc un calembour hautement historique.

60. Ici le manuscrit s'interrompt.

61. Ici reprend le manuscrit jusqu'à la fin.

62. Cette phrase, comme l'a remarqué B. Lalande, renvoie au *Père Goriot* qui l'éclaire : par exemple lorsque Mme de Restaud raconte à son père la manière dont le comte lui a rendu les diamants qu'elle venait de mettre en gage ; ou lorsqu'un drame conjugal inexpliqué empêche Anastasie de se rendre au chevet du vieillard mourant. De même, il faut lire *Le Père Goriot* pour assister à la scène où M. de Restaud fait avouer à sa femme que seul son fils aîné est de lui.

63. « Semblables aux personnes qui n'ont qu'une idée, ces mères rapportent tout à leur grand projet, dont elles font une œuvre longtemps élaborée, pareille au cornet de sable au fond duquel se tient le *formica leo*. Peut-être personne n'entrera-t-il dans ce dédale, si bien bâti, peut-être le *formica leo* mourra-t-il de faim et de soif ? Mais s'il y entre quelque bête étourdie, elle y restera. » (*Melmoth réconcilié*, in *CH*, t. X, 1979, p. 357.)

64. Cette phrase est une addition de 1835.

65. Ce présent ne peut manquer d'étonner, puisque Gobseck est mort... au moins depuis l'édition de 1835. Par inadvertance, Balzac a négligé de corriger le texte primitif de 1830.

66. Mots empruntés à un épisode du roman de Maturin, *Melmoth*, comme l'a montré M. Le Yaouanc dans son étude sur *Melmoth dans la Comédie humaine*, in *L'Année balzacienne*, 1970.

67. Ici, en 1830, on lisait : « Il a renoncé à son métier d'usurier, et il a été nommé député. Il veut être baron et désire la croix. Il ne va plus qu'en voiture. »

68. En 1830 et 1832, le texte était à partir d'ici le suivant :
« Enfin il y a huit jours, je l'ai été voir. Je l'ai instruit de l'amour d'Ernest pour Mademoiselle Camille, en le pressant d'accomplir son mandat, puisque le jeune comte est majeur...

Il me demanda quinze jours, pour me donner une réponse. Hier, il m'a dit que cette alliance lui convenait et que le jour où elle aurait lieu, il constituerait à Ernest un majorat de cent mille livres de rente... Mais que de choses j'ai apprises sur Gobseck !... C'est un homme qui s'était amusé à faire de la vertu, comme il faisait jadis l'usure, avec une perspicacité, un tact, une sécurité de jugement inimaginables. Il méprise les hommes parce qu'il lit dans leurs âmes comme dans un livre, et se plaît à leur verser le bien et le mal tour à tour. C'est un dieu, c'est un démon; mais plus souvent démon que dieu.

Autrefois, je voyais en lui le pouvoir de l'or personnifié... Eh bien! maintenant, il est pour moi comme une image fantastique du DESTIN.

« Pourquoi vous êtes-vous donc tant intéressé à moi et à Ernest? lui dis-je hier.

— Parce que vous et son père êtes les seuls hommes qui se soient jamais fiés à moi.

— Eh bien! dit la vicomtesse, nous ferons nommer Gobseck baron et nous verrons!...

— C'est tout vu! s'écria le vieux marquis en interrompant sa sœur pour faire croire qu'il n'avait pas dormi et qu'il était au fait de l'histoire. C'est tout vu!... »

Ainsi se terminait la nouvelle. P. Citron (*CH*, t. II, p. 951) y voit confirmation de son hypothèse selon laquelle le modèle principal de Gobseck aurait été Charles Sédillot, cousin de la mère de Balzac — marchand de tissus, expert financier honnête et inflexible, épris de respectabilité bourgeoise et aspirant aux honneurs officiels.

69. En 1825.

70. « Agitation automatique et continuelle des mains et des doigts qui semblent chercher à saisir de petits objets. La carphologie est un très mauvais signe. » (Littré.)

71. Esther Van Gobseck. Cette prostituée avait vécu un grand amour avec Lucien de Rubempré, mais le baron de Nucingen s'éprit d'elle et l'acheta à Vautrin. Désespérée, Esther se suicidera en mai 1830, laissant à Lucien 750 000 francs, sans que Derville, qui la recherchait pour lui remettre l'héritage de 7 millions laissé par son arrière-grand-oncle ait pu la retrouver *(Splendeurs et Misères des courtisanes)*. Après le suicide de Lucien, l'argent passera aux enfants de sa sœur Ève et de David Séchard, ce qui inspire à A. Wurmser le commentaire suivant : « Ainsi les enfants du couple le plus pur que Balzac ait créé seront riches grâce au maquerellage de leur oncle, aux entôlages d'une catin, aux débauches d'un banquier, aux spéculations d'un usurier enrichi par les sept péchés capitaux. » (*La Comédie inhumaine*, p. 114.)

72. Célèbre orfèvre (1763-1850), auteur notamment du berceau du roi de Rome.

73. Ce tableau (Louvre) fut exposé au Salon de 1814.

74. « Tonneau servant à renfermer certaines marchandises sèches » (Littré).

75. Le plus luxueux des magasins de primeurs parisiens, au Palais-Royal.

76. Le duc Ferdinand, chef de la branche aînée, n'avait que des filles, au nombre de cinq. Le vicomte Juste épousera en 1841 sa cousine Athénaïs *(Béatrix),* réalisant ainsi la prédiction de sa mère.

77. « Chose bien défendue », en latin.

78. C'est à une de ces soirées, dix ans plus tôt, que Rastignac, à peine débarqué à Paris (1819), s'était amouraché de Mme de Restaud, qui le dédaigna.

NOTES D'*UNE DOUBLE FAMILLE*

1. La dédicataire (1788-1864) était une amie de Mme Hanska — et comme elle surnommée « Loulou » par Balzac. Elle appartenait à la haute aristocratie viennoise. Son beau-frère, le prince Razumowski, s'opposa à son mariage avec Charles Thirion ; ce dernier, secrétaire du prince, se suicida dans la chambre d'hôtel où Balzac devait séjourner à Vienne en 1835, séjour au cours duquel il fait la connaissance de la comtesse. On possède la réponse de celle-ci à la dédicace. « Il y a peu de jours, Monsieur, qu'en ouvrant un volume de la Comédie humaine, j'y trouvai mon nom à la tête d'une de ses plus jolies scènes. Je vous dirais mal le plaisir que me fait ce souvenir si flatteur de vous, dont je me croyais depuis longtemps oubliée... (...) Le tableau de bonheur qui se trouve au commencement (et que vous détruisez si cruellement quelques pages après) ce tableau si frais, si gracieux, si vrai je l'avais lu dans un temps où jeune encore et heureuse je me disais, oh c'est bien cela ! — Aujourd'hui vieille, dépourvue d'illusions, et d'enthousiasme je viens de le relire ; c'est revoir un paysage charmant en automne par une journée grise : eh bien j'y ai retrouvé un instant mon soleil d'autrefois, j'ai respiré le parfum d'une fleur desséchée, cueillie jadis par la main d'un ami » (Balzac, *Correspondance*, Garnier, t. IV, 1966, p. 629-630). Balzac jugea ce remerciement « très vieille fille » (*Lettres à Mme Hanska*, Éd. du Delta, t. 2, 1968, p. 279).

2. Balzac connaît bien le quartier où il situe le début de son action : il a habité rue du Temple avec sa famille, de 1814 à 1819, puis de 1822 à 1824. En 1839, dans la Préface à *Une fille d'Ève*, il soulignera la valeur documentaire et historique de ces descriptions que certains lui reprochaient : le romancier « antiquaire » ressuscite un Paris aboli, et c'est par lui que « les archéologues apprendront la situation du tourniquet Saint-Jean et l'état du quartier adjacent, aujourd'hui complètement démoli » (*CH*, t. II, 1976, p. 267). En 1844, il se justifiera encore plus explicitement au début des *Petits Bourgeois* : « Le tourniquet Saint-Jean, dont la description parut fastidieuse en son temps au commencement de l'Étude intitulée *Une double famille* dans les *Scènes de la vie privée*, ce naïf détail du vieux Paris n'a plus que cette existence typographique. La

construction de l'Hôtel de Ville, tel qu'il est aujourd'hui, balaya tout un quartier. En 1830, les passants pouvaient encore voir le Tourniquet peint sur l'enseigne d'un marchand de vin, mais la maison fut depuis abattue. Rappeler ce service, n'est-ce pas en annoncer un autre du même genre ? Hélas ! le vieux Paris disparaît avec une effrayante rapidité. » (*CH*, t. VIII, 1977, p. 21-22.) Baudelaire soupirera bientôt :

« ... la forme d'une ville

Change plus vite, hélas ! que le cœur d'un mortel ! »

La rue du Tourniquet-Saint-Jean se trouverait à présent sur la rue Lobau.

Les rues du Martroi et de la Tixeranderie n'existent plus.

3. Aujourd'hui rue des Archives.

4. « Officier préposé dans une ville à la surveillance et au soin d'un quartier » (Littré).

5. Toute cette description a une incontestable authenticité sociologique confirmée par les historiens tels que le Dr Lachaise, auteur d'une *Topographie médicale de Paris*, publiée en 1822 (cf. J.-H. Donnard, *La Vie économique et les classes sociales dans l'œuvre de Balzac*, p. 82-83).

6. Ce philosophe suisse (1741-1801) a beaucoup influencé Balzac par son *Art d'étudier la physionomie* et ses *Fragments physiognomoniques*, où il soutenait que le caractère moral s'imprime dans certains traits du visage et du corps.

7. Balzac a pu ici se souvenir du nom d'un libraire qu'il connaissait au quartier Latin.

8. La France avait dû nourrir en 1815 plus d'un million de soldats alliés qui occupaient son territoire. Une série de mauvaises récoltes aggrava la crise des subsistances qui se traduisit par des troubles, parfois très graves, en diverses régions du pays. Cf. J.-H. Donnard, *op. cit.* (p. 83-84), et les textes de Vaulabelle *(Histoire des deux Restaurations)* cités in *CH*, t. II (p. 1228, n° 1).

9. Ce personnage apparaît dans *Grandeur et Décadence de César Birotteau* (1837).

10. Femme du notaire qui, ruiné par sa liaison avec Sarah Van Gobseck, entraînera César Birotteau dans sa chute. Elle a elle-même une liaison avec du Tillet.

11. « Petite voiture publique pour les environs de Paris » (Littré). Les premières pages d'*Un début dans la vie* (1842) seront consacrées à évoquer ce moyen de locomotion qui avait alors presque disparu.

12. Au bureau des diligences Laffite et Caillard.

13. Dans l'édition originale il s'appelle *Eugène* (et *Victor* dans le manuscrit).

14. La reine Hortense, fille de Joséphine de Beauharnais, avait épousé le roi Louis de Hollande, frère de Napoléon. Après leur séparation, elle fit de son château de Saint-Leu-la-Forêt un séjour très fré-

quenté. Sous la Restauration, elle dut s'exiler à Arenenberg, sur les bords du lac de Constance.

15. Allusion maligne à des amours supposées par les royalistes, qui attribuaient à l'empereur la paternité du premier fils d'Hortense. Napoléon voulut l'adopter, mais l'enfant mourut en 1807.

16. Le destin mouvementé de Crochard peut avoir été inspiré à Balzac par un ami de Mme de Berny, qu'il connut à Villeparisis. Il écrit en février 1822 à sa sœur Laure Surville : « Nous avons un colonel qui passe pour une bouteille qui contient de l'essence de chenapan, c'est un danseur d'opéra qui s'est réveillé en 1793 colonel et qui l'est resté jusqu'à présent. Il n'a pas voulu du généralat à l'entendre (...). La femme de ce colonel est une excellente femme : nous l'avons vue cinq minutes et elle a parlé comme pour un quart d'heure. » (*Correspondance*, Garnier, t. 1, p. 131.)

17. Ici percent les sympathies bonapartistes de Balzac qui, à la veille de la Révolution de Juillet, reste fidèle à l'opposition et met volontiers en scène des épisodes militaires de l'Empire *(El Verdugo, Adieu)*. Cf. B. Guyon, *La Pensée politique et sociale de Balzac* (p. 360).

18. C'est ici que commençait le fragment publié dans *Le Voleur* du 5 avril 1830, huit jours avant la sortie de l'édition originale intégrale.

19. Avant l'édition de 1835, il s'agissait de la rue du Helder. Cet appartement de la rue Taitbout est voué aux amours heureuses : c'est lui qui abritera plus tard le bonheur de Lucien de Rubempré et d'Esther Van Gobseck *(Splendeurs et Misères des courtisanes)*. Carlos Herrera le louera pour eux à « la grosse Caroline de Bellefeuille ».

20. Personnage réel, installé rue de Richelieu.

21. Au théâtre Feydeau, rue Feydeau, où l'Opéra-Comique était installé depuis 1801.

22. Ici se terminait le fragment publié dans *Le Voleur*.

23. « Petit lit suspendu et mobile, dans lequel on peut bercer un enfant. » (Littré.)

24. Actuellement partie de la rue de Turenne. M. de Berny, le mari de la « Dilecta », puis sa fille, y habitèrent.

25. Boulevard du Temple, établissement de plaisir pour les habitants du Marais. Les demoiselles Balzac l'avaient fréquenté.

26. Cambacérès, duc de Parme.

27. Régnier, duc de Massa, ministre de la Justice.

28. Jeu de cartes.

29. Jusqu'à l'édition de 1842, Balzac orthographie *Grandville*. Il s'est peut-être inspiré, pour le nommer, du comte de Kergariou La Grandville, préfet de Tours en 1813-1814, ou de Guernon-Ranville, procureur général à Bayeux de 1820 à 1822.

30. Deux familles d'émigrés. L'histoire des Hauteserre se trouve principalement dans *Une ténébreuse affaire* (1841).

31. Les parents de Balzac avaient un voisin de ce nom au Marais.

32. L'érudition des balzaciens, qui ne recule devant aucune vérification «réaliste», a fait remarquer qu'à la date supposée de l'action, Granville serait arrivé trop tard rue Notre-Dame-des-Victoires, la voiture des Messageries royales partant pour Caen à six heures du matin!

33. Balzac a 22 ans lorsqu'en été 1822 il vient rendre visite à sa sœur Laure Surville et à son mari, envoyé là l'année précédente par les Ponts et Chaussées. Il y reviendra ultérieurement. Les Surville habitaient rue Teinture, dans la même rue que les Bontemps; on a même prétendu, mais sans preuves, que Balzac décrit ici leur maison. C'est dans les environs de Bayeux que *La Femme abandonnée* (Mme de Beauséant) se retirera loin du monde.

34. Signée en 1713, elle mit fin aux guerres du règne de Louis XIV.

35. Allusion au proverbe: «Quand le diable fut vieux, il se fit ermite.»

36. Par allusion plaisante ou ironique à «l'uniforme» clérical du domestique.

37. Leur «légèreté» et leur goût du plaisir étaient choses connues de tous.

38. Opéra de Monsigny, livret de Sedaine (1764).

39. Instrument de musique, cher à la sensibilité romantique, faisant vibrer des coupes de verre.

40. Bois vosgien odorant (cerisier sauvage).

41. Refrain d'une chanson de Lamotte-Houdar (1672-1731).

42. Ici comme toujours, la topographie balzacienne est hautement signifiante. La Chaussée-d'Antin, quartier récemment urbanisé (au premier tiers du XVIIIe siècle), se développe considérablement sous l'Empire et constitue dans la ville un pôle dynamique de «modernité» en expansion, tandis que le Marais où s'enterre Mme de Granville est de plus en plus en dehors de son temps.

43. Petit coup de patte au conformisme de ceux qui, pour plaire au maître du jour (Charles X, quand Balzac écrit sa nouvelle), «en rajoutent» dans les pratiques pieuses.

44. La fameuse Congrégation jésuitique, qui joua un si grand rôle occulte sous Louis XVIII et Charles X. On songe évidemment au *Rouge et le Noir*.

45. Esclave d'Abraham, chassée par Sara. Elle traversa le désert avec son fils Ismaël. Un ange lui montra une source. Thème abondamment traité par l'iconographie religieuse.

46. Le manuscrit porte: «... Vous seriez heureuse encore, dit le Comte en reconduisant sa femme. Quelque temps après cette scène, le comte de Grandville fut destitué et il se sépara de sa femme en gardant ses fils avec lui. Il fut nommé député et se montra un des plus ardents antagonistes des pères de la Foi.» Et c'est sur cette phrase que le

manuscrit se termine. L'expression « père de la Foi » désignait des Jésuites, avant leur rétablissement officiel en 1822.

47. C'est seulement dans l'exemplaire dit « Furne corrigé », c'est-à-dire dans le dernier état du texte revu par Balzac, qu'apparaît cette date, qui jusqu'alors avait toujours été 1829. Balzac choisit donc finalement de situer la conclusion de sa nouvelle trois ans après sa rédaction.

48. Le grand médecin « reparaissant » de *La Comédie humaine*. A noter qu'en 1833, il n'est plus tout à fait un « jeune homme » : il a 37 ans.

49. Sous la Restauration, l'architecte Fontaine créa la cour de Nemours, puis en 1829 la galerie d'Orléans. Cette allusion s'explique mieux avec la date primitivement retenue par Balzac pour son dénouement.

50. Célèbre danseuse, qui triompha à l'Opéra de 1827 à 1847.

51. Marie-Angélique de Granville avait épousé en 1828 Félix de Vandenesse, héros du *Lys dans la vallée* (cf. *Une fille d'Ève*).

52. Par inadvertance (il oublie qu'il a changé la date de son épilogue), Balzac donne ici pour futur un événement daté ailleurs de deux ans plus tôt (1831) : le mariage de Marie-Eugénie de Granville avec le banquier Ferdinand du Tillet.

53. Un des personnages essentiels du *Curé de village*. C'est lui qui, vainement épris de Véronique Graslin, avait obtenu la tête de J.-F. Tascheron.

54. Un des plus célèbres dessinateurs et lithographes de son temps (1792-1845), spécialisé dans les sujets napoléoniens et les scènes de genre.

ANTHOLOGIE CRITIQUE

GOBSECK

En cours de refonte et sous l'influence de sa propre œuvre en croissance (qui fut son champ d'expérience continuelle), Balzac lui-même a dû découvrir peu à peu la signification de son héros. Il savait d'emblée qu'il s'y était attaché moins pour l'évidence de son caractère vorace que parce que Gobseck représentait, sous des traits humains, une figure de la puissance ou divine ou diabolique. Mais alors, pourquoi retirer cet aveu? Il n'y a qu'une réponse, celle qui explique tous les silences de Balzac : il a eu le sentiment d'en avoir trop dit, parce que ce Gobseck démiurge portait en lui le secret même de son créateur. Il en portait même, dangereusement, la ressemblance.

Il convient de lire avec la plus vigilante attention le grand monologue où Gobseck décrit les plaisirs de l'usurier. C'est, comme presque tout le roman, un modèle du style vigoureux, net et par moments vertigineux auquel Balzac n'atteint que lorsqu'il est entièrement « pris » par sa fiction et qu'il y transcrit l'une de ses expériences tout à fait intimes. Si je vois juste, on peut comprendre par là le demi-silence du romancier sur la passion et la vocation particulière de Gobseck. Le Juif, c'est, provisoirement au moins, une image en laquelle Balzac se reconnaît lui-même.

Écoutons Gobseck. Il se déclare poète, de ceux qui n'ont pas besoin de faire imprimer des vers. Ayant vu tous les pays et observé toutes les sortes de gens, il a conçu un scepticisme universel d'où il tire son unique jouissance. Toute activité, sous son regard sans illusions, est vaine, sauf l'activité de pure connaissance qui lui livre jour après jour les mobiles cachés des hommes. Du poète, il a la faculté de contemplation, qui transforme l'univers entier en un spectacle sans cesse offert pour le divertir. Qui ne songerait, en lisant cette évocation, à l'enthousiasme de Balzac devant son œuvre, et à ce titre même de *Comédie humaine,* que Gobseck prendrait très bien à son compte ? Et — c'est ici que l'on touche au vrai mystère qui ne pouvait être trahi plus explicitement — ce premier pouvoir de perspicacité du poète Gobseck est assimilé au don divin de celui qui sonde les reins et les entrailles : *Mon regard est comme celui de Dieu, je vois dans les cœurs.* Voilà qui en dit beaucoup plus long que tout à l'heure l'assimilation au Destin. La faculté de connaître autrui, acquise par Gobseck à force d'entendre les confidences des suppliants qui ne lui cachent plus rien, c'est quelque chose comme une grâce sacerdotale, et c'est cette exceptionnelle clairvoyance que tout romancier s'attribue, s'il a vraiment l'expérience profonde de l'invention romanesque.

A ce premier don de voir s'ajoute, chez Gobseck, un autre don, qui lui est étroitement associé : le don d'exercer son pouvoir, grâce à l'or qu'il peut accorder ou refuser. Ce don-là est aussi apanage de poète ou de romancier. A la vision vient s'adjoindre la faculté de « faire », de créer. L'imagination passe alors du rêve passif, ou même de l'appréhension passive du réel, à l'action efficace sur la réalité. Si Gobseck s'enivre de régir des destinées, précipitant à l'abîme qui il veut, sauvant qui l'a séduit ou attendri, il peut là encore prétendre que quelque chose des privilèges de Dieu lui est concédé. Plus et mieux que le Destin, il est devenu la Providence, souveraine en ses décrets, mais lucide alors que le Fatum reste aveugle. L'analogie entre ces fonctions providentielles et celles du romancier décrétant le sort de ses personnages, achève la ressemblance de Gobseck avec son créateur. *La Comédie humaine,* spectacle délectable, redevient, à sa suprême puissance, divine comédie — comédie dont un Dieu règle les épisodes à son plaisir.

Ainsi Gobseck, de toutes les images de Balzac, est l'une des plus ressemblantes, parce qu'elle est faite à la ressemblance de Balzac romancier, à l'imitation de son génie plus que de ses particularités d'homme. Pourtant, Gobseck se sert, semble-t-il, de moyens grossièrement matériels, comme s'il était à Balzac ce qu'un vulgaire magicien est à un mage. Il faut prendre garde, toutefois, à ce qu'est l'Or dans le cosmos balzacien. Ce n'est pas un simple synonyme de l'Argent, en tant que celui-ci est un moteur social, source et soutien de toutes les énergies. Le métal précieux garde quelque lien, par association subconsciente, avec ses vieux prestiges mythiques. Balzac s'est assez passionné d'alchimie pour ne pas oublier que l'or, au terme d'opérations audacieuses, prométhéennes, peut-être maudites, n'est pas seulement le garant de la richesse et de la jouissance charnelle. On ne chercherait pas avec cet acharnement la voie par où le fabriquer s'il ne portait en lui des vertus plus rares. L'alchimie — qu'on se souvienne de Balthazar Claës — est en quête de l'absolu, sa fin est spirituelle, son triomphe serait d'atteindre à la plénitude de la connaissance. Du coup, voici Gobseck élevé, dans cette hiérarchie balzacienne dont nous parlions, jusqu'au rang suprême — celui des penseurs, des hommes de l'esprit. Du coup, le mystère du Juif, étroitement lié au même symbole de l'Or, prend une étrange profondeur et rejoint le mystère qui hanta le plus Balzac : le mystère de la connaissance.

Gobseck, disions-nous, n'est pas un quelconque avare, à qui suffirait la volupté de posséder une inerte matière. Son avidité est d'un autre ordre, supérieur, elle est l'appétit de l'intelligence, jamais lasse de saisir, de voir et d'ordonner. Comme l'œuvre même de Balzac, la ténébreuse entreprise de l'usurier, maître des destinées, est en quelque manière entreprise prométhéenne, faustienne, « imitation de Dieu le Père ». Seulement — l'inquiétude balzacienne en est alertée depuis bien longtemps — cette tentative la plus haute porte risque d'être maudite. Le premier qui voulut imiter les pouvoirs divins, c'est le

Prince de ce monde, celui qui s'appelle aussi le Singe de Dieu. La condamnation pourrait tomber comme la foudre, et la figure de Gobseck est marquée d'une souffrance qui n'est pas loin d'être une épouvante, la peur des agonies sans rémission.

Dès lors, s'il a entrevu que la passion du Juif n'est pas la basse cupidité mais la volonté téméraire de la totale connaissance, il n'est pas surprenant que Balzac ait hésité à trop insister sur cet angoissant exemple. Mieux valait le laisser dans l'ambiguïté d'une seule créature, que d'affronter les questions qui se poseraient si Gobseck, au lieu d'être un personnage particulier, représentait le peuple élu, le peuple jamais rassasié spirituellement, en cela si semblable à ce qu'était, par sa dévorante vocation, Balzac lui-même.

> Albert BEGUIN, *Préface*, in *L'Œuvre de Balzac*, Le Club français du Livre, 1965 (t. 6), p. 1317-1321.

On sait que l'idée de faire circuler ses personnages d'un roman à l'autre vint à Balzac en 1834, au moment où il se mit à écrire *Le Père Goriot*. Or, les deux premières œuvres auxquelles Balzac emprunta des personnages et dont il se servit ainsi pour faire l'épreuve de son invention furent *La Femme abandonnée*, qui lui fournit le personnage de Mme de Beauséant, et *Gobseck*, qui lui fournit l'histoire du ménage Restaud. Dans *La Femme abandonnée*, Balzac trouvait décrit l'avenir de Mme de Beauséant; grâce à cette nouvelle, il savait d'avance, en écrivant *Le Père Goriot*, le dénouement que la destinée réservait à cette vie: il connaissait la fatalité de tendresse et d'abandon qui pesait sur elle; c'était une sorte d'éclairage poétique que ce rapprochement donnait à son personnage. Dans *Gobseck*, Balzac trouvait un point d'appui beaucoup plus important. Car la nouvelle dont il allait se servir racontait des événements qui se déroulent en même temps que le roman: c'était en quelque sorte un accom-

pagnement connu d'avance du lecteur, une sorte de toile
de fond dramatique, aussi présente à son esprit qu'aurait
pu l'être l'atmosphère du Paris révolutionnaire, si Balzac
avait placé la scène de son roman en 1793, et qui avait ou
pouvait avoir la même puissance de suggestion, le même
coefficient d'intensité dramatique.

Il aurait fallu de nombreuses préparations pour nous
expliquer, dans *Le Père Goriot*, que Mme de Restaud
traverse une crise qui donne une intensité, une signification dramatique effrayantes à des exigences qui, sous un
autre éclairage, nous paraîtraient mesquines ou à des
impossibilités qui, sans cette excuse, seraient les mani-
festations d'un égoïsme et d'une cruauté effroyables.
L'allusion à *Gobseck* remplace ces préparations. Grâce à
elle, nous savons que la situation de Mme de Restaud
n'est pas moins tragique que celle de son père. D'autre
part, l'intrigue de *Gobseck* a un autre effet plus subtil et
moins précis quant au point d'application : elle explique
la ruine de Goriot. La nouvelle devient alors un élément
permanent et inexprimé de l'intrigue du roman. Elle est
projetée par l'intrigue du *Père Goriot* comme une ombre
portée. Un double drame se joue alors devant nous, celui
de Mme de Restaud, qui, dans la même heure où son père
agonise, dispute à son mari la fortune et l'avenir de ses
enfants, et celui de la mort de Goriot, qui ne reverra pas
une dernière fois sa fille à cause de cette lutte même.

Et l'on voit tout ce que ce moyen imprévu offre de
ressources à Balzac en comparant à ce moment la situation
des deux sœurs. Comme la « grippe » qui retient au lit
Mme de Nucingen paraît un moyen faible à côté de la
tragédie qui paralyse Mme de Restaud ! La situation impro-
visée par le romancier est gauche et mesquine, celle que lui
offre le retour des personnages est terrible et grande. Et,
lorsque Mme de Restaud apparaît, mais trop tard, auprès de
ce lit de mort, cette apparition est pleine de sens parce qu'on
sait de quelle abdication elle a été payée.

En même temps, par un mouvement inverse, en intervenant du dehors sur une de ses œuvres antérieures, en
ajoutant à la nouvelle de 1830 une scène qui avait été
omise, Balzac obtient des effets saisissants. Sur cette

histoire que nous connaissons déjà, un jet de lumière est
soudain versé, pendant un instant, mais il suffit à lui
donner un autre éclairage. Balzac présente dans *Le Père
Goriot* une seconde vision de la rupture des Restaud,
mais sous un autre angle de prise de vue, et c'est cette
vision entrecoupée, obscure, qui ajoute au récit de 1830
un nouveau caractère tragique. Cette porte ouverte sur
une scène dont nous ne percevons que des fragments, ce
morceau de destin à la fois inintelligible par ses lacunes et
parfaitement clair, laisse une singulière impression de
réalité. Pour le lecteur de Balzac, ces Restaud sont
comme des gens qu'on connaît et dont l'intimité se révèle, mais comme se découvrent toujours les vies intimes, par fragments, avec quelque chose d'incomplet et
d'incohérent. Des portes qui s'ouvrent et se ferment,
quelques répliques qui sont comme les jalons d'un drame,
une lueur prompte et entrecoupée, voilà tout ce que nous
devinons, tout ce qui nous sera donné. Ce sont de vérita-
bles effets de perspective, presque aussi sensibles que les
truquages d'un diorama. Car Balzac en arrive ainsi,
d'abord, à nous suggérer la pensée que l'histoire des
Restaud racontée dans *Gobseck* n'est pas une histoire
morte, une aventure arrêtée dans le passé, mais un drame
toujours vivant, indépendant de la nouvelle elle-même.
Premier effet de réalité qui porte sur le récit lui-même.
Mais, en même temps, ces Restaud dont nous sommes
curieux, dont le drame, comme celui d'un ménage ami,
nous parvient par bribes, par bouffées, ne sont presque
plus des personnages imaginaires, ils gagnent à ce drame
à éclipses dont ils nous jettent les feux de moment en
moment une existence supplémentaire. Effet de réalité
qui porte, cette fois, sur les personnages. Alors, comme
le savant constructeur d'un diorama étage ses plans, ainsi
Balzac crée de toutes pièces une sorte de perspective
romanesque par des procédés qui lui sont propres, en
donnant un lendemain ou une présence continue aux
histoires qu'il raconte et en faisant de ses personnages
imaginaires des personnages qui nous appartiennent aussi
bien qu'à lui et dont nous devenons les témoins [...]
    Alors, pour la première fois, entre en scène ce matériel

formidable de la dramaturgie balzacienne. On ne songe pas à le remarquer parce que, précisément, les romans de Balzac nous y ont habitués : mais, en 1830, c'est la découverte d'une terre inconnue, ce sont des armes nouvelles du romancier qu'on voit pour la première fois. Auprès des autres *Scènes* du même recueil, qui gardent quelque chose de la pudeur des romans de l'Empire lorsqu'il est question de revenus, de papier timbré, de lettres de change, *Gobseck* a soudain une forte odeur balzacienne, une étonnante brutalité.

L'histoire des familles est l'histoire des fortunes, la tendre confidente est remplacée par l'avoué, le scélérat n'a plus ni dague, ni poisons, mais c'est un élégant jeune homme embarrassé de quelques lettres de change, le « protecteur » mystérieux, logé par le mélodrame ou le roman noir dans quelque Tour du Nord isolée, est devenu un homme d'affaires muni d'un fidéicommis. Plus de crimes dans des souterrains : on tue plus sûrement avec une signature. Un tilbury et un groom tiennent lieu de tout un arsenal. De sa Tour du Nord de la rue des Grès, notre Gobseck sort juste à temps pour se rendre maître de la fortune du comte, punir la comtesse de son imprudent détournement, établir les droits du faible et permettre à la justice, compromise dans ce dénouement, de triompher malgré tout. Ce nouveau matériel dramatique de Balzac n'était pas tellement éloigné de celui dont il avait appris à se servir dans ses premières expériences littéraires : il transposait seulement ses fantômes. Et désormais, l'instrument du drame, la boîte de Pandore d'où sortiront tous les malheurs et qui fournira toutes les parades, l'universel *deus ex machina* est un innocent Code civil qu'une belle jeune femme compulse avidement pendant que son mari agonise. Les bons petits contes moraux des *Scènes* de 1830 sont à cent lieues : *Gobseck* est le premier maillon de la chaîne sur laquelle on trouve *Le Père Goriot*, *La Rabouilleuse*, *Le Cousin Pons*, *Splendeurs et Misères des courtisanes*.

Maurice BARDÈCHE, *Préface*, in *Œuvres complètes* de Balzac, Le Club de l'Honnête Homme, 1968 (t. 3), p. 419-421, 423-424.

De son perchoir de la rue des Grès, entassant près de
lui les objets les plus hétéroclites qui sont les gages de ses
prêts, et dont l'absurde musée appelle «déjà» celui de
l'Antiquaire, il voit de loin cette ronde infernale de l'humanité, cette danse macabre, où la Mort, avec Satan,
conduit le bal. Il la voit de loin cette ronde, *et il la juge*.
Comment ne pas voir que Gobseck dès lors c'est un peu
Balzac, le Balzac «philosophe», Balzac qui, lui aussi, de
sa chambre de romancier, comme autrefois de sa mansarde de la rue Lesdiguières, voit le monde de loin, ce
monde dans lequel il a lancé ses personnages, mais dans
lequel il n'a pas voulu entrer, avec lequel il n'a pas voulu
se compromettre? On ne saurait accepter la moindre
parcelle de responsabilité sociale sans assumer à un quelconque degré les injustices et les crimes de la société. Or,
Balzac a refusé d'être complice, non pas tant des crimes
cachés, des crimes légaux qui le préoccupent tant alors,
mais de cette maladie honteuse, sournoise à cause de quoi
la société n'est pas ce qu'elle devrait être. A qui voudrait
un monde pur, il n'est que de se retirer du monde. Et c'est
de là que vient la sympathie certaine de Balzac pour
Gobseck. Sans doute, n'a-t-il pas sa sympathie dans la
mesure où il est un impitoyable escompteur, un étran-
gleur de pauvres gens aux abois (encore que l'on puisse
voir en lui un justicier de toutes les folies et de tous les
crimes sociaux, une conscience en action; Gobseck est le
châtiment, l'incarnation du châtiment), mais il l'a dans la
mesure où il est, disons le mot, *un artiste*. Ces traits,
chose à noter, figurent déjà dans la version originale,
mais ils ne prennent toute leur véritable portée qu'*après*
1830 [...]
    Gobseck est bien un personnage sympathique. Protec-
teur de l'étudiant Derville, de l'ouvrière Fanny Malvaut,
du jeune Restaud, innocent des débordements de sa mère,
divinité bienveillante et bougonne, il nous donne le
spectacle et la leçon d'un être qui refuse de gaspiller son
énergie vitale dans de vaines entreprises, qui s'écono-

mise, n'intervient qu'à bon escient, et trouve finalement plus de satisfaction dans le *savoir* que dans le *vouloir* et dans le *pouvoir*.

Ce thème de l'antiquaire repris et développé dans le *Papa Gobseck,* était déjà indiqué dans la version de 1930 : A l'imitation de Fontenelle, il entend économiser le mouvement vital, et concentrer tous les sentiments humains dans le *moi* [...]

Il s'agit, maintenant, d'une philosophie : philosophie de l'abstention, de la jouissance intellectuelle et contemplative, de la compréhension. Philosophie de vieillard ou, à tout le moins, d'homme déjà mûri et à laquelle répugne la jeunesse ? Certes, et le roman montrera souvent quelle contradiction il y a entre cette sagesse, si souvent prônée par Balzac d'une part, et certains de ses héros, et la manière dont il a mené sa propre vie d'autre part. Pour le moment, quelle en est la signification ? Cette idée que mieux vaut, plutôt que s'engager dans la vie et ses folies, rester en marge, se garder (pour quoi ? pour écrire des romans peut-être ?), cette idée de ne pas se perdre dans les jeux stériles de la passion et de l'ambition, puisque dans un monde faussé, ambition et passion ne sauraient conduire qu'à la ruine de soi, comment ne pas y voir la réaction d'une conscience droite devant la société tarée de la Restauration, qui est aussi et déjà la société bourgeoise ? Sans doute, il y a transposition, dramatisation, mise en scène, mais n'est-ce pas le propre des mythes de s'exprimer par l'intermédiaire de figures ou de fictions ? On ne saurait dire que la morale de l'antiquaire, non plus que celle de Gobseck *soit* celle de Balzac, mais, par leur intermédiaire, Balzac juge son époque. L'esprit de ces prédications est clair : ceux qui sont bons, ceux qui sont purs, ceux qui voient clair n'ont pas à se lancer dans ce combat douteux ; puisque le monde est truqué, puisqu'il condamne les plus hautes aspirations à se tourner en poison, eh bien, gardons-nous de vouloir, de désirer, de chercher. Gardons-nous de vivre, au sens où l'on dit de quelqu'un qu'il est un viveur, mais essayons de durer, de nous maintenir éveillés, disponibles. Il y a plus de sagesse à garder en soi ses forces inemployées qu'à les prostituer et à les perdre. *Gardons-nous de la tentation de Faust*. Cette attitude a une valeur profondément critique : transposée sur le plan psychologique, c'est un refus de reconnaître les valeurs établies et leur droit à réclamer des sacrifices. C'est un refus de vivre dont est responsable, non une fantaisiste et fumeuse théorie, mais une société qui a fait de la vie un mensonge et une malhonnêteté.

Quelques mois passent, puis c'est le coup de tonnerre de Juillet. Alors tout change. Cette vie qu'il y avait sagesse à refuser, ce monde, auquel il y avait sagesse à ne pas se mêler, voici qu'ils se présentent, d'un coup, sous un autre aspect ; la jeunesse, qui se tenait hésitante au bord d'entrer dans la carrière, voit subitement des raisons exaltantes de s'y élancer. Il est possible de refaire le monde conformément au cœur et à la raison. Finies, la vie négative et l'économie de soi. « Que faut-il maintenant pour être heureux ? Nos ennemis, c'est vous, c'est moi peut-être. » Refaire des lois, un pays, une Europe, ouvrir la voie aux talents : quel programme ! On va pouvoir se donner à des jeux moins stériles que ceux du plaisir ou de l'ambition. *« Un vieux peuple attend une jeune organisation. »* Naïveté ? Oui, nous le savons, et Balzac croit un peu facilement, comme tout le monde alors, qu'on va pouvoir se débarrasser de toutes les gérontocraties, de tout ce qui barre la vie, et cette ignorance, un moment, de la nature véritable d'une révolution qui arma des chômeurs pour donner le pouvoir à des banquiers, devait conduire à bien des déboires. Ne retenons que ce fait : pendant plusieurs semaines, l'action passa au premier plan. Espoirs et désirs étaient libérés. Et non plus désirs demi-refoulés ou demi-honteux, comme chez Derville, mais désirs larges, ouverts. Non plus attitude légèrement compassée de l'ambitieux, en qui se mêlent, avec un reste de juvénile exigence, les premières et attristantes « sagesses » de l'homme d'expérience. C'est la confiance, c'est le « mouvement raisonné d'un peuple marchant dans son intérêt et dans sa force ». C'est — pourquoi pas ? — la liberté de Delacroix.

On sait la suite. Quelques mois ont suffi. Le vocabulaire politique lui-même est révélateur : la *résistance* l'a emporté sur le *mouvement*. La vraie vie a été vaincue par la fausse. Égoïsme et calculs reprennent le premier rang. Pas de guerre libératrice. Pas de société nouvelle. Seulement un changement de personnel politique. Rien n'est touché à ce qui tisse le quotidien. *Rien ne pouvait l'être*. Gobseck doit bien rire, dans sa mansarde de la rue des Grès. L'enthousiasme de Juillet n'est-il pas, à son tour, l'une de ces « passions » qui ne mènent qu'à constater l'universelle vanité et l'universel néant ? La retombée d'un enthousiasme d'une telle ampleur laisse, certes, l'âme dans un abattement de plus de conséquence que celui qui saisit Mme de Restaud lorsqu'elle se rend compte que son Maxime n'a pu lui apporter le bonheur. Quelle belle illustration du divertissement pascalien ! *Gobseck était sur le point d'avoir tort, et voilà que Casimir Perier lui redonne, et avec quelle force, raison.* Tous, pourrait dire Balzac, nous nous étions follement embarqués sur cet espoir, tous, même ceux qui, prévenus par l'expérience des autres ou une intuition personnelle, avaient autrefois refusé de céder aux tentations impures. Mais vraiment, qui aurait pu nous dire que cette révolution finirait ainsi, que le libéralisme deviendrait La Fayette ? Il est des expériences dont l'Histoire n'est pas prodigue et qu'il faut avoir faites soi-même. Eh bien, elle est faite, l'expérience. Nous avions cru d'un seul coup d'ailes pouvoir retrouver la vie, la vraie, et nous voilà aujourd'hui amoindris, abattus, écœurés, ayant laissé pas mal de nous-même dans cette histoire. Notre peau de chagrin vient d'en prendre un bon coup. Regardons ce qui reste, et vite, revenons à la contemplation, renonçons au désir et à l'action, car après une telle saignée, ménageons ce qui reste, et ne recommençons pas la même erreur.

On comprend alors que Balzac en « revienne » à Gobseck. Que faisait l'Antiquaire pendant les Trois Journées ? Il était sûrement resté chez lui, refusant, lui, l'homme d'expérience, de s'abandonner à la folie du jour. Et maintenant, il fait figure de vainqueur... Il vient, du fond des âges et des temps, pour nous prêcher sa morale du refus, sa théorie de la contemplation. Et pourquoi, dans le bric-à-brac de son magasin, parmi les « ossements de vingt mondes », ne pas ajouter, à côté des premiers sabres républicains et des statues romaines, les espoirs de Balzac et justement le drapeau tricolore de Delacroix ?

Pierre BARBÉRIS, *Balzac et le mal du siècle,*
© Éditions Gallimard, 1970 (p. 1508-1512).

Gobseck est l'histoire de l'expérience de Derville et, au second degré, l'histoire de l'expérience de l'usurier. *Le Papa Gobseck* (1835) et la version définitive de *La Comédie humaine* ne font qu'accentuer cet aspect des premiers *Dangers de l'inconduite,* mettant au point le style nécessaire, trouvant les mots, les images qui font encore défaut à la nouvelle primitive.

Or Derville n'est pas un personnage, et son voisin non plus. Ils sont des porte-parole. Le salon Grandlieu, l'histoire de la famille Restaud ne sont pas présentés pour eux-mêmes, comme des fragments de la réalité, mais comme des occasions. Ils sont des exemples appelés à l'aide d'une démonstration et d'une révélation. Du drame dans la vie d'un avoué ? Écoutez donc une histoire. C'est l'or qui mène le monde, en ces lendemains de Restauration où l'on pouvait se croire revenu à l'ancien ordre ? Écoutez donc une autre histoire. Ces histoires n'ont pas de poids en elles-mêmes et ne sont rencontrées, n'existent qu'au second degré. Replacées dans l'ensemble du récit, elles ne sont, finalement, que l'accessoire. Elles se déroulent à l'arrière-plan. Un moment, elles viennent sur le devant de la scène, mais elles s'effacent vite, et la lumière revient sur le visage du narrateur, sujet pour le moment, du roman. Le réel, les autres ne sont un moment évoqués, tirés de l'ombre que pour mieux éclairer une expérience privilégiée, à elle seule substance de l'œuvre. Aussi, Derville, Gobseck avec plus de force ont quelque chose d'exceptionnel, de fantastique, d'officiellement et directement chargé de mission et de signification. Tout s'ordonne d'une manière parfaitement dramatique, trop peut-être, uniligne, selon les souvenirs et l'expérience d'un individu. Ce genre de récit se prête d'ailleurs admirablement au conseil, à la révélation, à la dénonciation (les intentions des premières *Scènes de la vie privée* sont clairement annoncées comme moralisatrices); mais il ne fait pas vivre un monde. Et c'est en quoi Gobseck et Derville ne sont pas, en 1830, des personnages, mais des symboles. Personnages, ils ne le deviendront, en partie, que lorsqu'ils seront présentés objectivement, au milieu des autres êtres : Gobseck dans *Le Père Goriot,* Derville dans *Le Colonel Chabert* ou dans *Splendeurs et misères des courtisanes.* Pour le moment, Balzac ne cherche qu'à exprimer son époque ou à s'exprimer lui-même. Il n'en est pas encore à peindre, encore moins à créer, du moins dans son dessein principal. Il est plus philosophe que romancier.

C'est assez exactement le cas de *La Peau de chagrin,* où tout est centré sur Raphaël. De sa jeunesse pauvre à sa mort en passant par son extraordinaire expérience, c'est bien un récit lyrique qui nous est offert, plus accentué que dans *Les Dangers de l'inconduite* parce que cette fois l'attitude est moins sereine, parce que Balzac est plus concerné, parce que tout est plus brûlant. La véhémence et l'indignation, plus aisément que la révélation moraliste, veulent la confession et l'invective, la prouesse ou la montée verbale. Ce retour au fantastique de l'homme des *Scènes de la vie privée* s'explique par là, plus que par de problématiques et en tout cas fort secondaires influences littéraires. Dans *La Peau de chagrin,* Balzac vide un double sac : le sien, et celui d'une époque, celui d'une génération-moment.

Mais il y a l'autre face. Au cœur même du roman symbolique et mythique, le romanesque objectif est en germe. D'abord, l'éclairage varie quand même, fût-ce au prix de certains artifices de mise en œuvre destinés à préserver la continuité narrative. Dans les *Dangers,* on a d'abord la conversation dans le salon Grandlieu, qui est le fait du romancier, puis l'entrée en scène de Derville, puis un retour en arrière (qui est encore le fait du romancier) destiné à nous expliquer la présence de Derville chez ces grands seigneurs et la liberté de langage qui lui est reconnue ; ensuite, c'est la présentation de Gobseck, l'histoire Restaud-Trailles, enfin la conclusion tirée par la duchesse : « Eh bien ! dit la vicomtesse, nous ferons nommer Gobseck baron, et nous verrons !... » Le récit s'ouvrait, finalement, sur autre chose que sur l'histoire de Derville : sur le mariage de Camille, sur quelque chose qui existe ou qui existera en dehors de Derville. Ici apparaît le premier de ces blancs qui, en dehors de ce qui est rapporté, constituent souvent ce qu'il y a de plus présent dans le romanesque balzacien. Derville n'est pas, à lui seul, la matière du livre, et la fin rejoint le début : l'histoire de la famille Grandlieu au retour de l'émigration. Il y a incontestablement ouverture sur le monde objectif ; le récit n'est quand même pas aussi uniligne que dans *René*. Lyriques et symboliques, *Les Dangers de l'inconduite* étaient déjà, par échappées, en puissance, romanesques.

L'évolution du texte est intéressante à envisager dans cette perspective : si Balzac en effet développe, dans *Le Papa Gobseck,* tout l'aspect prophétique et fantastique du personnage de l'usurier, il développe aussi les données proprement romanesques, objectives, du récit primitif. Un exemple est particulièrement probant : dans les dernières lignes, les paroles de la vicomtesse deviennent : « Eh bien, cher monsieur Derville, [...] nous y penserons [...] Monsieur Ernest doit être bien riche pour faire accepter sa mère [...] d'ailleurs Camille pourra ne pas voir sa belle-mère. » A quoi le « vieil oncle » fait remarquer : « Madame de Beauséant [la] recevait. — Oh ! dans ses raouts ! répliqua la vicomtesse. » Et voici une ouverture d'une autre importance : le personnage de Mme de Beauséant, les rivalités mondaines, les conflits à venir dans le ménage de Camille, etc. *La Comédie humaine* est là, déjà, qui happe vers le roman le récit primitif. Si l'on songe, par ailleurs, à l'utilisation qu'a pu faire Balzac de sa première œuvre dans ses autres romans (Gobseck et les Restaud dans *Le Père Goriot*, Derville, un peu partout), on est amené à conclure à une incontestable fertilité romanesque de ces *Dangers de l'inconduite,* l'une des cellules mères de *La Comédie humaine.*

Pierre BARBÉRIS, *Le Monde de Balzac,*
Arthaud, 1973 (p. 82-84).

L'identification affective plus ou moins consciente de Balzac à l'usurier rend suffisamment compte de la prééminence de l'un des co-échangeurs du texte sur l'autre, ce qui n'empêche nullement Derville, l'échangeur métonymique et métaphorique, de mener sa propre tâche à bien.

Pendant un moment, à la fin du récit, la mort de Gobseck menace l'échange dont la mécanique s'emballe et se détraque à l'approche de l'instant où il s'agit précisément de tout restituer : vie, biens et richesses. Ce qui n'est que reculer pour mieux sauter. L'échange cesse d'opérer dans les deux sens : l'usurier, devenu un « insatiable boa » se contente d'accumuler et d'engranger : « Tout rentrait chez lui, rien n'en sortait. » L'usure cesse, en ce point d'extrême tension, et régresse au stade de l'avarice, comme par un dernier sursaut de protestation, un ultime recours aux fantasmes de la possession. Derville assiste médusé à un tel déboussolage qui se traduit par l'entassement chez l'usurier d'un bric-à-brac d'objets hétéroclites et de denrées pourrissantes, miroirs du chaos contagieux de la mort.

« Chaque marché se trouvait en suspens... », mais ne le restera pas longtemps. A Derville, comme à Nathan dans *Un prince de la Bohème,* échoit le soin de se ressaisir du flambeau de l'échange :

« A qui toutes ces richesses iront-elles ?... En pensant au bizarre renseignement qu'il m'avait fourni sur sa seule héritière, je me vois obligé de fouiller toutes les maisons suspectes de Paris pour y jeter à quelque mauvaise femme une immense fortune. »

Derville se lançant sur les traces de l'héritière de Gob-

seck réitère le geste de Gobseck lui-même, assurant au
moment de la mort du comte de Restaud la succession de
son fils Ernest. Non moins symétriquement la narration
de l'avoué à Mme de Grandlieu doit avoir les mêmes
effets que celle de Gobseck à Derville : de l'une comme
de l'autre s'ensuivra un mariage. Dans le cas de Restaud-
Grandlieu comme dans celui des Derville-Malvaut le don
de Gobseck est double : il s'agit à la fois d'une femme
(même si dans le premier cas le don se fait par narrateur-
échangeur interposé) et d'un don d'argent (sauvegarde de
la fortune Restaud ; le prêt à Derville est aussi un don : on
rend toujours un don avec « usure » — voir Mauss).

A l'image d'un serpent enroulé sur lui-même et qui se
mordrait la queue, le texte de Balzac s'enveloppe/déve-
loppe à nouveau par duplications concentriques, l'histoire
enchâssante reflétant fidèlement l'histoire enchâssée. Le
statut privilégié de *Gobseck* au sein de *La Comédie humaine* procède de ce que ce texte représente la tentative
de transposition romanesque la plus systématique et la
plus immédiate de l'acte d'échange qui est la base de
toute communication littéraire.

> Léo MAZET, *Récit(s) dans le récit : l'échange
> du récit chez Balzac,* in *L'Année balzacienne*
> 1976 (p. 158-159).

UNE DOUBLE FAMILLE

En un court dialogue sur le pavé le magistrat paraît autre, ou pour mieux dire se montre, dur, amer, aussi infernal que don Juan jetant un louis à un chiffonnier ; cette scène fameuse est reprise ici sans aucune pensée d'imitation, et seulement d'après le mouvement d'un désespoir méchant. Et moi, à chaque fois que je lis ce récit, je me dis : «Enfin le voilà au naturel cet homme si poli et qui a toujours raison ; cet homme qui n'a même pas vu qu'il demandait la tête d'un homme que la femme qu'il aimait avait aimé (*Le Curé de village* [1]) ; le politique qui veut ignorer beaucoup de choses (*Où mènent les mauvais chemins*), et qui peut-être ignore tout de tout.» Car on revient de la fin, qui n'est pas belle, à ce qui précédait ; on interprète autrement l'obstination d'une dévote ; on comprend une certaine mauvaise grâce, attachée peut-être à un métier terrible, et une hypocrisie substantielle qui gâte deux ménages et en gâterait dix.

ALAIN, *Avec Balzac*, in *Les Arts et les Dieux*,
Bibl. de la Pléiade, © Éditions Gallimard, 1961
(p. 980-981).

1. Alain fait erreur. Il s'agit du vicomte de Granville, fils du protagoniste d'*Une double famille*, qui, avocat général à Limoges, requit contre J.-F. Tascheron, l'amant de Véronique Graslin (Note de l'éditeur).

Le dénouement de *Une double famille,* où Granville se trouve brusquement mis en demeure de juger le fils qu'il a eu de Caroline, n'est pas un simple artifice de mélodrame, destiné à frapper l'imagination. Projection symbolique de la situation réelle du Procureur à l'égard de tout ce qui l'entoure, il *accuse* (c'est bien le mot qui convient) l'unité profonde de son caractère et de la profession qu'il s'est choisie; bref il est l'incarnation sensible de la destinée de M. de Granville, destinée dont celui-ci s'est fait l'artisan par une série de décisions à effet cumulatif, dont chacune reproduit en la réaffirmant cette démarche initiale que Sartre appellerait sans doute le choix existentiel du héros. S'il fallait tirer une « moralité » de la nouvelle de Balzac, celle-ci ne serait peut-être pas « qu'il faut se garder du concubinage », ni même, comme le dit le comte à son fils légitime, qu'il ne faut pas se marier à la légère, mais peut-être qu'il ne faut pas être procureur — ni épouser un procureur, de la main droite ou de la gauche; en tout cas que l'homme qui a choisi d'être juge le demeurera en toutes ses actions, sans pouvoir (comme il le croit) déposer sa toge en entrant chez sa femme ou sa maîtresse. Étrange morale, dira-t-on; mais Balzac ne veut nullement réformer l'amour, le mariage ou le monde, mais en faire la description, en donner une *physiologie,* comme il eût dit, nous dirions sans doute une ontologie. Qui s'est voulu juge le restera. Telle est la règle de ce jeu, où la morale des hommes n'a rien à voir.

Claude-Edmonde MAGNY, Préface in *L'Œuvre de Balzac,* Le Club français du Livre, 1964 (t. 1), p. 683-684.

Cette véritable *mise en abîme* de la situation romanesque nous invite à saisir rétrospectivement tout le récit comme une auto-figuration de son propre fonctionnement. Dès l'ouverture de la nouvelle, le récit romanesque s'était mis en place en indiquant explicitement sa genèse. L'histoire de Roger et de Caroline était née d'un jeu

alterné de regards ; leur rencontre avait été précédée des
« conjectures nombreuses et niaises » auxquelles s'étaient
livrés les passants parisiens sur le compte de la jeune
fille, tandis que Mme Crochard guettait le *roman* qui
allait naître entre sa fille et l'un de ces inconnus. Du
chaos primitif des ténèbres indifférenciées, on a vu graduellement le romanesque prendre corps. C'est d'ailleurs
toute l'ambiguïté du mot romanesque qui est ici en jeu :
désignant à la fois un mode de récit et une attitude
existentielle, il se prête à cette confusion. Ainsi, dans la
seconde partie, le roman-livre sert de métaphore pour
définir le roman-passion :

> « Telle fut l'histoire des sentiments du jeune Granville
> pendant cette quinzaine dévorée comme un livre dont
> le dénouement intéresse. »

Le sort du récit romanesque se trouve donc associé au
destin des personnages. En particulier, la triple histoire
de Granville pourrait figurer trois phases de la problématique romanesque qu'il convient de suivre maintenant
selon l'ordre chronologique.

Dans l'épisode napoléonien, le projet romanesque croit
trouver son lieu dans l'espace social : à travers le mariage
et les institutions le jeune Granville s'imagine réaliser ses
rêves « plus beaux les uns que les autres ». Cette société
en pleine mutation, après l'ébranlement des anciennes
structures sociales, semble laisser le champ libre à des
initiatives nouvelles, à des possibilités insoupçonnées :
c'est l'univers social tout entier qui prend alors une colo-
ration romanesque, et le mythe napoléonien devient le
prototype de tous les romans virtuels (la vieille Mme
Crochard est à la fois nostalgique de l'empereur et grande
liseuse de romans). Cependant, comme nous l'avons vu,
ce mouvement euphorique est rapidement victime de ses
propres contradictions. Les institutions nouvelles sécré-
tées par la poussée révolutionnaire et impériale récupè-
rent cet élan vital et l'assujettissent graduellement aux
lois communes. Au fur et à mesure qu'un nouvel équilibre se met en place, les chances du romanesque s'ame-
nuisent : cette évolution est rendue sensible dans le texte

par un changement de registre; le récit devient plus compact pour aboutir à ce que Balzac appelle « l'histoire didactique de ce triste ménage ». Désormais, les actions s'enchaînent selon un agencement prévisible et l'euphorie de la narration s'estompe :

> « L'histoire didactique de ce triste ménage n'offrit pendant les quinze années qui s'écoulèrent de 1806 à 1821, aucune scène digne d'être rapportée. »

On comprend mieux dès lors la nécessité du fameux renversement chronologique : il importait que l'épisode de la sphère enchantée apparût comme vraiment primordial; s'il s'était situé dans le prolongement de l'épisode napoléonien, il eût été immanquablement contaminé par lui. Ainsi, par un artifice d'écriture, un monde tout neuf se crée sous nos yeux. Ni Roger ni Caroline ne semblent avoir de passé : peu à peu on oublie ce qui pouvait les rattacher à l'univers social et avec eux nous nous transportons dans la sphère édénique. Pourtant, malgré de fréquentes émergences du registre merveilleux nous demeurons à bien des égards dans un monde qui ressemble à celui que nous venons de quitter. Le récit romanesque construit un monde fictif qui apparait comme le *double* de l'univers social : il le reproduit tout en le dépassant. La famille idyllique de la sphère enchantée double la famille sociale en en copiant les structures mais aussi en en surmontant les contradictions. Véritable anticipation, elle devient *famille-fiction*. On voit ici toute l'ambiguïté de ce nouveau mode de fonctionnement du récit romanesque : ayant renoncé à s'inscrire directement dans l'espace social, il tente d'instaurer un univers parallèle, qui se situe *à la fois* dans le monde et hors de lui. Le romanesque se projette dans un *non-lieu* qui se niche dans l'espace social sans communiquer avec lui : l'asile édénique de la rue Taitbout en serait le symbole.

Cependant l'existence de ce contre-univers fictif se trouve menacée dans son principe même; reproduisant ce qu'il prétend nier, il risque fort de perdre tôt ou tard son indispensable autonomie. Fondé sur un désir de transgression, il n'en reste pas moins lié au modèle dont il est issu. Sa mise en relation avec l'environnement social (à la mort de Mme Crochard) aboutit à la réintégration du double fictif dans le modèle social.

Dès lors, la fonction de l'ellipse, qui escamote la suite de l'histoire, devient évidente : la narration se refuse à devenir « didactique ». L'aventure unique et merveilleuse de Roger et de Caroline a perdu sa singularité. Identifiée par le langage social, elle tombe dans la banalité et se confond avec des histoires semblables :

> « ...Il existe dans cette ville des milliers de maris amenés tous par des causes diverses à cette double existence. »

Ainsi le projet romanesque, qui avait tenté d'échapper au discours général pour fonder son unicité, se voit ressaisi par lui, et le silence de la narration parviendra seul à préserver le fictif d'une dégradation inévitable. Si Granville se montre indifférent à toute forme de récit, c'est qu'il sait désormais que toutes les histoires possibles relèvent d'un même système et qu'elles ont donc perdu d'avance tout intérêt. Rien, assure-t-il, n'est plus susceptible de l'émouvoir.

Pourtant Bianchon réussira à réveiller en lui ce qu'il croyait éteint. L'histoire qu'il va raconter ne remplit pas le blanc laissé par l'ellipse : elle se situe de l'autre côté. En apprenant que Caroline a tout sacrifié à un misérable nommé Solvet qu'elle adore, Granville découvre que le romanesque existe encore mais qu'il se situe définitivement *à l'extérieur* des normes sociales. Pour un monde régi par l'économie et l'échange, la folle dépense de Caroline devient pur scandale. Cette lueur infernale vient d'éclairer la conscience de Granville, mais pour mieux lui faire sentir son irrémédiable damnation. Quand il veut s'approprier ce qui lui a été révélé, il ne peut que parodier l'attitude de Caroline. Désireux de « régler son compte avec l'enfer », il offre un billet de mille francs à un chiffonnier, cet « enfant de la nuit » qui vient de surgir comme par magie. Mais il sait bien que son *acte gratuit* sera récupéré par la machinerie sociale dont il vient de mettre les rouages en branle :

« Prends ceci, lui dit-il, mais songe que je te le donne à la condition de le dépenser au cabaret, de t'y enivrer, de t'y disputer, de battre ta femme, de crever les yeux à tes amis. Cela fera marcher la garde, les chirurgiens, les pharmaciens; peut-être les gendarmes, les procureurs du roi, les juges et les geôliers. Ne change rien à ce programme, ou le diable saurait tôt ou tard se venger de toi. »

Resté seul après la disparition des personnages féminins (dans l'épilogue, il n'est pas fait mention d'Angélique, et Caroline, qui est invisible, va mourir), le protagoniste masculin découvre finalement son identité profonde. Or le récit par sa structure et son fonctionnement n'avait cessé de mettre cette identité en question : personnage protéiforme, Granville devenait méconnaissable d'un épisode à l'autre. Ce morcellement de sa personnalité pourrait tirer son origine d'une attitude fondamentalement *confuse*. Alors que dans l'épisode napoléonien il croyait pouvoir faire coïncider, malgré les avertissements paternels, le mouvement du désir et le jeu des institutions sociales, il pratique dans l'épisode de la sphère enchantée une politique du double jeu qui produit une véritable *schizophrénie* du personnage et du récit. Une double fidélité au désir transgresseur et à l'intégration sociale engendre ce confusionnisme ruineux. Inversement, l'élément féminin a constamment représenté une forme de séparation, de distinction. Angélique s'était enfermée dans sa « sphère glaciale », refusant de jouer le rôle social que son mari attendait d'elle; négativement, dans un climat de dysphorie, elle a récusé la confusion du désir et du social entretenue par Granville. Quant à Caroline, elle aussi s'est jalousement retranchée du monde social pour cultiver son bonheur avec Roger. Si opposées soient-elles, ces deux attitudes féminines ont en commun de refuser tout *compromis* avec le monde social. L'élément féminin fait sécession, comme pour indiquer son exclusion d'un univers où nulle place ne lui est véritablement assignée. L'absence des personnages féminins dans l'épilogue devient donc emblématique. Désormais solitaire, le personnage masculin demeure hanté par le fantôme de l'élément féminin qui *hors champ* continue à exercer son attraction.

Si l'on accepte notre hypothèse selon laquelle le sort des personnages reproduirait dans ce texte la courbe du récit romanesque en quête de sa propre identité, il apparaît que le couplage d'un élément masculin et d'un élément féminin correspond à l'existence d'un binôme romanesque dont les termes sont antagonistes et complémentaires. La narration romanesque répond en effet à une double postulation : elle s'emploie d'une part à dresser le cadastre de l'espace social dont elle enregistre les cloisonnements et les déplacements ; elle exprime d'autre part le secret désir d'inventer une histoire inédite dont le déroulement échapperait à toute programmation. Réceptacle des fantasmes du désir et des structurations sociales, le récit romanesque se situe à leur confluence : aussi est-il foncièrement menacé d'éclatement.

Dans l'épilogue d'*Une double famille*, l'élément masculin demeure comme un *précipité*, qui se serait détaché d'un composé cachant sa véritable nature. Pourtant cette purification par la chute ne détruit pas le couplage initial. Coïncidant enfin avec lui-même, l'élément masculin inscripteur reste hanté par son double féminin dont l'insupportable disparition va l'entraîner à son tour hors du champ social : Granville annonce son départ pour l'Italie au moment même où il déclare que « nous sommes tôt ou tard punis de n'avoir pas obéi aux lois sociales ».

Faute d'avoir pu réaliser un utopique *androgynat*, le récit romanesque éclate en laissant à l'univers social détotalisé la blessure béante d'une promesse non tenue.

Alain HENRY et Hilde OLRIK, *Aliénation et invention dans* Une double famille, in *Balzac : l'invention du roman,* colloque de Cerisy, Belfond, 1982 (p. 132-138).

ORIENTATION BIBLIOGRAPHIQUE

I. — *Éditions.*

Maurice BARDÈCHE : Préface à *Gobseck,* in *Œuvres complètes* de Balzac, Club de l'Honnête Homme, 1968 (t. 3). Préface à *Une double famille,* ibid. (t. 2).

Albert BÉGUIN : Préface à *Gobseck,* in *L'Œuvre de Balzac,* Club français du livre, 1965 (t. 6).

Pierre CITRON : Introduction et notes à *Gobseck,* in *La Comédie humaine,* Bibl. de la Pléiade, 1976 (t. II).

Claude-Edmonde MAGNY : Préface à *Une double famille,* in *L'Œuvre de Balzac,* Club français du livre, 1964 (t. I).

Anne-Marie MEININGER : Introduction et notes à *Une double famille,* in *La Comédie humaine,* Bibl. de la Pléiade, 1976 (t. II).

II. — *Ouvrages.*

ALAIN : *Avec Balzac,* in *Les Arts et les Dieux,* Bibl. de la Pléiade, 1961.

Pierre BARBÉRIS : *Balzac et le mal du siècle,* Gallimard, 1970 (2 volumes) ; *Le Monde de Balzac,* Arthaud, 1973.

Maurice BARDÈCHE : *Balzac romancier,* Plon, 1943.

Pierre-Georges CASTEX : *Nouvelles et contes de Balzac,* C.D.U., 1961.

Jean-Hervé DONNARD : *La Vie économique et les classes sociales dans l'œuvre de Balzac,* A. Colin, 1961.

Diana FESTA MC CORMICK : *Les Nouvelles de Balzac*, Nizet, 1973.

Lucienne FRAPPIER-MAZUR : *L'Expression métaphorique dans la Comédie humaine*, Klincksieck, 1976.

Bernard GUYON : *La Pensée politique et sociale de Balzac*, A. Colin, 1947.

Arlette MICHEL : *Le Mariage et l'Amour dans l'œuvre romanesque d'Honoré de Balzac*, Atelier Reproduction des thèses, Université Lille III, H. Champion, 1976.

André WURMSER : *La Comédie inhumaine*, Gallimard, 1970.

III. — *Articles.*

Jean BAUDRY : *En relisant « Une double famille »*, in *L'Année Balzacienne*, 1976.

R.-J.-B. CLARK : *Gobseck : structure, images et signification d'une nouvelle de Balzac*, in *Symposium*, hiver 1977.

Francesco FIORENTINO : *Le Figure di stornamento in un racconto di Balzac*, in *Strumenti critici*, février 1975.

Alain HENRY et Hilde OLRIK : *Aliénation et invention dans « Une double famille »*, in *Balzac : l'invention du roman*, Colloque de Cerisy, Belfond, 1982.

Bernard LALANDE : *Les États successifs d'une nouvelle de Balzac : Gobseck*, in *Revue d'Histoire littéraire de la France*, 1939 et 1947.

Léo MAZET : *Récit(s) dans le récit : l'échange du récit chez Balzac*, in *L'Année balzacienne*, 1976.

Allan H. PASCO : *Nouveau ou ancien roman : open structures and Balzac's Gobseck*, in *Texas studies in literature and language*, 1978.

Jean-Luc SEYLAZ : *Réflexions sur Gobseck*, in *Études de Lettres*, octobre-décembre 1968.

Marina ZITO : *La Metafora estetica di Gobseck*, in *Studi e ricerche di letteratura e linguistica francese* (Naples), I, 1980.

CHRONOLOGIE
(Cette chronologie a été établie
par André LORANT.)

1799 : Naissance, à Tours, le 20 mai, d'Honoré Balzac,
fils du «citoyen Bernard-François Balzac» et de la
«citoyenne Anne-Charlotte-Laure Sallambier, son
épouse». Le premier-né du ménage, Louis-Daniel
Balzac, né le 20 mai 1798, nourri par sa mère, meurt à
trente-trois jours, le 22 juin suivant. Honoré sera mis
en nourrice à Saint-Cyr-sur-Loire jusqu'à l'âge de
quatre ans. Il aura deux sœurs : Laure, née en 1800, et
Laurence, née en 1802 ; un frère, Henri, né en 1807.

1804 : Il entre à la pension Le Guay, à Tours.

1807 : Il entre, le 22 juin, au collège des Oratoriens de
Vendôme, où il passera six ans d'internat.

1813 : Il quitte Vendôme, le 22 avril 1813. En été, il est
placé pour quelques mois comme pensionnaire dans
l'institution Ganser, à Paris.

1814 : Pendant l'été, il fréquente le collège de Tours. En
novembre, il suit sa famille à Paris, 40, rue du Temple
au Marais (actuel n° 122).

1815 : Il fréquente deux institutions du quartier du Marais, l'institution Lepître, puis, à partir d'octobre,
l'institution Ganser et suit vraisemblablement les cours
du lycée Charlemagne.

1816 : En novembre, il s'inscrit à la Faculté de Droit, et
entre, comme clerc, chez Mᵉ Guillonnet-Merville,
avoué, rue Coquillière.

1818 : Il quitte, en mars, l'étude de Mᵉ Guillonnet-Merville pour entrer dans celle de Mᵉ Passez, notaire, ami

de ses parents et qui habite la même maison, rue du Temple. Il rédige des *Notes sur l'immortalité de l'âme*.

1819 : Vers le 1er août, Bernard-François Balzac, retraité de l'administration militaire, se retire à Villeparisis avec sa famille. Le 16 août, Louis Balssa, frère de Bernard-François, accusé d'avoir assassiné une fille de ferme, est guillotiné à Albi. Honoré, bachelier en droit depuis le mois de janvier, obtient de rester à Paris pour devenir homme de lettres. Installé dans un modeste logis mansardé, 9, rue Lesdiguières, près l'Arsenal, il y compose une tragédie, *Cromwell*, qui ne sera ni jouée ni publiée de son vivant.

1820 : Il commence *Falthurne et Sténie*, deux récits qu'il n'achèvera pas. Le 18 mai, il assiste au mariage de sa sœur Laure avec Eugène Surville, ingénieur des Ponts et Chaussées. Ses parents donnent congé rue Lesdiguières pour le 1er janvier 1821.

1821 : Il commence *Sténie*, autre récit qui restera inachevé. Le 1er septembre sa sœur Laurence épouse M. de Montzaigle.

1822 : Début de sa liaison avec Laure de Berny, âgée de quarante-cinq ans, dont il a fait la connaissance à Villeparisis l'année précédente ; elle sera pour lui la plus vigilante et la plus dévouée des amies. Pendant l'été, il séjourne à Bayeux, en Normandie, avec les Surville. Ses parents emménagent avec lui à Paris, dans le Marais, rue du Roi-Doré. En collaboration avec Auguste Lepoitevin *dit* de l'Égreville, il publie, sous le pseudonyme de lord R'Hoone, *L'Héritière de Birague*, « par A. de Viellerglé et lord R'Hoone » ; *Jean-Louis* et *Clotilde de Lusignan*, « par lord R'Hoone » ; *Le Centenaire* et *Le Vicaire des Ardennes*, parus la même année, sont signés Horace de Saint-Aubin. Il commence *Wann-Chlore*, rédige un mélodrame, *Le Nègre*, laisse une nouvelle inachevée : *Une heure dans ma vie*.

1823 : Au cours de l'été, séjour en Touraine. *La Dernière Fée*, par Horace de Saint-Aubin.

1824 : Vers la fin de l'été, ses parents ayant regagné Villeparisis, il s'installe rue de Tournon.
Annette et le criminel, par Horace de Saint-Aubin, publié chez Émile Buissot, libraire, rue Pastourelle, n° 3, au Marais (avril). Le roman sera réédité, dans une version édulcorée, dans les *Œuvres complètes d'Horace de Saint-Aubin,* en 1836, chez Souverain, sous le titre *Argow le Pirate.* Sous l'anonymat : *Du droit d'aînesse ; Histoire impartiale des Jésuites.*

1836 : Année agitée. Le 20 mai naît Lionel-Richard Guidoboni-Visconti, qui est peut-être son fils naturel. En juin, Balzac gagne un procès contre la *Revue de Paris* au sujet du *Lys dans la vallée.* En juillet, il doit liquider *La Chronique de Paris,* qu'il dirigeait depuis janvier. Il va passer quelques semaines à Turin ; au retour, il apprend la mort de Mme de Berny, survenue le 27 juillet.
Le Lys dans la vallée. L'Interdiction. La Messe de l'Athée. Facino Cane. L'Enfant maudit (1831-1836). *Le Secret des Ruggieri (La Confidence des Ruggieri). Argow le Pirate* (2e édition d'*Annette et le criminel),* constituant les t. VII et VIII des *Œuvres complètes d'Horace de Saint-Aubin.*

1837 : Nouveau voyage en Italie (février-avril) : Milan, Venise, Gênes, Livourne, Florence, le lac de Côme. *La Vieille Fille. Illusions perdues* (début). *César Birotteau.*

1838 : Séjour à Frapesle, près d'Issoudun, où sont fixés désormais les Carraud (février-mars) ; quelques jours à Nohant, chez George Sand. Voyage en Sardaigne et dans la péninsule Italienne (avril-mai). En juillet, installation aux Jardies, entre Sèvres et Ville-d'Avray.
La Femme supérieure (Les Employés). La Maison Nucingen. Début des futures *Splendeurs et Misères des courtisanes (La Torpille).*

1839 : Balzac est nommé, en avril, président de la Société des Gens de Lettres. En septembre-octobre, il mène une campagne inutile en faveur du notaire Peytel, ancien codirecteur du *Voleur,* condamné à mort

pour meurtre de sa femme et d'un domestique. Activité dramatique : il achève *L'École des ménages* et *Vautrin*. Candidat à l'Académie française, il s'efface, le 2 décembre, devant Victor Hugo, qui ne sera pas élu.
Le Cabinet des antiques. Gambara. Une fille d'Ève. Massimilla Doni. Béatrix ou les Amours forcés. Une princesse parisienne (Les Secrets de la princesse de Cadignan).

1840 : *Vautrin,* créé le 14 mars à la Porte-Saint-Martin, est interdit le 16. Balzac dirige et anime la *Revue parisienne,* qui aura trois numéros (juillet-août-septembre) ; dans le dernier, la célèbre étude sur *La Chartreuse de Parme.* En octobre, il s'installe 19, rue Basse (aujourd'hui la « Maison de Balzac », 47, rue Raynouard).
Pierrette. Pierre Grassou. Z. Marcas. Les Fantaisies de Claudine (Un prince de la bohème).

1841 : Le 2 octobre, traité avec Furne et un consortium de libraires pour la publication de *La Comédie humaine,* qui paraîtra avec un *Avant-propos* capital, en dix-sept volumes (1842-1848) et un volume posthume (1855).
Le Curé de village (1839-1841). Les Lecamus (Le Martyr calviniste).

1842 : Le 19 mars, création, à l'Odéon, des *Ressources de Quinola. Mémoires de deux jeunes mariées. Albert Savarus. La Fausse Maîtresse. Autre étude de femme. Ursule Mirouët. Un début dans la vie. Les Deux Frères (La Rabouilleuse).*

1843 : Juillet-octobre : séjour à Saint-Pétersbourg, auprès de Mme Hanska, veuve depuis le 10 novembre 1841 ; retour par l'Allemagne. Le 26 septembre, création, à l'Odéon, de *Paméla Giraud.*
Une ténébreuse affaire. La Muse du département. Honorine. Illusions perdues, complet en trois parties (I. *Les Deux Poètes,* 1837. II. *Un grand homme de province à Paris,* 1839. III. *Les Souffrances de l'inventeur,* 1843).

1844: *Modeste Mignon. Les Paysans* (début). *Béatrix* (II. *La Lune de miel*). *Gaudissart II.*

1845: Mai-août: Balzac rejoint à Dresde Mme Hanska, sa fille Anna et le comte Georges Mniszech; il voyage avec eux en Allemagne, en France, en Hollande et en Belgique. En octobre-novembre, il retrouve Mme Hanska à Châlons et se rend avec elle à Naples. En décembre, seconde candidature à l'Académie française.
Un homme d'affaires. Les Comédiens sans le savoir.

1846: Fin mars: séjour à Rome avec Mme Hanska; puis la Suisse et le Rhin jusqu'à Francfort. Le 13 octobre, à Wiesbaden, Balzac est témoin au mariage d'Anna Hanska avec le comte Mniszech. Au début de novembre, Mme Hanska met au monde un enfant mort-né, qui devait s'appeler Victor-Honoré.
Petites Misères de la vie conjugale (1845-1846). *L'Envers de l'histoire contemporaine* (premier épisode). *La Cousine Bette.*

1847: De février à mai, Mme Hanska séjourne à Paris, tandis que Balzac s'installe rue Fortunée (aujourd'hui rue Balzac). Le 28 juin, il fait d'elle sa légataire universelle. Il la rejoint à Wierzchownia en septembre.
Le Cousin Pons. La Dernière Incarnation de Vautrin (dernière partie de *Splendeurs et Misères des courtisanes*).

1848: Rentré à Paris le 15 février, il assiste aux premières journées de la Révolution. *La Marâtre* est créée, en mai, au Théâtre historique; *Mercadet,* reçu en août au Théâtre-Français, n'y sera pas représenté. A la fin de septembre, il retrouve Mme Hanska en Ukraine et reste avec elle jusqu'au printemps de 1850.
L'Initié, second épisode de *L'Envers de l'histoire contemporaine.*

1849: Deux voix à l'Académie française le 11 janvier (fauteuil Chateaubriand); deux voix encore le 18 (fauteuil Vatout). La santé de Balzac, déjà éprouvée, s'altère gravement: crises cardiaques répétées au cours de l'année.

1850 : Le 14 mars, à Berditcheff, il épouse Mme Hanska. Malade, il rentre avec elle à Paris le 20 mai et meurt le 18 août. Sa mère lui survit jusqu'en 1854 et sa femme jusqu'en 1882. Son frère Henri mourra en 1858 ; sa sœur Laure en 1871.

1854 : Publication posthume du *Député d'Arcis,* terminé par Charles Rabou.

1855 : Publication posthume des *Paysans,* terminés sur l'initiative de Mme Honoré de Balzac. Édition, commencée en 1853, des *Œuvres complètes* en vingt volumes par Houssiaux, qui prend la suite de Furne comme concessionnaire (I à XVIII. *La Comédie humaine.* XIX. *Théâtre.* XX. *Contes drolatiques*).

1856-1857 : Publication posthume des *Petits Bourgeois,* roman terminé par Charles Rabou.

1869-1876 : Édition définitive des *Œuvres complètes* de Balzac en vingt-quatre volumes chez Michel Lévy, puis Calmann-Lévy. Parmi les « *Scènes de la vie parisienne* » sont réunies pour la première fois les quatre parties de *Splendeurs et Misères des courtisanes.*

TABLE DES MATIÈRES

DERNIÈRES PARUTIONS

GF Flammarion

02/10/97327-X-2002 – Impr. MAURY Eurolivres, 45300 Manchecourt.
N° d'édition FG042907. – novembre 1984. – Printed in France.